D0014643

2
amsh

Para que no ol   con

caras gallegas y viajes   costa

la imaginación a la

de la muerte.

tus amigos   2/Diciembre/89

Luis Sotina   Javier Mentxell

MADERA DE BOJ

Camilo José Cela

MADERA DE BOJ

ESPASA

© Camilo José Cela, 1999
© Espasa Calpe, 1999

1.ª edición: septiembre de 1999
2.ª edición: octubre de 1999
3.ª edición: octubre de 1999

Depósito legal: M. 38.562-1999
ISBN: 84-239-7961-X

Editorial Espasa Calpe, S.A.
Carretera de Irún, km 12,200. 28049 Madrid

The skies they were ashen and sober:
The leaves they were crisped and sere,
The leaves they were withering and sere.
....
Then my heart it grew ashen and sober
As the leaves that were crisped and sere,
As the leaves that were withering and sere.

Edgar A. Poe, *Ulalume.*

I

EL CARNERO
DE MARCO POLO
(Cuando dejamos de jugar al rugby)

El sacristán Celso Tembura, al que llaman Arneirón los amigos, otros le dicen Cornecho y él tampoco lo toma a mal, y que laña castañetas y fríe
pajaritos como nadie, pardales, xílgaros, verderoles,
también diseca sapos y lechuzas, todo por diversión,
con las doniñas no se atreve porque pierden el pelo,
tiene los pies planos, las cejas muy pobladas y la
conciencia intermitente, o sea tartamuda, Celso también
canta fados portugueses y tangos porteños con muy
buena entonación y prepara larpadelas de encargo,
cuanto más viento sople sobre la mar mejor para todos,
larpadela quiere decir cuchipanda, él no pone las putas
porque casi se lo prohíbe su condición, no falta nada, los
que se ganan la vida bajo techado crían a veces malos
pensamientos, malos sentimientos, Celso libra porque
es solemne y de buenas intenciones, a los que sienten temor de Dios se les nota en la solemnidad y al final sal-

van su alma, su hermano Telmo había sido timonel de la
trainera fisterrá Unxía pero quedó cojo de un temblor
que lo tiró por el cantil de punta Raboeira o petón do
Demo y ahora es sepultureiro en el camposanto de la
parroquia de San Xurxo dos Sete Raposos Mortos, que
queda cerca del monasterio de San Xiao de Moraime
donde se coronaban los reyes suevos rodeados de carballos, de laureles y de tojos de oro, Hilario Ascasubi, el
poeta gaucho, nació en Posta de Fraile Muerto y nadie
se extraña, los moros que pescan sus besugos de reflejos
dorados al sur del estrecho de Gibraltar dicen que el
viento pasa pero la mar permanece, el ruido de la mar
no va y viene como piensa Floro Cedeira, el pastor de
vacas, sino que viene siempre, zas, zás, zas, zás, zas, zás,
desde el principio hasta el fin del mundo y sus miserias,
a la ciudad de Dugium Duio, que era la capital de los
nerios, se la llevó el viento y la sepultó en la mar, dicen
que entre el petón de Mañoto y el Centulo, esas piedras
llevan ahí mil años, dos mil años, tres mil años criando
concharelas y percebes, pero el ruido de la mar no va y
viene como piensa Floro Cedeira, el pregonero de las
saludables virtudes del pulpo crudo, es lo mejor para
combatir el reuma y la tortícolis, sino que viene siempre, zas, zás, zas, zás, zas, zás, desde el principio hasta
el fin del mundo y aun antes, otros cuentan que Dugium murió aplastada por un terremoto en el canal que
separaba la ínsula de Fisterra de tierra firme y unía las
playas de Mar de Fóra y Langosteira, cuando recreció el
terreno la ciudad quedó sepultada para siempre, la mar
muge como un buey amargo, igual que un escuadrón

de bueyes roncos y amargos, quizá fuera mejor decir que la mar muge como un coro de cien vacas pariendo, quizá más, y en San Mereguildo de Gandarela, la ciudad que ardió bajo las aguas cuando lo de Juanito Jorick, el dublinés al que caparon por una apuesta en una romería, las campanas voltean al compás de tres por cuatro para que los católicos podamos cantar las alabanzas de la virgen Locaia a Balagota, la moza a la que los infieles frieron el virgo en alpechín y le escarnecieron la naturaleza pintándole los nueve buratos del organismo con purpurina, daba risa verla.

—A los infieles deberíamos matarlos a todos.

—Puede que sí.

—¿Fusilados o ahorcados?

—Tanto tiene.

La mar no se paró nunca desde que Dios inventó el tiempo hace ya todos los años del mundo, Dios inventó el mundo al mismo tiempo que el tiempo, el mundo no existía antes del tiempo, la mar no se cansa nunca, el tiempo no se cansa nunca, ni el mundo, que cada día es más viejo pero tampoco se cansa nunca, la mar se traga un barco o cien barcos, se lleva un marinero o cien marineros y sigue murmurando con su voz afónica, con su voz de borracho triste y pendenciero, amargo y peleón.

—¿A usted le asusta?

—No; a mí, no, yo ya estoy acostumbrado.

Cirís de Fadibón pedicó al diablo en el alto de Cabernalde montándolo a canchapernas para tenerlo bien trincado y que no se le escurriese, dicen que lo vio Fiz o Alorceiro, el tonto de Coyiños, que tonteó mismo entonces se conoce que del susto, el diablo con malas artes destiló el chapapote pegañento que criaba en la tripallada y Cirís de Fadibón, a resultas de esas mañas mágicas y peligrosas, se le quedó enguilado hasta que murió de hambre y de sed, ¡daba risa ver al diablo revolcándose por los tojos para restregar bien y a modo a Cirís de Fadibón, a quien llevaba pegado al culo como una zamezuga!, el cura de San Xurxo dos Sete Raposos Mortos hace los milagros con una sola mano de mañoso que es, se llama don Xerardiño Aldemunde y lleva ya muchos años difunto, se le nota en el hedor, en el cheirume a rayos podres, pero por artes mágicas finge la vida y hasta anda de un lado para otro como si tal cosa, confiesa al pecador, juega al tute con quien va de camino, le saca brillo al serpentín del alambique, canta de balde en el funeral de los percebeiros muertos y cocina almejas con cebolla, ajo, perejil y vino blanco.

—¿Esto no va demasiado revuelto?

—No, esto no va más que algo revuelto.

—¿Como la vida misma?

—Sí, pero esto procuro no decirlo.

Los dioses empezaron a hablar por boca de Fofiño Manteiga, el tonto de Prouso Louro, el oráculo de Reburdiños, que no es un personaje de carne y hueso sino un cristobita de papel y tinta, poco antes de que cumpliera los quince años, una mañana antes de salir el sol empezó a aullar como un lobo y la gente decía, los marineros, los campesinos, los leñadores, los pastores, los artesanos y los vendedores ambulantes, aúlla por su madre que lo dejó en la playa de Seiside de recién nacido para que se lo comieran las ratas, lo salvó una sirena que miraba dulcísimamente, parecía una garduña del monte, no es verdad que en la playa de Nemiña haya siempre una ballena varada muerta y comida por los tábanos, los cangrejos y las gaviotas, la gente es muy mentirosa, a la gente no se le puede creer nada de lo que dice, hace ya algunos años que los lobos no llegan hasta la orilla de la mar, se espantan antes, ventean el aire y huyen evitando las aldeas y bordeando los pinares, la huella de la sangre que delata al lobo se bate en retirada hacia el este, el punto de la rosa de los vientos a la que amansa la traición e incluso el fallo de la voluntad, cuando uno hace las cosas contra su voluntad acaba ardiendo como si fuera de fósforo en la caldera de Pedro Botero, nadie puede ir contra la física ni contra la química, Minguiños el Pilistriquis, el tonto de Xures, vendió el despertador que había heredado de su padre y ahora tiene miedo de que vuelva del otro mundo para reclamárselo, el capataz James E. Allen tiene el pelo colorado y la cara toda pintada de pecas, es inglés pero parece irlandés, James toca muy bien el acordeón, valses, polcas, mazurcas, y recita en voz alta poesías de Poe, oírlas de noche queda muy misterioso, ¿hasta dónde llegarán las notas del acordeón?, ¿las oirán las ballenas?

Era xa noite no solitario outubro,
As miñas lembranzas eran traidoras e murchas
Pois non sabiamos que era o mes de outubro.

James E. Allen había sido winger del equipo de rugby Hunslet Boys, de Leeds, lo dejó a los veinticinco años porque se sentía viejo, en Leeds se fabrican locomotoras muy famosas, en la playa de Nemiña no hay una ballena varada más que en alguna luna nueva, no en todas, en una sí y en dos no, a veces la ballena no está muerta sino moribunda pero los tábanos, los cangrejos y las gaviotas se la comen igual, entonces a Dosindiña, desde que cumplió los treinta años le llaman doña Dosinda, se le desabrocha el rijo y se entiende con los machos de las tres especies, ¡qué falta de decoro y de respeto al sentido común!, el oráculo de Reburdiños le dice, goza de la gula del sebo y del almíbar y métete en la cama con tus insaciables machos, doña Dosinda peca sin sonreír.

—¿Y también se mofa de las leyes de la naturaleza?

—También, pero Dios se lo perdona.

María Flora, el ama de don Socorro, el cura de Morquintiáns, se prepara una taza de manzanilla, la macela de Romelle tiene mucho renombre, se sienta en la mecedora, se tapa la cabeza con su mantón de Manila y se pone a llorar sin desconsuelo pero con mucha paciente aplicación.

—¿No nota usted que cada día que pasa hay menos vergüenza?

—Pues, sí, puede que sí, yo no sé dónde iremos a parar.

Los perros no valen para mucho porque con los trabones molestan después de haber gozado, la verdad es que tampoco merece la pena probar lo que ya se conoce.

—¿El demonio tiene trabones?

—No creo, eso se sabría.

—¿Y los cabros?

—No creo.

—¿Y los portugueses?

—No creo, los portugueses son como los españoles.

—¿Y los asnos?

—Tampoco.

Sentado en la tapia de la ballenera de Caneliñas, con los pies balanceándose en el aire y mirando para la mar, siempre hay que mirar para la mar, tenga presente que a la mar no se le puede perder la cara, mi tío Knut Skien, que tiene un ojo azul celeste y el otro verde botella, canta, también en gallego y también acompañándose del acordeón, los versos de Poe, a Poe hay que cantarlo en gallego para que se entienda mejor incluso que en inglés.

> Os ceos eran cincentos e sombríos,
> As follas eran crispadas e secas,
> As follas murchas e secas.

A la punta de Cusiñadoiro algunos le llaman cabo de la Vela, aquí fue donde naufragó el mercante Arada, dicen que los de Camelle le llevaron hasta la bitácora y le bebieron la ginebra al capitán, mi primo Vitiño Leis Agulleiro, por aquí somos casi todos parientes, el hijo mayor de mi tía Milagres, se encuentra con Dosindiña, vamos, con doña Dosinda, junto a la ría de Lires con su abra minúscula y su saco a juego, en la cabaña de punta Calboa, y se aman entre muy oscuras filosofías.

—No entiendo.

—Ni yo.

—¿Y ellos?

—Eso ya no lo sé.

Neith y Bandín, los dioses de la guerra, los cisnes de
la guerra, bajan del cielo para decir qué soldados deben
morir en la batalla y cuáles deben librar, Fofiño Manteiga cuando se pone el sol se revuelca sobre la arena,
llora desconsoladamente, a lo mejor le invaden muy
tristes recuerdos, y no soporta que lo miren, ¡fuera de
aquí, siniestras moscas de los muertos!, ¡me repugna
ver cómo os emborracháis con el licor de mi sufri-
miento!, ¿no os dais cuenta de que los buitres incuban
sus huevos en mi corazón?, el tiempo pasa con incertidumbre y con mansedumbre, como crecen los árboles
sin que nadie se dé cuenta, esto del crecimiento tiene
más que ver con el latido de la adivinación que con el
sentido de la vista, el hombre es un animal tan tosco que
ni siquiera ve crecer la yerba, mi primo Vitiño Leis es
muy valiente, tiene mucha fuerza, sólo uno pudo llevarle el pulso, uno de Baxantes que se llamaba Feliberto
Urdilde y se murió, le dieron con un caneco de ginebra
en la cabeza, se la partieron en dos y se murió, el fantasma de Feliberto Urdilde se entretiene ahora en mear
los nidos de los albatros y en sembrar rencorosos posos
de remordimiento en el corazón de las viudas, cuando
se les aparece no vuelven a dormir tranquilas y pasan
mucho frío, no es decente que las viudas tomen demasiado café, dicen algunos marineros viejos que las sirenas fueron las primeras palilleiras de los encajes de Ca-

mariñas, que copiaron de los dibujos de las algas y de las estrellas de mar y de las trasparencias del agua recién buceada por los cormoranes, ahora ya casi no quedan sirenas y los camariñáns fueron perdiendo poco a poco su afición a enamorarlas, ahora ya no les llevan cañitas de crema hasta la orilla ni les regalan el oído tocándoles la Marcha Real en la gaita, en las noches de luna, mientras la mar rebufa, también dicen ciertos historiadores que el primer fisterrán que se recuerda fue el fruto de los amores de un lobo marino de las islas Lobeiras con una sirena que se puso a tomar el sol, un día que hubo sol, en el Camouco do Sur, que queda en la Lobeira Chica, la más pegada a tierra firme, frente a la costa de Cabra y la aldea de Curra, esto puede no ser cierto porque va contra el sentido común, cuando mi padre hizo la primera comunión había un toliño ourensán que se llamaba Farruco Roque y le decían don Paco, era de Celanova y tenía el carácter muy alegre, don Paco no había visto nunca la mar ni tampoco quería verla.

—Tanta agua junta no puede ser bueno, eso no puede ser conveniente ni para la salud del cuerpo ni para el sosiego del alma.

Cornecho, el sacristán Celso Tembura, tiene un escape en el sentimiento, ya se dijo que tiene la conciencia tatela, y caza gaviotas con anzuelo, después las suelta porque no valen para comer, tienen la carne muy dura, de cebo les pone tripa de sardina como al santiaguiño, algunos gallegos al santiaguiño le dicen aratoño, Cornecho o Arneirón, o sea el sacristán Celso Tembura, es

muy ordenado y anda sobre las losas del muelle sin pi-
sar raya para no despreciar la santa cruz, los mozos Noé
Rebouta, Chelipiño Pérez, Doado Orbellido y su hermano Froitoso, Lucas Abuín, Martiño Villartide y Renato Fabeiro, uno por cada uno de los siete raposos
muertos de la parroquia de San Xurxo, eran medio re-
volucionarios y medio republicanos, cagáronse en la
predicación, empezaron a poner todo en duda, desbara-
taron el equilibrio y, claro es, acabaron condenando su
ánima, unos a arder para siempre en el infierno, los cabecillas, y otros a churrascarse algún tiempo en el purgatorio, los de clase de tropa, a veces se les ve vagar con
la Santa Compaña por las orillas del río Maroñas, que
son muy sombrías y vegetales, muy misteriosas y solita-
rias, cuando James E. Allen dejó de jugar al rugby porque ya era viejo, su tío el noruego Knut Skien que también era tío mío, se lo llevó con él a cazar el carnero de
Marco Polo en las montañas de Pamir, cazaron sólo uno
que le salió carísimo a tío Knut, ahora tiene su cabeza
disecada encima de la chimenea, pero pudieron jugar al
buzkashi, que es una especie de rugby a caballo y con
un becerro sin cabeza en vez de balón, el buzkashi es un
deporte duro y los contendientes se tunden a latigazos,
a algunos los dejan tuertos pero no lo toman a mal porque eso le puede pasar a cualquiera, a Allen le brillan
las pecas cuando lo cuenta, después empezó a trabajar
en la ballenera, en mi familia el rico no era mi bisabuelo
sino su hermano Dick, que cazaba ballenas en las Azores, por aquí los ricos cazan ballenas, los pobres pescan
merluzas y los más pobres rascan percebes, por aquí

todo está muy repartido, a la sombra de Dick, el hermano de mi bisabuelo materno, fuimos prosperando todos, unos más y otros menos como es natural, eso va en caracteres y en predisposiciones.

—¿Tú no crees que Dorothy, la mujer de Dick, fue un poco rara?

—¿Quieres decir que le gustaban las mujeres?

—No, no es eso.

Dorothy fue siempre muy correcta, a Dorothy le espantaban las emociones y no se desnudó nunca delante de ningún hombre, Dorothy no escuchaba jamás música, no hacía obras de caridad y no creía en Dios, Dorothy asistía a los oficios con los ojos cerrados y la cabeza horra de pensamientos, es difícil pero se puede conseguir, por miedo a adivinar la presencia de Dios, Dorothy no leía los versos de los poetas y no asistía a las ejecuciones, a sus amigas les gustaba mucho ver cómo pataleaban los ahorcados, los que mejor y más cadenciosamente mueren son los negros, da gusto ver cómo convierten el miedo en armonía, después se ponen enseguida de color verde, Dorothy siempre procuró no conocerse a sí misma demasiado, pensar lo contrario es una impudicia, su marido tampoco creía en Dios aunque procuraba disimularlo, sólo en el lecho de muerte se confesó con su hermano.

—Escúchame, Cam, aparta toda la paja y quédate con lo que convenga a lo que quiero decirte, tú ya sabes, es todo muy sencillo: trabajé tanto durante toda mi vida, que no tuve tiempo de estar enamorado, ni de ser supersticioso, ni de creer en Dios, la única licencia que me pude tomar fue la de emborracharme todos los sábados sin dejar ni uno. Ya lo ves, hermano, yo quise hacerme una casa con las vigas de madera de boj y ahora me voy al infierno sin haberlo conseguido; gané todo el dinero necesario pero me faltó tiempo.

—Un día me dijiste que también te faltó arraigo.

—Sí, es cierto, también me faltó arraigo; en nuestra familia nos hemos movido más de la cuenta y al final nos entierran a todos siempre en suelo ajeno, a mí me duele no haberme dado cuenta antes.

En la playa de Traba varó hace algún tiempo un cachalote cornudo, hay personas que enferman en cuanto se les saca de la rutina de la vida y la muerte, lo malo es no saber perdonar, a los endemoniados hay que ayudarles para que vomiten el demonio fuera del cuerpo, a la parroquia de San Ourente de Entíns, en Outes, trajeron el cuerpo de San Campio vestido de militar, los dos santos se llevan bien, San Campio foi militar, serviu ó Rei lealmente, agora está corpo santo no altar de Santo Ourente, de la buena amistad de los dos santos también se habla, Santo Ourente foi obispo e San Campio militar, agora que xa van vellos están xuntos no altar, la ceremonia para barrer al demonio ya se sabe, se lava uno la cara y las manos en el agua de la fuente de Nosa Señora do Rial, se dan nueve croques en la piedra santa y nueve vueltas alrededor del cruceiro, seis en un sentido y tres en el otro, y se empieza el exorcismo hasta que se puede con el demonio, a los reconfortados con la fuga de Satanás se les ayuda dándoles cachucha cocida con grelos y garbanzos o zorza con huevos fritos y cachelos, también se les deben ofrecer castañas en almíbar de postre y augardente en abundancia, al demonio le espantan las bebidas espirituosas, la gente cree lo contrario pero se equivoca, al demonio le pasa lo que a las víboras y lo que le gusta es la leche de mujer, también los freixós de cayota con mucha canela, las rosquillas de Ribadavia y los melindres de Allariz, el marcial San Campio es el patrono de los quintos y de los viajeros, a las mozas las protege y las enamora, neniñas de Santo Ourente ben vos podedes alabar, aí vén o santo San Campio vestido de militar, en el monte de San Guillén, en el promontorio fisterrán, hubo una ermita a la que se retiró el caballero húngaro Grissapaham para hacerse perdonar por Dios las tropelías que cometió en la guerra de Nápoles, otros dicen que el ermitaño fue Guillermo de Aquitania, conde de Tolosa y de Poitiers, que hay quien confunde con Guillermo de Orange, paladín de Carlomagno que derrotó a los sarracenos, defendió al antipapa y, vuelto al buen camino por las razones que le dio Bernaldo de Claraval, se hizo eremita en expiación de sus errores, algunos dicen que fue don Gaiferos de Mormaltán el del romance, en lo alto del cabo estuvo hasta fines del XVIII que la mandó quitar el señor obispo, la cama de San Guillerme o San Guillén, que era una gran laja de piedra en la que yogaban los esposos a los que se les resistía la fertilidad, en O Pindo hay otra piedra con las mismas virtudes y las nueve olas de la Lanzada también valen para propiciar el hijo que se resiste, Telmo Tembura, el timonel de trainera que rodó por el cantil do petón do Demo y ahora es enterrador en San

Xurxo, sabe muchas historias del monte Pindo, no siempre quiere contarlas y hay que darle filloas con augardente para que hable, el terremoto que desvió el curso del río Xallas se lo sabe como nadie aunque el hecho sucedió por los tiempos en los que Marco Polo iba camino de Catay, por entonces debía andar por Kunduz o por Faizabad comiendo arroz con yerbas, las casas no se deben barrer por la noche para no espantar a las ánimas que buscan calentarse en la lareira, las ánimas pasan mucho frío cuando salen del purgatorio para la procesión de la Hueste, también se dice de la Santa Compaña, las ánimas siempre quieren volver a las casas en las que vivieron y no se les debe cerrar el paso, no es decente ser cruel con nadie y menos con las ánimas, se les dicen misas y se les rezan oraciones para irles redimiendo las penas, don Xerardiño hace los milagros con una sola mano, espanta al demonio, devuelve el habla a los mudos, sana la pus de las úlceras, don Xerardiño fuma mucho, demasiado, en el sagrario tiene un macillo de pitillos y a veces fuma mientras dice la misa, en San Xurxo dos Sete Raposos Mortos la feligresía quiere a don Xerardiño porque es de generosas inclinaciones, al tonto de Xures lo deja dormir en la lareira cuando la noche se presenta dura y ventosa, las ánimas del purgatorio aparecen como pueden y siempre dada la media noche, las ánimas vienen a pedir sufragios o a avisar la muerte, se disfrazan de abejorro o de murciélago o de agnus Dei qui tollis peccata mundi, esto es mucho descaro, por menos se pueden perder el equilibrio y la decencia, se quejan lastimeramente y sin entusiasmo ninguno, semejan grajos ancianos dejados de la mano de Dios, hacen sonar las cadenas que las atan a la otra vida, se convierten en piedras de cuarzo que gritan cuando las pisan o en quijada de burro para poder matar al hermano, ya se sabe que del hermano no se puede soportar ni la gloria ni la muerte, las ánimas se aparecen en sueños y desfilan en la Santa Compaña con su blandón encendido y su olor a cera y a bosta, delante va un ser vivo pero no muy sano tocando la campanilla, va con la mano abierta y los dedos pintados de blanco, el que se da con la Hueste tiene que guiarla hasta que se tropieza con otro que le releva, cuando es una mujer se le retira la regla durante nueve lunas y después pare un arañón del porte de una centolla y de color negro que lleva las siete estrellas de la Osa Menor pintadas encima, rezándole un padrenuestro la Santa Compaña sirve de despertador, cuando un cadáver se revuelve en el ataúd es señal de que la muerte no anda lejos y entonces debe rezarse el credo con los ojos cerrados y sin respirar a cambio de no perder el sentido, Fofiño Manteiga le dijo una mañana a Barrabás, yo sé por qué estás siempre al acecho, a ti te orienta el hedor a carroña y andas siempre a la busca de cadáveres, el peón caminero Liduvino Villadavil respiró y además se tiró un pedo mientras rezaba y en castigo se quedó ciego para siempre, ahora va por las romerías cantando romances, mi tío Knut Skien caza el rorcual y el cachalote con arpón y a brazo, al antiguo uso, y además se ríe.

—Yo bebo la sangre del animal porque lo respeto, yo no mato por matar sino para vivir.

A veces también se tropieza uno con yubartas y hasta con ballenas azules, por esta mar todas nadan a contracorriente del Gulf Stream, que baja del Polo Norte, la yubarta no es el rorcual sino la ballena jorobada, los marineros de Fisterra, donde termina el mundo y comienza el país de los muertos, conocen a cada una de las ballenas y las llaman por su nombre propio como si fueran personas o caballos, Morondún, que mexa aceite e fai atún, Lilaina, Santa Lilaina pariu por un dedo, certo será pero eu non cho creo, Elsinda, Maruxiña, Quintián, Sabela, etc., las confunden muy pocas veces, sólo cuando van muchas juntas y amontonadas.

—¿Casi unas encima de otras?

—No tanto, pero les falta poco.

—¿Usted cree que Dios Todopoderoso puede manejar los cachalotes como si fueran fanecas?

—Pues, sí, Dios Todopoderoso puede hacer siempre lo que quiere.

En Fisterra, antes de las embarcaciones a motor, también en Laxe y en Camelle pero no en Muxía ni en Camariñas, se usaban la traíña, el rapetón y el recú para salir a la sardina y al abadejo, el rapetón es más largo y elegante que la traíña y además puede izar dos velas para ayudarse a navegar, y el recú tiene menos eslora.

—¡No quiero enterrarte con tus mil caballos relinchando, al paso de tu cadáver! ¡No quiero enterrarte con los mil perros con los que salías a cazar, ladrando al paso de tu cadáver! ¡No quiero enterrarte con las mil mujeres con las que te acostaste sólo para escarmentarlas con tu ira, llorando al paso de tu cadáver!, me gusta-

ría dejarte sobre una piedra que la mar batiese con clemente ira pero me sacrifico y renuncio.

El último de siete hermanos es lobishome, o sea lu-
cumón, se vuelve lobo en algunas precisas circunstancias, pero libra si lo saca de pila su hermano mayor y
entonces ya no se siente bestia fiera ni vive habitado por
la melancolía, la última de siete hermanas es meiga y
puede hacer mucho bien con su oficio y llevar salud al
enfermo y consuelo al triste, no es cierto que se vuelvan
tísicas las palilleiras de Camariñas, las sirenas tampoco,
esto de hacer encaje de bolillos es muy sano porque se
traga poca saliva, tísicas se vuelven las señoritas de
tanto leer versos y tocar el piano, algunas encajeras fuman xarutos como las mariscadoras pero esto no es
malo porque el humo espanta los microbios y da fuerza
a los huesos, Fideliño o Porcallán, que estaba picado de
viruela y tenía la cara roja, parecía un cangrejo cocido, y
los pies negros como la noche y duros como el pedernal,
iba siempre descalzo y con los pies sacaba chispas de las
piedras cuando las tropezaba, no era de Morpeguite, vivía en la aldea porque estaba casado con una de allí,
Marta la de los Xurelos, Fideliño o Porcallán, se conoce
que aburrido de no salir de pobre, se fue a pegar un tiro
en la boca en la peña da Muller dos Cinco Dedos, en el
Pindo, este é o meniño, este o seu veciño, este é o do
medio, este o furabolos e este o matapiollos, tuvo que
andar mucho y subir mucho y cuando se vino abajo se
partió la cara contra las piedras, se destrozó la cara, parecía un tomate esmagado, Fideliño o Porcallán trotaba
como un raposo, a saltitos pequeños y desconfiados, y

se iba casi todas las noches hasta la playa de Nemiña a ver si la mar había devuelto algo, unas tablas de madera noble, caoba, ébano, palosanto, un par de fardos de caucho virgen, un barril de ginebra, a lo mejor un muerto con un diente de oro.

—¿Todavía quedan?

—Sí, cada vez menos pero todavía quedan, un muerto con un diente de oro es como una bendición de Dios.

Una noche Fideliño o Porcallán se tropezó con otro paisano que andaba a la misma industria y se molestó, le arrimó paciencia pero se molestó, tampoco debe extrañar a nadie, el otro era Xan de Labaña o Fumacento, un muerto de hambre que estaba cargado de hijos y de remordimientos de conciencia, también tenía deudas y mal de próstata, se iba siempre meando por encima, todo requiere su liturgia pero no es lo mismo prepararse para el nacimiento de un niño campesino que para el asesinato de un príncipe, Fideliño y Xan se saludaron pero siguieron su camino y ni se hablaron siquiera, la costumbre hace que el recelo frene la conversación, a los pocos días Fideliño, para espantar a Xan y tener las sombras de la noche para él solo, arbitró quedarse en calzoncillos y camiseta como casi todos los muertos que vienen con la mar y tenderse en la orilla justo donde rompen las últimas olas, como si estuviera ahogado, Xan se llegó hasta el falso muerto y éste, cuando lo tuvo cerca, se levantó de un brinco y con los brazos en cruz y una voz que parecía del otro mundo, le dijo,

—¡Entiérrame en sagrado, Xanciño, entiérrame en sagrado!

Xan de Labaña o Fumacento salió corriendo y no
paró hasta llegar a su casa, no es verdad que en la playa
de Nemiña haya siempre una ballena muerta, o una sirena muerta, o un marinero muerto, o un cerdo muerto y
con el vientre hinchado, a Xan de Labaña o Fumacento
no le faltaron fuerzas para huir, al dublinés Juanito Jorick lo caparon en la romería dos Caneiros que queda
muy lejos de aquí, Moncho Méndez que había sido guardia municipal de Betanzos, lo echaron por borracho y
pendenciero, se encaró con Juanito Jorick y le dijo,

—Te apuesto una enchenta de lacón a que te capo si
me pisas la sombra.

Entonces Juanito Jorick le pisó la sombra y Moncho
Méndez lo capó con una navaja de tres estallos, como
no era ni pesetero ni humillador, Moncho le perdonó la
laconada, Rosa Bugairido después de casada con Roquiño Lousame, que era enfermero de la Clínica Fuentes de Corcubión, tuvo amores con Xeliño Méndez, el
hermano menor de Moncho, eran catorce hermanos, todos varones, tres curas, tres guardiaciviles, tres carteros,
tres viajantes de comercio, Moncho y Xeliño, Rosa Bugairido se suicidó hace cosa de tres años tirándose a la
mar desde el acantilado de cabo Vilán, un ojo y parte de
los sesos se quedaron pegados a los percebes de la bajamar, el cadáver lo llevó la mar al playazo de Traba,
donde varó hace algunos años un raro cachalote con
cuernos, al norte de la punta de Laxe.

—Mañana es el aniversario de la muerte de tu madre, que en paz descanse, quizá debiéramos llevarle
unas flores al camposanto.

—¡Puede!

Cada vez escasean más los cadáveres sobre los que dormir la enfermedad o la borrachera, hay días en los que las ballenas van tan juntas que no dejan a los boniteros pescar al curricán, les desbaratan las líneas de los anzuelos con el lomo, don Sadurniño Losada era un viejo capitán de cargo ya retirado que se sabía esta costa como nadie, la conocía de memoria y la tenía dibujada con mucho detalle en unos cuadernos, desde Malpica hasta la punta Carreiro, donde dobla la ría de Muros, don Sadurniño también apuntaba en sus cuadernos sabidurías y rarezas, nombres de yerbas mágicas y apodos, había algunos muy raros y otros casi humillantes, cascarilleiros, merduleiros, conacháns, cangrexoliños, para estas anotaciones don Sadurniño usaba tinta verde, a los de Deza les llaman choqueiros por los chocallos que les cuelgan a las bestias con las que portean el vino y a los de Redondela también, porque son muy aficionados a comer chocos o jibias, la choca es el cencerro que lleva el centulo, o sea el demonio, en la procesión del Corpus, los castellanos le dicen cagalaolla, a la virgen Locaia a Balagota ya no le reza nadie, se conoce que se le fue perdiendo la devoción, esto de la radio dando todo el día noticias y anuncios de detergentes es lo que trae, los infieles no tienen conciencia ni fundamento y envenenan el agua y la manchan de petróleo y de sangre, esconden la tierra debajo de los muertos, ponen varias filas de muertos encima de la tierra, apagan la lumbre para que las ánimas no puedan quitarse el frío y escupen al aire para que las gaviotas se desorienten y se

estrellen contra las rocas, en el Pedrullo quedan los lastimados restos del castillo de San Xurxo, los paisanos
dicen que esconde el tesoro de la Reina Lupa, que no se
encontró jamás, los carballos del monte Pindo estuvieron ardiendo sin parar durante siete años seguidos,
aquello debió ser horrible, fue como un Diluvio Universal de fuego.

—Lo que no pudo hacer Dick, una casa con vigas de
madera de boj, quizá puedas hacerlo tú, Cam, es difícil
cortar vigas de madera de boj, no pueden ser muy grandes, a Dick le hubiera gustado fabricar joyeros de madera de boj a gran escala, joyeros forrados de moaré y
con una llavecita de plata, Dorothy tenía un carácter
algo raro, un carácter que parecía una mancha de mermelada de arándano.

—¿O de grosella?

—No, de arándano.

Dorothy, aunque algunos lo pregonaran sin mayor
respeto, no era lesbiana, le faltaba buena voluntad, Dorothy estornudaba mucho y puede ser que acabara endemoniada, esto no se sabe nunca, el gran banco de ballenas
se mueve dentro del chorro principal del Gulf Stream,
van de sur a norte, ya se sabe, fuera sólo nadan las más
débiles, por esta mar hay piedras con magnetismo que
desorientan a las ballenas y a las embarcaciones.

—A nosotros nos faltó arraigo, es malo eso de que le
entierren a uno en el extranjero.

El mal do aire se confunde en ciertas ocasiones con
el mal de ollo, los niños se vuelven raquíticos y los mayores empiezan a escupir sangre, no duermen y tienen

fuertes dolores de cabeza, hay mal de aire de vivos y mal de aire de difuntos, también los hay de mujeres y de hombres, mal aire de doncella, de soltera que no sea virgen, de mujer menstruando, de embarazada, de madre de más de tres hijos después de yacer con el marido, de mujer comida por la envidia, mal aire de excomulgado, de condenado al fuego eterno, de ahorcado, de tísico, de defuntiño parvo, a todos se les combate con agua clara y corriente, con cataplasmas de vino tinto del Ribeiro o del Ullán, con caldo de carnero sin sal, con infusiones de yerbas aromáticas, con dientes de ajo, espigas de trigo, paja de centeno, plumas de gallina portuguesa, las más serviciales son las del culo, monedas de cobre de Carlos III, aceite de una lámpara que haya alumbrado al Santísimo Sacramento y así según la pauta que se conoce, Nuestro Señor el Apóstol anduvo por estas tierras predicando el Evangelio que es el libro en el que se encierran todas las verdades, antes pasaron por aquí los celtas, si el carballo o el buxo se enseñan abrazados por el muérdago hay que matar dos toros blancos porque es señal de que un dios lar y bienintencionado no está demasiado lejos ni indiferente, los fenicios vinieron después y nos dejaron a Pedra das Serpes, en Gondamil, que era la imagen del dragón Baal a quien había que sacrificarle criaturas a las que se degollaba con un hacha de boj para que se fueran desangrando poco a poco, al dios Melcate se le ofrecían campesinos que se arrojaban a la mar, los cazaban los soldados, les ataban las manos a la espalda con un sarmiento de vid o una liana de madreselva y se los daban a los marineros,

que los tiraban a la mar a treinta o cuarenta millas de la
costa para que los aplastasen las ballenas pasándoles
por encima, el dios Melcate es probable que fuese pariente de San Juan el de las fogatas, en la noche de San
Juan se pone en una ventana que dé al norte un vaso de
agua con un huevo de gaviota dentro, se rezan nueve
avemarías, se pide lo que se quiere conseguir sin abrir la
boca y ni siquiera mover los labios, sólo con el pensa-
miento, y por la mañana, al escachar el huevo, se pinta
en el agua una figura que se debe saber leer, hay viejas
que no se equivocan nunca y que sanan los granos de
los mozos sin más que mirarlos, se conocen tres colores
buenos, el blanco de la inocencia, el azul que enseña el
cielo por encima de las nubes y el verde de la mar y de
la confianza, y tres colores que castigan el alma, el negro
do demo carneiro, el encarnado de la sangre fuera de las
venas y el amarillo de la envidia y sus malos consejos,
en los días con erre no es prudente comerciar ni vender
ganado, los martes son los mejores para afeitarse la
barba y cortarse el pelo y las uñas, la matanza del cocho
no se debe hacer en miércoles, los jueves no es saludable
ordeñar vacas con la mano izquierda, ni siquiera cabras,
el viernes es el día del lobishome y no se puede comer
carne ni yacer con hembra que no sea la propia o una
vecina de mucha confianza y con más de sesenta años,
el sábado es costumbre lavarse los pies al menos en sábados alternos, y también se puede jugar al dominó y a
las cartas, y el domingo los católicos oímos misa y reza-
mos por nuestros difuntos, a la mar hay que salir todos
los días para poder comer, los animales no pueden vivir

sin comer y el hombre tampoco, sin comer no se puede navegar, ni cazar ballenas y ni siquiera pescar xurelos, ni ir a la guerra contra los franceses al lado de los ingleses, algunos crímenes pasan primero por la cabeza del criminal, se pintan primero en la cabeza del criminal que los discurre con todo detalle y sin olvidar ni uno, al criminal lo encuentra pronto la guardia civil porque se suele confundir o acelerar, el crimen perfecto no se calcula pero se adivina, los santos inocentes pueden bordear el crimen perfecto y confundir al juez, los pares son números malos, son mejores los nones sobre todo el 1, el 3 y el 9, la verdad es que también lo son el 5 y el 7, haciendo la señal de la cruz sobre la ceniza de la lareira se espantan los trasgos y se ahuyenta la desgracia, poniendo una tijera abierta y un plato con sal gorda sobre un cadáver se evita que se le hinche el vientre, también conviene rezar la Salve, en ciertos lugares de Castilla llaman abadejo a la cantárida, un insecto de color verde que vive en los tileiros y en los freixos, también en las oliveiras y en los mirtos, reducida a polvo se usa para enderezar la pirola y darle mayor prestancia y eficacia, algunos que se mueren por abusar llegan empalmados y doloridos hasta las mismas puertas del infierno, don Sadurniño Losada dibujó y comentó en uno de sus cuadernos las piedras contra las que se hundieron muchos barcos, casi todos los barcos a los que devoró la mar por estas trochas de agua, el más notorio fue el Serpent, un buque escuela de la armada inglesa que naufragó hace ahora un siglo, el 10 de noviembre de 1898, algunos dicen que fue el 10 de setiembre pero están equivocados, llevaba ciento setenta y cinco hombres a bordo y sólo se salvaron tres marineros, uno se llamaba Bourton, otro Gould y el otro Lacsne, la mar los devolvió a la playa de Trece, ningún oficial ni guardiamarina libró de la muerte, los cadáveres también fueron llegando a la misma playa, algunos tardaron varios días, a lo mejor no llegaron todos, el párroco de Xaviña auxilió a los tres supervivientes y rescató muchos cadáveres, rezó por sus almas y los enterró, el párroco de Camariñas no hizo nada por si no eran católicos, los protestantes donde están bien es en el infierno y no hay por qué perder el tiempo con funerales que no han de aprovecharles, además no tienen derecho a ser enterrados en sagrado, los protestantes son peores que los mahometanos, el Serpent quizá no fuese un buque escuela sino un barco de guerra con guardiamarinas en prácticas, era un acorazado de tercera clase de 225 pies de eslora, 36 de manga y 15 de puntal que desplazaba 2.700 short ton y podía navegar a 17 nudos, estos datos son oficiales, el Serpent chocó contra los arrecifes dos Bois, as laxes dos Bois, justo en lo que desde entonces se llama baixo do Serpent, del naufragio sólo quedan tres recuerdos, el cementerio de los Ingleses en Porto do Trigo, a la sombra del monte Veo o monte Branco que termina en la punta de la Cagada, la placa que hay en el jardín de San Carlos en La Coruña y el Barbudo, el mascarón de proa del Serpent que compró don Paco de Ramón y Ballesteros para adornar su casa de Corcubión, don Paco allá por los años de la dictadura del general Primo de Rivera fue compañero de colegio en los jesuitas de Vigo del famoso

escritor padronés don Camilo José Cela, como muestra
de gratitud por el comportamiento de los gallegos el Al-
mirantazgo envió unos regalos, al cura de Xaviña una
escopeta, al alcalde de Camariñas un reloj de oro y al
Ayuntamiento un barómetro de calidad, los ingleses
mandaban un barco de guerra todos los años para que
al pasar frente al cementerio de los Ingleses disparara
las salvas de ordenanza y tirara a la mar una corona de
flores, hoy han perdido esa hermosa costumbre y al cementerio de los Ingleses, esto por culpa de los desidio-
sos españoles que no quisieron cuidarlo, se lo comieron
las silveiras y los temporales, el albatros cruza el istmo
de Fisterra para irse a dormir a las piedras de la Mar de
Fóra, la gaviota va por la mar hasta la Gavoteira, la cor-
nisa en la que anidan centenares y centenares, quizá miles y miles de pájaros mirando para el oeste, para la mar
que sólo cierra el horizonte por el que cruzan las ballenas, el cormorán es más oscuro que el mascato, hay
quien confunde el albatros con el alcatraz, en el Centulo
anidan los mascatos, en el *Libro de los Proverbios* se dice
que un hermano ayudado por su hermano es una plaza
fuerte, cuando se olvida el *Libro de los Proverbios* resucita
Caín, desentierra la quijada de burro y mirándose en su
mal espejo un hermano se vuelve el peor enemigo del
otro hermano, es amargo ver a las familias diezmadas
por la envidia y la rencorosa mala voluntad de las mujeres que no pudieron subirse a tiempo al carro del vence-
dor todo adornado con laureles de piedras finas brasi-
leiras y con guirnaldas de flores de papel de alegres
colores, cuando un negro empieza a adivinar el porve-

nir o a curar enfermos los vecinos lo denuncian en el
juzgado o en el cuartelillo por si tiene contrato con el demonio, conviene estar listos y ver el peligro en cuanto
se enseña, para adivinar el porvenir y curar enfermos
hay que ser blanco, el joven Berdullas posee poderes
adivinatorios y curativos otorgados por la Inmaculada
Concepción y la Santísima Trinidad, Padre, Hijo y Espíritu Santo, amén, Jesús, ¡Santísima Trinidad, no nos
mandes más olas contra el corazón y sánanos la sarna y
más la tiña, amén, Jesús!, ¡Santísima Trinidad, no nos
anegues el alma ni la memoria y sánanos los soplidos
del corazón y más los latidos del vientre, amén, Jesús!,
¡Santísima Trinidad, no nos atores los oídos del entendimiento y sánanos los filtros del riñón y más los calabozos del hígado, amén, Jesús!, ¡Santísima Trinidad, no
nos escupas en los ojos de las potencias del alma y es-
pántanos el zumbazumba de los oídos y las moscas vo-
lantes de la mirada, amén, Jesús!, ¡Santísima Trinidad,
zúrranos pero déjanos vivir, amén, Jesús!, ¡Santísima
Trinidad, haz que respiremos y flotemos como el rorcual, amén, Jesús!, el yak es un cruce de cabra, caballo y
toro, que en los senderos de montaña pasa por donde
casi no cabe y no resbala jamás, el yak es tan duro como
los kirghis y los pathames, que son muy bravos guerre-
ros, Marco Polo habló de un carnero con más de seis
palmos de cuerna, no se lo creyó nadie pero cuando se
supo que era verdad le dieron su nombre, el primer
occidental que lo cazó fue George Littledale en 1888,
Nematula Khorami, el rey de los kusanos, murió en un
prostíbulo de Lisboa fingiendo la juventud con malas

artes, el aguerrido Nematula fue un gran jugador de buzkashi y también sabía boxear al estilo inglés, algo más al norte de la punta Gavoteira está el cabo de la Nave que se prolonga en la illa do Berrón donde la mar berra sin parar ni un instante, los navegantes se hacen afuera cuando la oyen, Telmo Tembura, el enterrador de la parroquia de San Xurxo dos Sete Raposos Mortos, fue amigo de Blas de Otero, lo conoció en la casa rectoral un par de años antes de su muerte, le guisó unas xoubas, a Telmo le gusta mucho recordar el verso del poeta en su propia voz, no le sale muy bien pero pone buena volun- tad, aquella fiesta brava del vivir y el morir, lo demás sobra, el garrotillo se cura poniendo alrededor de la gar- ganta del enfermo un calcetín sudado y fedorento y el asma sana tomando durante nueve días y en ayunas cinco onzas del agüilla que destila la bosta de una vaca recién parida, debe cogerse en la luna llena del mes de las flores, el Santo Cristo de Fisterra o da barba dourada vino por la mar abajo y navegando en una caja de ma- dera, lo talló Nicodemus y no aguanta que los moros se mofen de él, los convierte a todos al cristianismo o les maldice los testículos y los deja mansos, a los moros no se les debe dar confianza, en las islas Lobeiras, en las dos, también vuelan las gaviotas en bandadas crueles y miedosas, es mejor no verlas, durante las mareas vivas de noviembre huyen a tierra por encima de la ballenera de Caneliñas y espantan a los conejos y los raposos del monte, la gaviota es un pájaro bravo y muy duro que no se cansa jamás, la ballenera la instaló un noruego que se llamaba Christophersen en el año 1924, está frente a los bajos de Os Bois, este nombre se repite bastante, y las piedras de los dos Carrumeiros, entre las puntas de la Galera y de Caneliñas, yendo por tierra queda entre Gures y Ameixenda, que es tierra de cregos, por aquí se dan muchas vocaciones, don Ambrosio sana el carbunco poniéndole encima la sangre todavía caliente de la cresta de un gallo negro, cuando el gallo se muere de tristeza el carbunco se cura dejando una cicatriz en forma de esvástica girando en el sentido de las agujas del reloj, los dientes de las calaveras sirven para borrar los dolores nerviosos de la cabeza, migraña, oídos, muelas, garganta, etc., también borran el hedor a mocos podres de la ocena, los cristianos pusieron la cruz encima da pedra das Serpes de los fenicios, los monumentos y las insignias no deben derribarse, basta con convertirlos, Cornecho no conoce más que frases sueltas en latín, las repite como quien respira, Dominus vobiscum, et cum spiritu tuo, gloria tibi Domine, confiteor Deo omnipotenti y pocas más, pero sabe los quince misterios del santísimo rosario y la letanía, claro, y cree a ciegas en las cuatro postrimerías del hombre y en los siete dones del Espíritu Santo, los ephiderios son unos demonios de largos y enroscados colmillos que van chupando la sangre a los durmientes que sueñan con piaras de porcos bravos en vuelo, a los ephiderios los mantiene a raya con la voz el oráculo de Rebudiños, la carne de las navajas es mejor que la de los longueiróns, aún más áspera es la de las caralletas o longueiróns vellos, a Cornecho le enseñó a cantar fados un titiritero de Santo Antonio dos Olivais, cerca de Coimbra, a quien conoció comprando bacalao en Porriño, su hermano Telmo habla con mucha confianza de los reyes suevos y añora sus tiempos de timonel de trainera.

—La desgracia llega cuando Dios la manda y no vale esconder la cabeza ni salir corriendo, al temporal hay que capearlo, la desgracia es tan mala como los tortuosos sueños del desamor y nadie conoce el arte de remediarla.

Floro, el pastor de vacas, toca aires ya casi olvidados en la flauta de mirto, la Madelón, muévete Irene, un mantón de la China, y cree que el ruido de la mar va y viene como el latido del corazón o el péndulo de los relojes pero no es verdad, el ruido de la mar viene siempre, zas, zás, zas, zás, zas, zás, igual que las ruedas de los carros que cantan por las corredoiras para espantar al lobo, se conoce que a la mala bestia del monte le da grima y remordimiento el chirrido del eje sin engrasar, el pulpo crudo cura casi todas las enfermedades menos las del sentimiento, el hombre que no sana y no recobra el ánimo mascando pulpo crudo rebozado con harina de maíz y huevos de culebra es que va para muerto, con los muertos se debe tener compasión pero no condescendencia, la condescendencia puede ser muy huidiza y traidora, honremos a nuestros muertos, sí, pero con prudente aplomo, con mucha serenidad, los muertos no deben estorbar la vida de los vivos ni meterles miedo, las vacas de Floro son duras y pacientes y no sienten ni el frío ni el calor, las vacas marelas de Floro se abrigan con el mismo viento que sopla de la mar, a veces una palabra es más que una palabra y vale por un trazo de carbón o una silueta de tiza.

—¿Y tú perdiste el ojo en una romería?

—No, yo lo perdí en la guerra, me lo robaron en la batalla del Ebro, cuando me quise dar cuenta ya se lo había llevado el agua, lo malo es ver venir la muerte miembro a miembro, molécula a molécula, porque de repente se da uno cuenta de que ya no puede cargar con el peso de su propio cadáver, ¿puede un soldado empezarse a pudrir en vida como un racimo de uvas?, ¿puede alguien descomponerse al margen de su propia conciencia como una capa de paño devorada por la polilla?

El titiritero de Santo Antonio dos Olivais se llamaba Spirito Santo Vilarelho, tosía mucho y bizqueaba descaradamente y sin mayor recato, casi provocando, en Porriño el portugués también compraba chocolate, cintas de máquina de escribir de dos colores y muñecas de cartón piedra, las había con los ojos de cristal y con los ojos pintados que eran más baratas, el río Xallas se vierte en la ensenada de Ézaro por la costa del Covadoiro frente a los arenales de las Biogas y se hace a la mar entre la punta Finsín al norte y la punta Xemadoiro al sur, a la desembocadura del río le llaman cadoiro por la comarca, caduira o cadoira es el espiche del fondo del bote, por aquí hay muy buenos y sabrosos robalos, al Xallas también le llaman río Ézaro, más allá de Mallón y de Ponte Olveira queda ahora el embalse de Fervenza, antes el río se cruzaba por el vado de la Barca dos Cregos entre San Crimenso y Santa Uxía, entrando en las gándaras de los tojos, las silveiras y los amoreirales, al lado de estas yerbas y estas frutas santas se cría el allo do can, Cornecho le llama allo do raposo, en Santa Uxía nació el afamado ciclista Guzmán Reboiras alias Gumesinde que ganó una etapa de la vuelta a Galicia poco antes de la guerra civil, lo mataron en la guerra civil, iba con la Legión Gallega del comandante Barja de Quiroga y lo mataron en el frente de Huesca de un tiro en la garganta, descanse en paz, por Santa Uxía los hombres empezaron a canalizar el río que caía en tres brazos y era la cascada más alta de España, daba gusto ver el agua cortando el aire, después lo entubaron, eso fue lo mismo que tentar a Dios, que querer enmendarle la plana a Dios y en el túnel, a pesar de ser pequeño, morían los jornaleros de silicosis, también murió el ingeniero militar que dirigía la obra, yo supe el nombre pero se me olvidó, me lo dijo Moncho Méndez, el que fuera guardia municipal de Betanzos, pero se me olvidó, quien me lo recordaba siempre era la puta Melibea Magnolia la Cuncheira que se alimentaba de rabos de pasas de Corinto y tenía más memoria que nadie, ¿te acuerdas de que el tuétano se puede volver llanto dentro del hueso?, nadie quisiera ser antorcha alumbradora del patíbulo, más vale esperar a que Dios amanezca, al otro lado quedan la Moa con sus cruces panzudas y el castillo de Peñafiel, en el monte del Pindo, que es de color violeta y guarda las piedras más hermosas y misteriosas del mundo, algunas están malditas pero esto tampoco debe creerse a pesar de la excomunión de los reyes obispos presbíteros porque Nuestro Señor hace perder el norte a quienes quiere condenar, las almas que llegan al infierno van sin brújula o llevan la brújula loca, los arreci-

fes do baixo do Serpent, donde naufragó el buque escuela de los ingleses, tienen el corazón del mismo imán
que confunde a la brújula, de la misma piedra imán,
Telmo Tembura sabe que los remos de las traineras no
pueden obedecer los mandatos de la estrella Polar
cuando la tapan las nubes y además la brújula loquea,
para huir de la muerte hay que hacerse a la mar, es la regla de oro de los marineros, por eso es mentira, seguramente es mentira, la fábula de que los campesinos de la
costa atraen a los barcos con bueyes con los cuernos ardiendo, en mitad de la galerna los barcos se hacen a la
mar abierta huyendo de la misma mar que se pelea con
las piedras, el hombre de mar escapa de las luces, no las
busca, lo que hacen los paisanos es jugarse el cuero sa-
queando los barcos perdidos y moribundos, con frecuencia tripulados por los fantasmas de una marinería
difunta, de este saqueo de agonizantes tuvieron muy ce-
lebrada fama los de Camelle, Arou y Santa Mariña, los
camelláns, arousáns y mariñáns eran los mismos que
socorrieron a los tres supervivientes y rescataron de
la mar los ciento y pico cadáveres de los ingleses del
Serpent, átame esa mosca por el rabo, Telmo Tembura
habla en pesco, que es el modo que tienen de pronunciar el gallego los pescadores de Fisterra y de Muxía, los
besugueiros y los sardiñeiros de Fisterra y de Muxía, el
pesco es una jerga cativa, una jerigonza canija y gracio-
silla que no va más allá del sonido que se presta a algunas letras, la pesca de bajura es artesana y cuenta por
días, no navega más allá de las doce o quince millas del
cantil, los marineros trabajan a la parte, o sea sin salario,

el patrón y el armador suele ser el mismo y los hombres
de la tripulación, cuatro o cinco, lo máximo doce, son
casi siempre familia, la pesca de altura cuenta por mareas y está en la mar quince o veinte días, el tiempo que
tardan en llenar las bodegas o en consumir la carnada,
navega a alta mar y si es de arrastre se considera de altura aunque no salga del cantil, los marineros tienen
jornal y por lo común son más de doce, el armador se
queda en tierra porque no es más que armador, el patrón es otro, en pesco el sonido de la letra «a» se hace
«e» y el de la «e» se muda en «i», chaquetón, chequitón,
tampoco siempre, esta regla no es más que aproximada,
al comienzo de palabra, no al final, la «o» se hace «u»,
orballo, urballo, coído, cuído, qué é o que che pasa, quí í
u qui chi pese, chamásteme esta noite, chemástimi iste
nuiti, más o menos, claro, a la pesca de bajura le van
tanto las artes de la red como las del anzuelo, las redes
pueden ser fijas y en volantas, Knut Skien, el tío noruego de James E. Allen, el jugador de rugby que se volvió viejo de repente, pescaba robalos con anzuelo, de
cebo ponía cangrejo escachado, tripa de sardina o lubión vivo, esta maña ya sólo queda en Fisterra al am-
paro de los bajos de la Muñía, la Sambrea, por debajo de
punta Robaleira, y la Carraca, con palangre se puede
pescar el robalo y la robaliza y también el congrio, la
merluza, el abadejo y el besugo, es la pesca de pincho, el
trasmallo va al menos con dos paños y la raeira, que es
muy semejante al rasco, vale para raer o rascar el fondo
en busca de langostas, centollas y rayas, en la pesca al
xeito es el propio barco el que aguanta la red y en la

pesca al cerco se va sembrando la mar de volantas, quedan ya pocos volanteiros persiguiendo merluzas, algunos resisten en Fisterra y en Cedeira, es suerte muy costosa y tiene la enemiga de los demás pescadores de bajura, doña Dosinda, en la cabaña de punta Calboa, le dejó a mi primo Vitiño Leis que se había quedado dormido de tan borracho como estaba, una nota en la que le decía con su airosa letra picuda de colegio de pago, adiós, amor mío, duerme bien y al llegar a tu casa lávate con permanganato, un biquiño y todas las cochinadas que me pidas, tuya, D., tú no dejarás de soñar hasta que ruede la cabeza del último decapitado, tenlo por seguro y no te obstines en querer llevarle la contraria a la costumbre, al cura de Carnota que es grandullón y bondadoso, tímido y caritativo, le dicen Rabelo, su criada joven tiene los ojos azules, se peina con una trenza rubia rematada en un lazo azul purísima, se llama Margalida y no habla más que gallego, Margalida guisa la caldeirada y las almejas como nadie, Rabelo come con las manos y se las limpia muerto de risa en el culo de Margalida, ó sol chámanlle Lourenzo e á lúa Margalida, Margalida anda de noite e Lourenzo polo día, su madre doña Palmira lo que hace bien es el xarrete, un día, cuando Rabelo era niño, los músicos de la banda se quedaron mirando para un semental que montaba a una yegua mientras el padre de Rabelo le decía, ¡dálle, dálle!, ¡á saúde dos músicos!, la lancha fisterrá lleva dos pequeños tambuchos a proa y popa para guardar las liñas, la comida y la augardente, ahora ya casi no se usa, casi desapareció hacia los años 50, antes daba gusto ver a los carpinteros de ribera fisterráns dándole a la herramienta al lado de las salazoneras del Porcallón y de Fonte Raposo, la lancha navegaba con cuatro remos por banda, a veces con la ayuda de una vela trapecio, a los marineros de todo el mundo, aunque no lo digan, siempre les gustó velear, la lancha se hacía bien a todas las aguas, incluso a la falsa mar de ardentía con las fosforescencias que manda el diablo Cacheiro, que es un malvado sin caridad al que sólo ahuyenta la señal de la cruz, más pequeña que la lancha es la gamela, así le llaman en Camariñas y en Muxía, los muxiáns la tienen usada con vela, es un bote sin quilla y de fácil manejo que se usa para pescar nécoras y dar paseos a los niños de los veraneantes, los de Fisterra, Corcubión y Cee le dicen chalana, los de Corme, pirica, a lo mejor oí mal, y los de Marín, cona, que es el nombre del coño en gallego, en Corme murió poco a poco y en tierra firme, ahora está varado en la plana del muelle, no creo que aguante muchos inviernos, el catamarán Sea Falcon al que desarboló la mar doblando el acantilado de la punta Roncudo, que está llena de cruces de madera en recuerdo de los percebeiros muertos, don Antucho Recesinde, el cura de Rabuceiras cuando en Rabuceiras había cura, le dijo a mi cuñado Estanis Candíns que ahora es maestro de escuela, antes fue jugador de baloncesto, don Antucho hablaba a las dos copas de licor café,

—Hay que tener mucho cuidado con el pecado de la carne porque lo mueve el instinto, en el seminario nos dieron un cursillo y nos advirtieron que el demonio acecha para inducirnos al pecado de la carne metiéndose en el cuerpo de las viudas o de las beatas aunque sean viejas, en la sacristía no se debe dejar entrar a las mujeres para que no cojan confianza.

Mi tío Knut me invitó a un vaso de ginebra con vermú rojo y me habló de la vida y la muerte.

—Nosotros lo único que sabemos es cazar ballenas, nosotros no sabemos más que matar ballenas pero las ballenas se acabarán algún día y entonces la familia pasará hambre, la naturaleza está muy bien ordenada, la ballena en la mar, la gaviota en el aire de la mar, gaivotas a terra, peixeiros á merda, el buey, el topo, el lobo y el hombre en tierra firme, también el lacrau, la miñoca y otras miserias, nosotros sólo sabemos matar ballenas y a mí me da miedo su venganza, las ballenas tienen mucha memoria.

En la puerta de la factoría de Caneliñas se lee un letrero que dice, prohibido el paso, ojo, hay perros, en el coído de Touriñán que termina en el cabo da Buitra, algo corroe los dentros del ganado que está flaco y deslucido, por la corredoira cruza una perdiz con diez o doce perdigones alrededor, va lenta y confiada, por el coído das Negres que cae al lado contrario y acaba en la punta Cusinadoiro, se ven caballos salvajes guareciéndose al socaire de las peñas, en la ría de Lires, en la desembocadura del río Castro, se cría el carrumeiro que es un alga que hace milagros con la salud, en la bocana de la ría de Corcubión están las piedras del Carrumeiro Chico y frente a la roca de la Difunta, en la salida a la mar del río Xallas, está el Carrumeiro Vello o Grande por encima de las dos Lobeiras, dice mi cuñado Estanis que el carrumeiro contiene flúor, cloro, bromo y yodo, quizá sea cierto pero a mí se me hace mucha casualidad el que vayan los cuatro metaloides juntos, de la ceniza del carrumeiro sale la tintura de yodo, en la playa de Carnota que tiene más de cuatro millas de longitud también se dan bien las algas medicinales, el cura de Carnota está muy instruido en esta clase de algas, la que da el agar-agar es muy cara, por ella se paga mucho dinero, en el campillo de la rectoral el cura de Carnota cuida del hórreo más grande de Galicia, los turistas le piden permiso para retratarse apoyados en una de sus columnas, Celso Manselle, el cochero de don Fiz Labandeira, el dueño de Salazones Labandeira, mató a la mujer asfixiándola con la almohada, como era gordo no le costó demasiado trabajo, Viruquiña le había sido infiel con el del gas y Celso era muy serio e intransigente, muy mirado, hay cosas que no se pueden consentir, el juez encontró lo menos cien fotografías de Viruquiña todas con la boca raspada con una navaja, no es prudente que un niño moribundo vea temblar a nadie, el sol al ponerse en la mar de Fisterra engorda cien tamaños o más, la sirena del faro muge dos veces seguidas cada minuto, Fisterra está lleno de perros pequineses que no pegan nada con nada, da risa verlos, en la playa de Rostro, frente a la mar que ahoga los alaridos y los silencios, viven todos los animales, la raposa, la donosiña, el jabalí, el porcoteixo, el hurón, el águila culebrera, el halcón, la curuxa, el moucho, hace tiempo que no se ve ningún lobo; el noruego Luisiño Nannestad vivía con una andaluza, Catalina, y se murió en sus brazos, no esta-

ban ni liados pero los casaron in artículo mortis, el bajo
de la Avería con los Cabezos y el Meán son dos placeres
que se agazapan en la ría de Corme, el Serrón va desde
la punta Gralleiras y las rocas que dicen Oriseira y Leixón, a las que nunca cubre la mar, aquí varó el invierno
pasado un rorcual marelo que se llamaba Crispinciño,
los marineros de Laxe le pusieron Crispinciño y era
muy juguetón y simpático, cuando lo sacaron otra vez a
flote salió corriendo muy alegre, el bajo Biscuteiro está
frente a la iglesia y avisa con las piedras que destapa la
marea, por aquí pescaba nécoras y volaba la cometa el
sordomudo Cósmede cuando era niño, Cósmede nació
en la aldea de Cospindo y se quedó sin habla y sin oído
de una aparición, cuando finaron sus padres empezó a
andar y no paró hasta la playa de Gures, los vientos se
llaman según la costumbre, esto es, el punto de la rosa
de donde soplen, el del N. es el del norte, ya se entiende, al del S. le llaman vento de baixo, el del S.W. es
el vendaval, el del E. el terral y el del W. el mareiro o
vento das Pedras Santas, que quedan en el monte do Facho y a las que no derriba el huracán pero se pueden
mover con un dedo y sin mayor esfuerzo, mi amigo Va-
lentiño Cambeiro, en la *Historia Sagrada* del P. Nemesio
Alibia se dice que su verdadero nombre es Casto Lagoa,
tiene un taxi con el que se puede llegar al fin del mundo
y regala sus sabidurías a quien le quiere oír con atención, Fisterra está en la misma linde del mundo con el
otro mundo, el sordomudo Cósmede Pedrouzos vive en
la playa de Gures, en un alpendre de uralita, con un
lobo viejo y enfermo que no se acaba de morir y un oso

también viejo y amaestrado que tiene un aro de hierro oriniento, Estanis dice orinicento, atravesándole la nariz, al lobo se lo encontró por encima de Ponte Outes debajo de un castaño y echando sangre por un oído y el oso se lo regaló un húngaro que ya no podía ni darle de comer, Cósmede y sus dos animales se alimentan de yerbas, pulpo, cangrejos y desperdicios, morirse de hambre es difícil, se necesita tiempo, el pulpo y los cangrejos se pescan con la mano, basta un poco de maña, la paciencia va con uno mismo, unos desalmados le dieron una malleira a Cósmede sólo por divertirse, alguien repartió oro entre los hijos de puta, da risa ver cómo gritan los sordomudos cuando los apalean, lo defendieron el lobo y el oso, le lamieron las heridas y se le acostaron encima para darle calor.

—¿Esto no va algo revuelto?

—Bueno, pero no demasiado revuelto.

—¿Va como la vida misma?

—Tampoco, además hay cosas que no hay por qué decirlas.

Cósmede vio una vez un pavo real, en Muros había un americano que tenía un pavo real, y desde entonces se imagina que el fondo de la mar está lleno de pavos reales de cien colores que ni se mojan siquiera, hay peces que son como pavos reales, lo que pasa es que viven a oscuras y a mucha profundidad, por eso están ciegos y no se enseñan casi nunca, sólo cuando tiembla la corteza del fondo de la mar o sea una vez cada siglo y medio.

—¿Eso está bien calculado?

—Sí, creo que sí.

El sacristán Cornecho inventa muchas mentiras y las
cuenta frunciendo las cejas, también tuerce un poco la
boca para hablar y sonríe como un lagarto, por aquí hay
unos lagartos de color ceniza que lucen una raya verde
en la panza, dicen que para espantar el meigallo.

—Frente a la punta Uña de Ferro una vez salió de la
mar un dragón grande como tres ballenas, iba vestido
con una casaca de galones dorados y coronado de espinas y por un lado parecía un almirante y por el otro
Nuestro Señor Jesucristo, dispensando, la cabeza la enseñaba envuelta en una bola de luz muy brillante y cantaba jotas aragonesas con acento de Castilla, los pescadores de la trainera Señoriña II quisieron atraparlo
pero el dragón se deshacía de la red sólo con soplidos,
cuando Cornecho se daba cuenta de que nadie le creía
lo que estaba diciendo se levantaba con mucho aplomo
y seriedad, con mucho empaque y dignidad, daba respeto verlo.

—¡Así pierda el credo, si digo mentira! ¡Así me
quede sin el credo y se me olvide la obligación, amén,
Jesús! A mí, de neno, me pasaron por el agua de los siete
molinos y le gané la guerra al pecado, a mí ya no me
asusta el pecado.

La habitación era pequeña y el ventanuco también,
para salvar el alma trabajando no hace falta que la habitación sea muy grande, un zapatero remendón necesita
menos sitio que un carpinteiro de ataúdes, las ballenas
no caben en ningún lado pero las sardinas se pueden
asar en cualquier rincón, los pescadores conocen el pez
que va por la mar abajo según el vuelo en picado de las

aves, de la gaviota, del cormorán, de la canilonga, del
arao, del mascato, si se tiran de poca altura, xurelo, si de
mucha, sardina, los moinantes vinieron del sur, no se
sabe bien de dónde, y son de poca confianza, son mala
gente, por la Terra de Bergantiños se ven moinantes, dicen que roban el cepillo de las Ánimas y que tiran a los
hijos bajo los automóviles para cobrar el seguro.

—¿No será la indemnización?

—Tanto tiene.

La inteligencia acarrea soledad, la independencia
también, casi todo acarrea soledad, la suerte y la desgracia, la enfermedad y la salud, don Victorino, el contable
de la serrería de Agapito Ferreiro e Hijos, hacía versos
románticos y discurría por cuenta propia, eso hay que
pagarlo y el precio puede ser la soledad.

—Es muy doloroso ver que la gente sabe que estás
por encima de ella porque se te cierran en banda, se te
parapetan y no te miran a la cara, eso es de traidores, es
duro hablar con traidores, gasta los nervios vivir con
traidores, si hay más personal se dirigen siempre a otro,
la gente es cobarde y espantadiza.

El patrón don José Eutelo Esternande, cuando se
cansó de navegar y de vivir, se fue a la notaría de So-
brelo y le dictó sus instrucciones, sus últimas voluntades, y desde ahora mando por este papel que fecho,
firmo y rubrico, que mi cadáver, cuando le llegue la
hora y empiece a heder, sea incinerado en una pira de
madera de boj, *Buxus sempervirens,* y las cenizas se arro-
jen a la mar desde la borda de sotavento de un bou que
navegue a no menos de siete millas de la costa entre el

cabo de Fisterra y el de Touriñán, más o menos a la altura de la punta de Caldelaxes, donde se ahogó mi novia Ariadna, la mujer a la que quise como a ninguna
otra en mi vida, encargo del cumplimiento de esta voluntad a mi hijo mayor y si él no quisiere o no pudiere, a
cualquiera de los otros por escalafón y sin saltarse a las
hembras, y si ellos tampoco quisieren o pudieren llevarla
a fin dispongo que se le dé un millón de pesos de plata a
un marinero de las Rías Altas, cincuentón y tuerto
(cuenca vacía), manco (amputado) o cojo (amputado),
por este orden, para que los supla en este menester,
hace poco hablaba de Moncho Méndez, el guardia municipal de Betanzos que capó al dublinés Juanito Jorick
porque le pisó la sombra, también le perdonó la laconada, todo hay que decirlo, me advierte Estanis que
Moncho no se apellidaba Méndez sino Mínguez, la cosa
tampoco tiene mayor importancia, el dublinés Juanito
Jorick de recién capado empezó a coleccionar las siete
flores silvestres del cantil, las siete flores mágicas que
valen para sanar a los enfermos de mal de amores, las
escondía para que nadie las viese en una caja de lata en
la que iba pintada la bandera española orlando a una
negrita sonriente y pechugona, en la caja se leía, pastillas pectorales La Cubana, Vda. e Hijos de Serafín Miró,
Reus (Tarragona), Spain, la madera de boj es dura, compacta y de bello pulimento, el boj también es planta
tóxica que puede llegar a causar la muerte, Dick, el hermano de mi bisabuelo materno, quiso hacerse una casa
con las vigas de madera de boj pero no pudo, se murió
antes, la madera de boj no flota, es más densa que el

agua, y tampoco arde o tarda mucho en arder, mi cuñado Estanis dice que con la madera de boj se pueden
hacer tres cosas, al menos tres pero tampoco muchas
más, pipas para fumar una mezcla de incienso, tabaco
holandés y ortigas majadas, flautas para dormir ballenas, los niños se adiestran en el oficio durmiendo fanecas, y consoladores para lanzadoras de jabalina, entre el
Roncudo y punta Insua con su ermita de Santa Rosa en
todo lo alto del monte naufragaron muchos barcos, esto
es frecuente por esta mar, ya se sabe, la pinta del agua
en los bajos de las peñas Ataín, que son muy restingosas
y quedan frente a la playa de Arnado, es el aviso que señala a los marisqueiros de Camelle si el día es bueno o
malo para salir a los percebes de piedra, el Ataín fue un
barco que se hundió hace ya muchos años, casi dos siglos, la playa de Traba está abierta a la mar y enseña
mucha bravura, a medio camino de las aldeas de Mór-
domo y de Boaño hay una laguna cuyas aguas cubren la
ciudad de Valverde a la que maldijo Nuestro Señor el
Apóstol Santiago Matamoros porque dio cabida al pecado nefando, la laguna cría unas quisquillas de poco
provecho y unos peces negros como el azabache y que
no come nadie, a veces aún se oye el repicar de las campanas de Valverde, enfrente se fue a pique el Kenmore,
un buque inglés que nunca se supo si portaba esclavos o
carbón, se salvaron bastantes marineros pero se ahogaron algunos después de pelear tres días con el oleaje, a
los muertos se les dio sepultura no en el cementerio tra-
beño sino al borde de los caminos, tampoco se les hizo
funeral pero sí velatorio que no fue tan lucido como el

de los paisanos muertos, con sus hombres de capa negra que acaban saltando sobre la hoguera de las yerbas
que dan el humo espeso y aromático que ahuyenta os
malos fados, después viene el banquete y todos beben y
cantan mientras las choronas choran hasta que nadie les
hace caso, se aburren, cobran y se van, el hombre puerco
está incapacitado para enamorar a las mujeres, no es lo
mismo hacerse amar por las mujeres que por los hombres, el amor del hombre por el hombre y el de la mujer
por otra mujer tiene muy torcidos excomulgos, estos
usos de espaldas a la naturaleza eran los de la ciudad de
Valverde, atrás fueron quedando rincones llamados con
muy curiosos nombres, furna dos Difuntos Queimados,
hay tripulaciones que arden con el barco, pedra dos Rapaces, hay nenos que se ahogan de cinco en cinco, Boliños da Fortuna, hay pelouros que traen la buena suerte
y atraen las bendiciones, para enamorar a una mujer
hay que presentarse muy aseado y con los pies limpios,
se le arranca el corazón a una paloma virgen y si es
blanca mejor, no se la puede matar antes, tiene que morir al tiempo, se le hace tragar entero y todavía san-
grando a una culebra que se asfixia envolviéndole la cabeza en papel de plata y colgándola boca abajo, después
se le tuesta la cabeza en una plancha de hierro caliente
pero no al rojo o en un croio con mucho tiempo al fuego,
un croio bien limpio, se machaca en el almirez con unas
gotas de láudano hasta dejarla como polvo fino, se fro-
tan bien las manos con esta sustancia y se toca a la mujer amada, si es por debajo de la ropa, mejor. Carlomagno puso sitio a Valverde durante medio año y

viendo que no la podía rendir se alió con el Apóstol que
le ayudó a derribar las murallas, hubo mucha y muy
cruel carnicería y cuando tomó la ciudad no encontró a
nadie que quisiera reconocer a Dios verdadero ni ser
bautizado, entonces mandó degollar a todos menos a
las criaturas inocentes que llevó a donde pudieran cris-
tianarlas y maldijo las piedras gentiles que se vinieron
abajo con gran estrépito y quedaron anegadas, corrió
tanta sangre que tuvo que buscarle salida por la playa
de Traba y tiñó la mar de rojo, para que una mujer enamore a un hombre son necesarias otras maniobras, se
coge un sapo macho lo más grande posible, se sujeta
bien con la mano derecha y se lo pasa una cinco veces
por la entrepierna mientras se piensa, sapo, sapiño, así
como yo te paso por debajo de mi vientre, así Josesiño
(o quien sea) no tenga sosiego ni descanso mientras no
venga a mí de todo corazón y de cuerpo, alma y vida,
en el cabezo de Camelle se hundieron dos carboneros,
uno inglés y otro español, el Chamois y el Clara Campos,
sin muertos, después se toma una aguja fina y se cosen
los ojos del sapo con un hilo de seda verde, no se le
puede herir porque el hombre amado quedaría ciego, y
se pensará lo que sigue, Josesiño (o quien sea), aquí estás preso y amarrado como está este sapo sin que veas el
sol y la luna, hasta que no me ames no te soltaré, en la
pedra do Porto se tragó la mar al carguero inglés Yeo-
man, hubo cuatro muertos, al carguero español Natalia y
al petrolero ruso Boris Screboldaef, sin muertos, también
hay usos más urbanos, se compra una cinta de medir, se
mira al cielo y se piensa, tres estrellas veo en el cielo y la

de Jesús cuatro y esta cinta ato a mi pierna hasta que Josesiño (o quien sea) se enamore de mí y se case conmigo, en los baixos do Antón se hundió el patache Antón cargado de chatarra, salvaron todos, por aquí hay
más barcos hundidos, en la punta Percebeira los carboneros ingleses Huelva y Saint Weller, sin muertos, se cogen unas matas de malva, tres o cinco, se ponen debajo
del colchón y al despertar se piensa, Josesiño (o quien
sea), estas malvas por mí fueron cogidas y bajo de mí
están metidas, así quedes preso del poder de Lucifer y
sólo me habrás de dejar cuando los cuerpos de la iglesia
las vieran crecer por la fuerza de la gracia, estas palabras deben repetirse cada nueve mañanas seguidas de
un avemaría, en la playa do Curro en Arou, el carbonero
español Castillo Monteagudo, sin muertos, éste se pudo
reflotar, en la playa de Arou el carbonero italiano
S. Mazzini y los cargueros Nil, francés, y Santa María,
portugués, sin muertos, hay muchos barcos hundidos
sin muertos gracias a Dios, menos de los que fuera de
desear, en las Pedras Negras de Arou los carboneros ingleses Wolfstrong, con veintiocho muertos, City of Agra,
con veintinueve muertos, y Revanchil y el francés
Perranchins, sin muertos, y el noruego Standard, con tres
muertos, el viernes a la hora de Venus se cogen unas
matitas de verxebán, antes de arrancarlas se les pasa la
mano izquierda por encima y se dice, quasi factum dic-
tum Dei, la palabra de Dios es casi un hecho, planta flo-
rida sirve a mis fines, se espera a que la yerba seque y
después, envuelta en pergamino y en lienzo blanco aro-
mado con incienso se hace un escapulario que se lleva

durante nueve días sobre el corazón, en ese tiempo no se deben decir pecados ni frecuentar las discotecas, el cojo Telmo Tembura dice que beber cocacola es de cobardes asustadizos, de muraños a los que no llega la camisa al cuerpo, también lo es la costumbre de tomar helados y rosquillas, infusión de tila, refresco de fresa y agua mineral con gas y jugar a la oca y a la correlativa, hay cobardes que lo disimulan parpadeando sin cesar, cobardes que no saben que lo son y ni tan siquiera lo sospechan, cobardes con mucha lentitud en los ademanes y cobardes presumidos como gallitos ingleses, Telmo Tembura además de enterrador es electricista, también carreta el estrume de las cuadras, deshollina chimeneas y parte leña, Telmo Tembura es muy trabajador y sirve para todo, él no vuelve la cara a nada, Telmo Tembura no quiere ir para muerto de hambre, está cojo pero sigue vivo y con el cuerpo saludable, el pastor de vacas Floro Cedeira está muy preocupado porque se miró en el espejo y no se vio, en el espejo de la gitana Concha, hay muertos que ignoran que están muertos, no todos los muertos escuchan la campanilla de la muerte, hay muertos a los que a lo mejor les contagió otro difunto el mal de aire del ahorcado por la justicia de los hombres, la justicia de Dios no usa la horca, que responde de sus pecados en el purgatorio, en el fuego de las desidias y los desamores, don Xerardiño Aldemunde, el cura de San Xurxo dos Sete Raposos Mortos, lleva ya muchos años muerto, se le nota en el fedor a bromuro, en que no suda nunca por los sobacos ni por la frente, en que la nariz le brilla sin descaro ninguno y

en que la tos se le interrumpe de golpe y cuando menos
se espera, a lo mejor tiene pacto con el enemigo malo,
más vale ni pensarlo, al demonio que tentó a San Antonio Abad lo convirtió Nuestro Señor en cochino, el basilisco mata con la mirada y hay lunas en las que se viste
de gato negro con ojos de oro, el pesquero Naldamar I
naufragó sin muertos en la punta del Roncudo, un poco
al norte quedan las rocas de las Abrulliñas, allí fue
donde se hundió el vapor italiano Padova cargado de
fardos de estopa ardiendo, lo hundieron las llamas,
tampoco hubo muertos, el boj tiene los tallos derechos y
ramosos y las hojas lustrosas y persistentes, el café y las
copas de los velatorios se sirven pasada la medianoche,
en los velorios de angelito se saca anís dulce y carne de
membrillo para acordarse mejor de las virtudes que
adornan el alma de los muertos que no llegaron al uso
de razón porque Dios mandó llamarlos antes, hay difuntos que se incorporan en el ataúd y saludan a los vivos, algunos hasta se ríen y tiran pedos, los muertos se
tiran muchos pedos, los cuadros que se caen de la pared
anuncian que la muerte no anda lejos y que se debe estar con tiento, hay sepulcros que se abren solos para
que los difuntos cojan más confianza y hay calaveras que
aparecen sin avisar, que se presentan de repente y sin
avisar, algunas tienen todavía todos los dientes, cerca
del convento de Montelouro duerme una piedra rematada por una cruz que algunas noches de luna se muda
en un marinero muerto en la mar que se aparece a sus
familiares mientras las caracolas resuenan para que
atiendan todos, incluso los que no son parientes, la fa-

milia es una herramienta para triunfar en la lucha contra el demonio, en caso contrario se convierte en una rémora que no permite moverse con aplomo y huir de los
peligros, a los culpables de malos pecados les sudan la
cara, las manos y los pies, no mantienen la mirada y
tiemblan de una manera peculiar que no escapa a la serena mirada del jefe, puede matárseles a traición y no es
necesario andar perdiendo el tiempo con disimulos, el
barco alemán Salier cargado de acordeones se hundió
en la punta de Corrubedo según se dobla para playa La-
deira, a todos los tripulantes se los llevó la mar tocando
el acordeón que todavía se puede oír algunas noches,
por el coído de Caldelaxes frente a las piedras Curtisei-
ras se ven potros con el pelo pío que tienen un abuelo
rodaballo y el otro ánima del purgatorio, son muy difíciles de montar porque les defiende la bravura que es
un sentimiento muy digno y virtuoso, muy especial, en
la punta Puntela cerca del petón do Almirante y a la
sombra das Pedras Santas se estrelló hace poco un barco
de bandera panameña con tripulación china, Telmo
Tembura dice que fue el Good Lion pero no es cierto, el
Good Lion, también de bandera panameña y con marinería medio esquirola y no muy obediente, griegos, chipriotas y libaneses, todos pudieron salvarse, embarrancó en la costa del seno de Fisterra o sea al lado de
dentro de la península, el barco de los chinos era otro del
que ni Telmo Tembura ni yo recordamos el nombre, esto
lo sabe cualquiera porque el naufragio fue hace poco, el
capitán libró la vida pero los marineros chinos murieron
todos, eran dieciséis o dieciocho, no murieron ahogados

sino estrangulados por los salvavidas que no eran reglamentarios, eran baratos pero no reglamentarios y no fun-
cionaban con eficacia, no funcionó ni uno, vamos, que
funcionaron al revés, la cosa fue paradójica, a los cadáveres los pusieron muy bien alineados en la lonja, parecían
atunes, la gente iba a verlos por curiosidad.

—¿Y qué decían?

—Nada, no decían nada, a algunos les remordía un
poco la conciencia, es verdad, también les daba vergüenza mirar para ellos, tan serios, tan bien colocaditos
y con los ojos abiertos de par en par, los ojos de chino, el
personal procuraba disimular porque le remordía un
poco la conciencia, ya digo, también les daba vergüenza
mirarlos de frente.

A Madalena das Preseiras la quemó la Inquisición,
Madalena das Preseiras devolvía la leche a los pechos
secos de las madres y la simiente a los testículos secos
de los padres, de nada vale no dar de comer a quien es
capaz de dejarse morir de hambre, el dublinés Juanito
Jorick, poco antes de que lo caparan, le llevó un ramiño
de flores campesinas a la virgen Locaia a Balagota, violetas y margaritas, los tojos dan flores amarillas y también blancas y azules, todas sirven para demostrar
amor, el carguero austríaco Oscar que portaba maíz, los
pesqueros españoles Gladiator y Pazoco, el patache Mary,
los pataches fueron lo menos seis, y el carbonero griego
Anastassis, naufragaron en el Roncudo, sin muertos, los
pataches fueron lo menos seis, el que ya se dijo y los que
se dicen, Sisargas, Everilda, Corme, Joven Consuelo, Felicidad y Franch, salen siete, a la portuguesa María Ro-

dríguez la quemó la Inquisición porque se confesó esposa de Satanás y amante de Lucifer, el de Carnota es el hórreo más grande no de Galicia sino del mundo entero, en ninguno de los cinco continentes hay otro mayor, a Ana Rodríguez la quemó la Inquisición porque para combatir el paralís causado por el mal de amores preparaba bebedizos milagrosos con yerbas de veintiún cementerios y chinas de puentes sobre los que hubieran pasado siete obispos caballeros a lomos de mula blanca, de la misma madera son los vivos a los que traga la mar que los muertos a quienes la mar devuelve con algas en los ojos y en las encías, a Bernardiña Catoira la quemó la Inquisición porque convertía a las recién casadas en ratas o en culebras según el día de la semana, a Marta Fernández la quemó la Inquisición porque curaba las venenosas rosas de roña de las vacas que los asturianos dicen mellón con la suerte mágica llamada de las tres gotas de cera, cuando alguien estornuda hay que decir ¡Jesús! para que el demonio no le entre por la respiración ni por la vista, el oído o el olfato, a Elva Martínez la quemó la Inquisición por yacer con el diablo en el calabozo de los condenados a arder en la hoguera, a las hembras con modorra, tanto tiene que sea oveja como mujer, se les ata al cuello una cabeza todavía sangrante de morcego y no podrán dormir hasta que se la quiten, se laven los pies en agua de rosas y recen tres avemarías, Fiz o Alorceiro, el tonto de Coyiños, tonteó del susto que le dieron en el alto de Cabernalde, Fiz Labandeira es otro, es el dueño de las salazones de su razón social, las cosas no hay por qué repetirlas, basta con aclararlas, el mascarón de proa del Serpent lo compró don Paco de Ramón y Ballesteros, ya lo dije, cuando anduve por aquí en los años 80 tomábamos café juntos todas las mañanas en Cee en el hostal Galicia, donde Concha y José González, la augardente que mana del alambique de don Xerardiño es tan bueno como el mejor, Feliberto Urdilde le llevaba el pulso a mi primo Vitiño pero lo mataron de un botellazo, ahora se aparece por las noches a las viudas para intranquilizarlas.

—¿Sabe usted, buen hombre, cómo termina la película *Dos hombres y un destino*?

—No, señora, que no la pude ver, cuando fui a quitar las entradas ya no había.

—¿Y *Diamantes para la eternidad*?

—Tampoco.

—¿Le pasó lo mismo?

—Sí.

La ciudad de San Mereguildo de Gandarela sigue viviendo bajo las aguas llena de muertos.

—¿Y no se aparecieron nunca a los cristianos?

—No, señora, nunca jamás.

En O Pedrullo, que queda por encima de O Pindo, y en A Moa se ven piedras que semejan hombres y animales soñadores y confusos, en la ladera de Os Aguillóns una mujer desnuda, también de piedra en la que el musgo pintó flores y cenefas, el viento se encargó de esculpirla y la humedad de pintarla, le dijo una noche a la pantasma del cura de San Xurxo,

—Mire usted, don Xerardiño, una servidora no está desnuda, que San Roque bendito me pida cuentas si le miento, a una servidora le arropa el olor de las ballenas muertas que es de mucho abrigo, vale para resucitar gaviotas ateridas y pulpos a los que descuidó el vendaval, usted ya me entiende, los pulpos son muy rencorosos y sufren cuando se les olvida.

Los saltos de Cirís de Fadibón fueron la causa de que Fiz o Alorceiro parvease, Knut Skien llevó a su sobrino Hans E. Allen, Knut también era tío mío, a cazar el carnero de Marco Polo, que es pardo rojizo en verano, pardo derivando a rojo, y gris rojizo en invierno, gris tirando a rojo, Dick, que era el rico de la familia, quiso hacerse una casa con las vigas de madera de boj, los caprichos no pueden escapar a las disposiciones de la Divina Providencia, pero se murió antes, a las mujeres con retrasos en la menstruación hay que darles a beber durante cinco días seguidos dos onzas de vino de albariño con un adarme de ceniza de palomina de palomo bravo mezclada con quince granos de azafrán, es mano de santo, el patache Franch se hundió algo al sur del Roncudo frente a la isla da Estrela, a mí me lo dijo don José Baña que es el hombre que más sabe de estas zurras de la mar, las refleja con mucho fundamento, el cura de Morquintiáns se llama don Socorro, su ama María Flora gobierna el mundo desde su mecedora de mimbre.

—¿No cree usted que vamos de mal en peor?

—Pues sí, puede que sí, una no sabe cómo va a acabar todo esto, para mí que es obra de los masones, una no sabe por qué no se estarán quietos.

Mi tío Knut Skien tiene un ojo de un color y otro de otro, uno azul y otro verde, esto le pasa a algunos gatos

y a las cabras montesas cuando están a punto de quedarse ciegas, cuando se siente solo mi tío Knut canta
versos de Poe acompañándose del acordeón, doña Dosinda va cuando puede a la cabaña de punta Calboa,
ella sabrá a qué, doña Dosinda también hace sus pecados en el dodge de Carliños de Micaela, el ánima de Feliberto Urdilde sale del purgatorio para sembrar remordimientos en el corazón de las viudas que toman
demasiado café, hay viudas que fuman pitillos ingleses
sin que nadie las vea, la Dama do Pindo es una mujer de
piedra con un peinado de peluquería, está en el duro camino del Coloso, por encima de la playa de Carnota, el
nombre se lo puso Marfany, en la parroquia de San Ourente de Entíns el militar San Campio adivina las dudas
del fisterrán Luciano de Andrea que no se explica la
conducta de las mujeres, ¡ai qué risa, tía Luisa, que caga
un peido pola camisa!, el tonto de Xures le hace recados
a don Xerardiño para demostrarle su gratitud y su mansedumbre, siempre es hermoso ver almas agradecidas y
mansas, con el antimonio diaphorético bien reverbe-
rado y con el meollo de calabaza se pueden hacer verdaderos milagros, todo es cuestión de creer respetuosamente en Dios y rezarle un padrenuestro a la Santa
Compaña para que los querubines y los serafines to-
quen la trompeta y Santa Rita lo aplique a sus propias y
piadosas intenciones, Xan de Labaña o Fumacento no
durmió tranquilo ni una sola noche hasta que Fideliño o
Porcallán se pegó un tiro en la boca en la peña de la
Muller dos Cinco Dedos, muy lejos de aquí, hay sustos
que no se apagan más que con la muerte, otros pueden

acompañar al hombre hasta después de muerto, el hambre hace hablar a las mujeres sin ritmo ni armonía, el hombre se defiende mejor porque sabe que no es lo mismo mirar una luz radiante que unos ojos ciegos comidos por las moscas de brillos metálicos, unos ojos que jamás te verán con piedad por más que los mires suplicantemente, la venganza crece con mucha modesta rutina en el alma del cándido, la venganza requiere una maduración muy lenta, no basta con ahorrar dinero porque nunca tendrás lo suficiente para comprar los bramidos de los condenados a muerte, esos delatores ignominiosos, es propio de hombres enteros el despertar al dormido que va a ser asesinado, recuerda que un hacha cualquiera puede servir para decapitarte pero también para cortar la soga de la horca, Dios tiene una tijera mágica que puede cortar la soga de la horca, el noble señor quiso ahogar en oro a un vil desgraciado casado con una mujer bellísima pero al ver que no tenía bastante le dio unas monedas de cobre a Niceto el sicario para que lo atase desnudo al petón de Vela, en la Lobeira Grande, y se lo fueran comiendo vivo las gaviotas, de nada vale no dar de comer a quien es capaz de dejarse morir de hambre, Pedra Cabalgada se asoma a la mar de Fisterra desde lo alto del Pindo, da respeto pasar por debajo, en la Eira da Pedra se pueden espantar los espíritus que causan o aire do morto, lo mejor es que una mujer vieja y viuda que haya sido madre al menos de siete hijos, no importa que se le murieran, encienda durante tres noches seguidas y sobre una teja nueva unas ramitas de laurel y de pioxo, es una planta aromática, y obligue al hechizado a saltar nueve veces sobre las llamas, cuatro la primera noche, tres la segunda y dos la tercera mientras dice, defuntiños todos cantos hai enterrados nestes santos templos, de fóra e de dentro, de mares e terras, de montes e fontes de sete leguas nun contorno, anxiños todos, o vivo dá respiro e o morto dá conforto, etc., al río Xallas se le llamó Ézaro o Lézaro, los celtas vivían entre el Tambre o Támara, el río que desemboca en Noia, y el Xallas, al norte quedaban los nerios, en la Torre de Moa hay mucho oro enterrado por los romanos, lo que pasa es que no aparece, la mar necesita sus conocimientos, la navegación se haría aún más dura si no se precisasen con responsabilidad, la mar exige mucha responsabilidad, la villa de Malpica queda al norte, en el camino de La Coruña, al sudeste del cabo de San Adrián y las islas Sisargas, para algunos la Costa de la Muerte va desde Malpica hasta punta Carreiro, a la entrada de la ría de Muros, hay quien la amplía y hay quien la reduce, quien la agranda y quien la merma, eso va en gustos o en necesidades, la Atalaya es el monte a cuyo pie se agazapan el caserío y el puerto de Malpica, en la dársena construyeron una esclusa para que los barcos se puedan guarecer, los barcos de la flotilla pesquera, que los más grandes no cabrían, hacia el noroeste se presentan las calas de A Barrosa y O Boi con sus playas Area Maior y Seaia, el cabo de San Adrián va desde A Pedra das Areas hasta la punta Boleiros con su farallón del Lobo y el monte con el nombre del mismo santo dándole sombra, la ermita queda a media ladera, está pintada de blanco y se ve muy bien desde la mar, es una

buena referencia de marcación, al monte también le llaman Bao y del Castro, las islas Sisargas quedan enfrente, en la bajamar son una sola y en la pleamar son
tres, las Sisargas crían gaviotas, cormoranes, helechos y
leyendas muy misteriosas, en la Sisarga Grande todavía
se ven sirenas enloqueciendo con sus encantos a los marineros, la punta del Rostro y la punta Chanceira son
sus escaparates preferidos, en la isla de A Malante o de
O Atalaieiro, es la segunda en tamaño, se presenta algunas noches de viento el alma en pena del teniente de navío Jack Essex, el oficial de derrota del Captain, el moni-
tor de guerra inglés que se hundió en el Centulo, a
muchas millas de aquí, hace ya más de ciento veinte
años, con él murieron treinta tripulantes más, el ánima
del oficial Essex canta baladas sentimentales con muy
buena voz, todo el mundo puede oírlas directamente o
ayudándose con una radio de galena, a los tuertos es
mejor mirarlos de perfil, el pánico hace que el corazón
de quienes ven muchos tuertos lata sin compás o con el
compás mal medido, esta es una idea que va y viene, a
quienes ven muchos tuertos les da sueño el derrama-
miento de sangre, en la Sisarga Chica se apareció una
vez el rey José Bonaparte al comienzo de la guerra civil
del 36, de este hecho se tienen noticias algo confusas y
que no hemos podido comprobar, en estas tradiciones
no escritas se debe ser desconfiado, el registrador de la
propiedad don Eudaldo Vilarvello me dijo que el rey
era buen amigo del general Cabanellas, José Bonaparte
no era muy alto pero sí relativamente culto y bondadoso y sabía distinguir el paso del tiempo y su signifi-

cado del incesante tamborilear de la lluvia y el suyo, no todo quiere decir lo mismo, el rey José Bonaparte se reía de las supersticiones, el amor es una ingenua y provechosa flaqueza, el rey José Bonaparte siempre supo que los dioses no llevaban con resignación el gozoso espectáculo de su alegría por volar tan altanero y orgulloso, el viejo bergantín Monckbarns acabó en depósito carbonero en el puerto de Corcubión, el Monckbarns tenía un fantasma a bordo, un fantasma que alumbraba la mar no con un farol de aceite sino con una linterna eléctrica, el fantasma se dejaba escuchar pero no ver y decía en voz baja una frase en inglés que traducida decía así, bésame el dorso de la mano en señal de respeto y la palma de la mano en señal de gratitud.

—¿Usted sabe eso de buena tinta?

—Sí, señor, a mí me lo contó Susito, el hijo de Suso el tabernero de Xestosa, que estudia para cura en el seminario de Mondoñedo, dentro de dos años cantará misa si Dios quiere.

El fantasma avisaba la muerte del prójimo dejando caer pesadas herramientas sobre la cubierta, no marró nunca, los hierros retumbaban con estrépito y él no marró nunca, no se le escapó ni un solo muerto, el Monckbarns fue desguazado hace algunos años, los desguaces son como las mondas de los cementerios que se hacen siempre sin pudor, y del fantasma no se supo más nada, a lo mejor murió, nadie sabe si los fantasmas mueren o no mueren como las personas, los animales y las flores, a lo mejor se fue a otro aposento o incluso a su país, nadie puede jurar que es su propio cadáver porque los muertos son silenciosos y discretos, los fantasmas tienen costumbres fijas pero a pesar de ello cambian siempre algo la conducta, es inevitable, los hombres también aunque se copian mucho unos a otros, los muertos no sonríen más que a quienes van a morir, es como un aviso que debe agradecerse con ánimo muy sincero y reverente, Fabián Penela lleva lo menos tres años en el otro mundo pero sigue apareciéndose cada semana en donde está enterrado, en el camposanto de Barizo, un poco a tierra después del arrecife del Co, a veces se presenta vestido de buzo o de cura, también de pierrot, aquí se fue a pique el balandro Cachafello, se ahogaron sus dos tripulantes, eran unos señoritos betanceiros que habían salido a pasear, a sus cadáveres se los llevó la resaca y no se supo que aparecieran nunca más, nadie volvió a verlos, a Fabián Penela le llamaban el Mourelo porque era como un vendedor de alfombras murciano, renegrido y con bigotito de moro, Fabián fue siempre muy chambón y tosco, quizá tampoco tuviera buenos sentimientos, Fabián trataba mal a Ofelita su mujer, un día que el caldo de nabizas estaba salado le subió las faldas para escarmentarla y la sentó sobre la cocina económica que estaba al rojo, le escaldó la conacha y tuvieron que llevarla al ambulatorio a que le dieran polvos de seroformo, Fabián o Mourelo lleva más de tres años difunto y su ánima se aparece cada semana en el camposanto de Barizo, a la memoria me viene que hoy día de Santa Atanasia y San Demetrio es el aniversario de la batalla de Aljubarrota en la que el rey Don Juan de Portugal derrotó al rey Don Juan de Castilla, acaricio estas consideraciones históricas sin olvidar que la caña amarga macerada en suero de leche de cabra sirve para sanar la comezón del miembro viril de los soldados de infantería, la usaban ya en los tercios de Flandes, el recuerdo no me vino solo, medio me lo volvió a contar Paulo, mi séptimo hijo, el socio de Macías de Lourenza en el chiringuito de la playa de Santa Isabel de Corcubión, tiene muy buena clientela entre los veraneantes, a este hijo mío le pegó una hostia un esqueleto en el camposanto de Beo, al cobijo de la punta Cherpa, se llevó un buen susto.

—¿Vale dar el viático a un corredor ciclista?

—Sí, ¿por qué no se le va a poder dar?

—No sé. ¿Y a un jugador de fútbol?

—También, el viático puede darse a todos los moribundos que crean en Dios.

—¿Es costumbre que el muerto se aparezca al sacerdote cuando va a buscar los santos óleos?

—No creo, pasa a veces pero no creo que sea costumbre.

En el coído de Caldelaxes vi un día un potro isabelo que parecía un príncipe, trotaba con majestad y llevaba la cabeza erguida, desafiante y orgullosa, no es lo mismo crecer en paciencia y sabiduría que con miedo y mala educación, el justo se levanta cada vez que cae pero el vil se revuelca en la infamia y jamás acierta a ponerse de nuevo en pie, el barco Boedo y Ponte con cargamento de madera se hundió en la barra de la ría de Corme, murieron el patrón y tres marineros, la tripulación de El Compostelano tuvo que abandonarlo un día de surada con fuertes ráfagas de travesía, a bordo sólo

quedó el gato, El Compostelano se fue al garete pero
esquivó los escollos de la barra, entró en Cánduas, re-
montó el río Allones o de Ponteceso, maniobra para la
que suele necesitarse práctico, y sorteando el islote Ti-
ñosa llegó a la Tellería, nadie se explica cómo, a lo mejor
se puso al timón el gato guiado por la Virgen del Carmen, la goleta inglesa Adelaide iba de Bristol a las Anti-
llas con un pasajero y trece tripulantes pero se quedó en
Laxe, murieron todos menos el capitán, su mujer y su
hijo también murieron, el capitán mandó ponerles una
lápida junto al atrio de la iglesia, ahora está en un garaje
sucia y olvidada, da pena ver cómo se funden los recuerdos, a los maniáticos conviene darles a comer sesos
de perro, las virtudes magnéticas y trasplantativas de
los sesos de perro son muy eficaces para combatir los
desequilibrios, los mejores son los de can de palleiro
con un lucero en la frente y ni chico ni grande, de tamaño mediano, se conoce que tienen las moléculas y los
átomos más armónicos y radioterapéuticos transversa-
les, los de gato en cambio pueden producir locura y ata-
ques epilépticos porque en muchas ocasiones alojan al
demonio, esto no se puede saber antes, sería muy có-
modo y conveniente saberlo antes, la punta Insua o
cabo de Laxe cierra por el sur la ría de Corme y Laxe,
aquí se hundió el pesquero Playa de Arnela, murieron
diez marineros, desde la mar se ve muy bien el cementerio de Laxe, el extremo norte de punta Insua es acantilado, las restingas Laxe do Boi y Lavandeiras llenan el
agua de espuma, la punta de Catasol abriga del viento
del nordeste y la playa de Traba que tiene milla y media

de extensión sólo es abordable con mar llana porque enseña muy aplacerado el fondo, Moncho Mínguez tenía un hermanastro en las misiones que se llamaba Cristobiño, otros le decían Cristobaliño pero él convertía infieles bajo el misericordioso nombre de guerra y paz de Narciso de las Divinas Bienaventuranzas, el hermano Narciso cantaba muy bien parrandas de Corcubión, los indios otavalos se reían mucho oyéndole y se dejaban bautizar sin ofrecer resistencia, después se emborrachaban con pisco, meaban y escupían en los odres para que fermentase mejor, o señor San Pedro é un lambeteiro que se come o galo e deixa o peteiro, a Cristobiño le hubiera gustado ser obispo misionero, de esos que van vestidos de blanco y vuelven cada quince o veinte años a Galicia para que les hagan una interviú en *El Ideal Gallego*, Fabián o Mourelo y Ofelita se llevaban mal, eso es frecuente entre marido y mujer, eso le pasa a muchos matrimonios y nadie se escandaliza, esa es la costumbre, otros matrimonios no se llevan ni bien ni mal, se limitan a ignorarse con avaricia y a conllevarse con resignación, ahora ella enviudó y respira tranquila y sin miedo, la mayor parte de las mujeres están viudas porque la naturaleza las protege y vela por ellas, la ley no tanto, nadie tiene la obligación de hacerse bueno de repente, basta con ir haciéndose bueno poco a poco, don Gabriel Iglesias, secretario de ayuntamiento jubilado, estuvo en la cárcel después de la guerra porque era medio librepensador, argumenta que lo que falla no son los cónyuges sino la institución que está obsoleta y funciona cada vez peor y menos eficazmente.

—Es un disparate hacer un contrato de por vida, los límites del matrimonio no deben exceder los del inquilinato, por ejemplo, al matrimonio se le debería poner un plazo legal de tres, cinco o siete años renovable a la tácita, para evitar disputas los hijos quedarían siempre con la madre salvo pacto en contrario, es la sensata costumbre de los mamíferos, el macho no tiene por qué ser el espejo de otro macho, también se podría crear la situación de esposa honoraria con todas las prebendas devengadas por la paciencia y todas las regalías que se le hubieran ido acumulando, que cedería el tálamo pero no todo el gobierno a la esposa ejecutiva, una en la cama y otra en el comedor y la bodega según se acordase, el matrimonio debe ser como una sociedad anónima, los negocios familiares necesitan renovar sus estructuras para darles flexibilidad y eficacia, los negocios familiares que nos afectan con mayor sometimiento son cinco, la ballenera con su misterio y su mal olor, también con su sangre, la fábrica de conservas y salazones con sus vaivenes, la serrería con su heridor chirrido, la naviera con su incertidumbre y el matrimonio con su riesgo, el querer trabajar la madera de boj es un capricho que hay que pagar, los caprichos no se le dan de balde a nadie, el ferrocarril queda para los ingleses.

Cuando alguien reniega de los principios de la fe puede acabar excomulgado, loureiro que fuches nado e non fuches trasplantado sácalle o aire de morto a este excomulgado, a la Pena Forcada también le llaman Pena Gallada, eso va en pretensiones, los otros tres montes sacros son la Torre de Moa, la Pena dos Mouros y

O Castelo, don Gabriel Iglesias sabe de sobra que la creación del universo se representa con la doble espiral que está medio emparentada con el huevo cosmogónico del que sale la serpiente, las pedras abaladoiras son las que abalan y asustan con su baile, Arneirón sabe de algunas, la de los montes de A Zapateira en la Canle de Laxe, la Pedra Anduriña del monte de Santa Leocadia en Foxo al lado de la Fonte Santa, la Pedra Berce en Mantiñán que se mueve como una cuna y la Pedra Laxeira debajo del Castelo de Veiga con su Fonte da Virtude, las pedras abaladoiras tienen un aire mágico y parece como si las moviese el Espíritu Santo con mucha templanza y sin dejarlas desequilibrarse ni caer rodando, el jefe natural de todos nosotros es el Espíritu Santo.

—Buenas noches nos dé Dios, ¿podría decirme qué hora es?

—No tengo reloj, buena señora, dispense, deben ser las ocho, el sol está todavía muy alto y aún no empezó a crecer.

En las playas los rorcuales y los cachalotes varados, algunos están enfermos y otros perdidos, se dejan despedazar sin pedir siquiera que los maten antes, los pájaros del aire y los animales de la tierra no pueden acabar con los rorcuales y los cachalotes si no es despedazándolos poco a poco, no pueden matarlos con limpieza y caridad, rezando a San Bartomeu de Maceda se amansan los toliños y pidiéndoselo a San Bieito da Cova do Lobo a veces mejoran de salud y hasta engordan los que sufren del ruin tangaraño que escupe el mal querer, el eco no repite la voz de las ánimas, tampoco se les ve la

cara en el espejo ni en el agua de las fuentes, y los alma-
dieros del purgatorio sufren sorteando las olas de remordimiento de conciencia con sus falsas y débiles al-
madías de madera de boj, ya se sabe que flota mal y que
tarda mucho en arder, Florinda Carreira, la mujer de
Ángel Macabeo Verduga, el droguero de Monteagu-
diño, parecía la hermana mayor de Juana de Arco, tenía
la voz ronca y las tetas y los pies grandes y era alta y
fuerte, decidida, templada y arriesgada, sólo le faltaba
la armadura de hierro con su flor de lis de plata, a
Florinda no se le ponía nada por delante, Florinda esca-
bechaba perdices con mucha maestría, codornices, sardinas y atún, también tenía buena mano para la empanada de xoubas y el hojaldre relleno de cabello de ángel,
les daba el punto justo, en La Coruña llaman parrochas
a las xoubas, Ángel Macabeo murió endiañado y entre
horribles torturas y sufrimientos, tuvieron que atarlo a
la cama para que no rompiese todo en mil pedazos, la
cafetera, el retrato de Franco, la televisión, el frigorífico,
el mapa de España, el mapa de la Europa de antes de la
Guerra Europea con su ribete de banderitas, lo que se
dice todo, al pobre desgraciado de nada le valió que su
esposa lo encomendara a Santa Eufemia de Arteixo,
Pepa la Raposa mata gallinas sin más que mirarlas, las
deja hechas un desperdicio inmundo, y mete el ramo cativo en el cuerpo de las personas sin que nadie se dé
cuenta, Celidonia Cabarcos, la pastequeira de Castriz,
purga a los endemoniados con jalapa y los ahúma con
oro, incienso y mirra que son sahumeiros de lujo, Celidonia tiene un cuervo que silba los primeros compases

del pasodoble Gallito, antes tenía otro al que tuvo que ahogar en un cubo de petróleo porque se le cagó en la Sagrada Biblia, Celidonia tampoco pudo con el demonio de Ángel Macabeo, se conoce que era muy resistente, con la yerba do noso señoriño se pueden curar las picaduras de las avispas, los escorpiones y los alacranes, se encuentra en las brañas de San Cibrán y quitada de la tierra muere enseguida, no resiste nada, la meiga Casandra está dada de alta en la seguridad social como trabajadora autónoma y también está al corriente del pago de la contribución municipal, ahora no es como antes y las meigas hacen pronósticos políticos y deportivos, el Real Madrid no tardará en volver a ganar la Copa de Europa, ahora casi hay un registro de meigas, la sabia de Baíñas puede sanar hasta la tisis, también el cáncer si se coge a tiempo, Pepa de Juana en Fisterra se da mucha maña para combatir el bocio, Ermitas de Portonovo hace fértiles a las hembras horras, yeguas, vacas, asnas, cabras, ovejas, mujeres, Aurora de Caldas de Reis cura el lumbago y el reuma, Marujita la de Pontevedra despega las espullas y seca las fístulas por malignas que sean, las meigas pueden dar mucha guerra a los santos si se alían con el demonio, de ninguna de las que quedan dichas se puede suponer semejante cosa, aquí en el saludable borde del mundo, en la precisa frontera que separa lo que es de lo que va siendo poco a poco, no se cree más que en los milagros permitidos por Dios y por la tradición que viene de padres a hijos, contra el demonio no se puede luchar más que con la oración y la penitencia y en la alianza con él siempre se pierde porque por las almas paga poco, cada vez menos, no es lo mismo mandar soldados veteranos que ovejas o puercos, cuando en la guerra matan a un capitán de infantería sus leales no apagan sus antorchas hasta después de su entierro, los ingleses llaman boxwood a la madera de boj, uno se queda pensando y de repente se da cuenta de que Marina la de don Gerardo mudó una inercia en alada eficacia, al tiempo se le puede dar marcha atrás si se le mece con inteligencia y con cariño, don Gabriel Iglesias es amigo de mi cuñado Estanis, una vez le dijo el uno al otro, no importa quién a quién, que es indigno y demasiado confuso el arte de papar vientos domésticos y escalafonarios, municipales y mansurrones o remordedores y un punto suplicantes, hay ciertas cosas que no se pueden pedir por misericordia, lo más probable es que uno cualquiera de los dos tuviera razón sobrada, Feliberto Urdilde, Fabián Penela, Fideliño o Porcallán y Floro Cedeira el pastor de vacas se reúnen a jugar al mus en el Pelouro de Aróu donde se hundió sin muertos el carbonero inglés Daylight, sus fantasmas vienen por el aire y ni la mar los moja ni la baraja les sale volando, esto de jugar a las cartas entre difuntos, al mus, a la brisca, al tute, a las siete y media, algo menos al póquer y al bridge, es señal de que su alma está ya madura para salir del purgatorio, es situación que se da mucho entre quienes gastan nombres que empiezan por la letra efe, Francisco, Feliberto, Filemón y otros así, la promiscuidad no se estila y es raro que la costumbre de los difuntos la admita, no pasa casi nunca, los difuntos respetan mucho los usos tradicionales y no suelen ser partidarios de innovaciones y otras licencias, Macías de Lourenza, el del chiringuito a medias con mi hijo Paulo, se va a casar con una chica muy guapa y con posibles que se llama Lucila, estudia farmacia y es nieta de don Eudaldo el registrador, Macías piensa dejar el chiringuito y abrir un restorán en la carretera, a mi hijo Paulo lo veo en la calle, el granito es la más noble de las piedras, más aún que el mármol y el cuarzo, el granito es la única piedra a la que respetan el mar, el viento y la lluvia, el rayo lo parte pero no lo derriba, al granito no lo derriban más que las gaviotas, Dios se cansó de mantener con vida a Fofiño Manteiga, el tonto de Prouso Louro, y lo mandó llamar a su presencia, antes le dijo a San Pedro,

—Reburdiños ya no necesita oráculo, Fofiño ya cumplió, mándalo unos días a arder en el purgatorio y después tráetelo para aquí, destínalo con los querubines.

El cura don Xerardiño fuma demasiado, los amigos tememos que le vaya a dar una ronquera maligna, el cura don Xerardiño no para de fumar, el peón caminero Liduvino, desde que quedó ciego por peerse mientras rezaba el padrenuestro, va por las romerías cantando romances de criminales que mueren en garrote y pidiendo limosna por amor de Dios, las ballenas siguen su camino sin atender a las monótonas desgracias de los hombres, en esto son muy suyas, por esta mar no nadan los tabeirones, se conoce que buscan aguas más calientes, don Sadurniño usa tinta verde para anotar sus sabidurías en el cuaderno, los hay a centenares que venden chocos por calamares y si no que se lo pregunten a los de Pontevedra, las ánimas siempre juegan a las cartas con baraja española, oros, copas, espadas y bastos, se ve que la francesa les va menos, por aquí nadie habla francés, a las golondrinas se las respeta porque le sacaron las espinas de la corona a Cristo crucificado, quen fai mal a unha andoriña cúspelle na cara á Virxe María, hay quien dice que Dios le cortó el chorro de la vida a Fofiño Manteiga porque lo vio a un paso de la sublevación, yo no lo creo, a mí Fofiño siempre me pareció obediente y respetuoso, no está bien visto que los negros adivinen el porvenir ni devuelvan la salud a los blancos, cada cosa en su sitio, eso es algo que no está bien considerado por nadie, si a un blanco le cura la gafeira un negro se ríen del sanado y denuncian al sanador en el cuartelillo de la guardia civil, los gafeirentos lo que tienen que hacer es no andarse con coñas y encender una vela a San Lázaro y otra a San Vitorio de Begonte, con la salud no se puede jugar ni ser irresponsable, la salud se pierde más deprisa de lo que se recupera y algunas veces tarda en volver o no vuelve jamás, la salud no es una lotería sino un pulso entre la vida y la muerte, hay que tener presencia de ánimo para gobernar la salud y administrarla con provecho, el alma vive en paz en el cuerpo sano, Belarmino Bugallo se retiró de navegar porque iba ya para viejo, aínda é máis vello Bugallo que o seu carallo, ahora busca una moza talluda y bien dispuesta que quiera acompañarle, ya se sabe la obligación, amasar pan, cocer caldo, freír huevos, asar raxo, guisar pulpo, lavar la ropa y darle calor por las noches y sin avaricia, también ha de estar sana, ser valerosa y saber jugar al

dominó y al parchís, Belarmino trabaja ahora de zarralleiro en la fragua de su hermano Pepiño, también hace
de ferralleiro porque se da buena maña para la ferralla,
la pesa a ojo con mucho tino y quilo más, quilo menos,
acierta bastante, Belarmino y Pepiño tienen otro hermano que es el más rico y respetado de la familia, don
Xiao el cura da Esclavitude al lado de Iria, que lle mataron o cabalo e agora vai ós enterros a cabalo do criado
que é de Lampai, Santa Polonia es la patrona de los sa-
camuelas y de los sangradores, las samesugas de Lara-
cha tuvieron fama en el mundo entero hasta que pasaron de moda, ahora ya casi no se usan para bajar la
tensión y devolver el equilibrio al organismo, hace doce
o quince años hubo un fantasma en Almendralejo, a dos
leguas de Torremejía, el pueblo de Pascual Duarte, que
se metía en las casas de madrugada y palpaba los huevos a los maridos en el lecho nupcial, los periódicos decían los genitales, los vecinos llegaron a patrullar en so-
matén pero no pudieron detenerlo porque escapaba
siempre, a lo mejor era un fantasma de verdad, entre la
laxe de los Condenados y la restinga de los Castrillones
naufragó poco antes de la Guerra Europea una bricbarca normanda pintada de blanco y azul, la Belle Ginette o Jeune Ginette, esto no lo sé bien, a mí me parece
que nadie lo sabe bien porque unos dicen una cosa y
otros la otra, que llevaba un cuervo amaestrado en el
palo de mesana, no un alegre cuervo de mar sino un
triste cuervo de tierra que se alimentaba de la dulce y
aromática carcoma de la madera, la Belle Ginette llevaba
más de un año tripulada por muertos a los que por un

milagro de la Virgen del Carmen no desbarataban los gusanos para que pudiera seguir navegando a ciegas sus singladuras, cuando el barco se dio contra las piedras y empezó a hundirse, las almas de los marineros difuntos, que estaban agazapadas en el castillo de popa, ahora suele decirse toldilla, es más costumbre, saltaron a tierra y se fueron para el purgatorio, ni una sola tuvo que llamar a las puertas del infierno, por algunas aldeas del monte, Vilachán, Morquintiáns, Touriñán, anduvieron merodeando durante mucho tiempo los fantasmas de los normandos, también robaban huevos en los gallineros, algunas noches se metían en la cama de la gente pero no para hacer pecados sino para coger calor, cuando el gordo Celso Mancelle, el cochero de don Fiz Labandeira, mató a su mujer quitándole la respiración con la almohada, algunos fantasmas de la tripulación de la bricbarca se le aparecían en la cárcel para asustarlo y reírse de él haciéndole burla, se le aparecían de dos en dos todas las noches y le pintaban una horca en el muro y una cruz en el techo con el R.I.P., en esta costa frente a la mar a la que no se conoce el término todos podemos repostar paciencias y sapiencias, los alemanes antiguos decían que dos noches antes de llegar los navegantes a la Estrella Oscura de Fisterra la mar los destrozaba contra la costa, casi siempre contra Punta Regala, eso es lo que venía pasando desde hace mucho, frente a las piedras Paxariño de Fóra y Turdeiro, algo al sudeste del Centulo con sus lamentos.

—¿O sus silbidos?

—Sí, a veces también con sus silbidos y alaridos.

La sirena infiel que no fue perdonada por un remero del rapetón Xibardo le dijo la última vez que lo vio,

—Jamás pensé que me harías pagar tan cara la infidelidad que no fue desamor, Farruquiño da merda, jamás lo pensé, yo te maldigo y te deseo la muerte, así te ahogues en la misma mar en la que fuimos tan felices, yo me voy a Irlanda para no verlo y olvidarte para siempre.

Hay sirenas muy pasionales y vengativas, nadan sobre todo al sur del paralelo 43 que cruza la península de Fisterra desde la punta Alba en la mar de Fóra hasta la peña de los Corvos, ya casi en la ensenada, en la mar de Fóra se ahoga todos los veranos algún turista al que se lleva la correntada, Miguel odiaba a su padre y Amadeo compadecía a su hijo, es más fácil despreciar a un hijo que admirar a un padre, no se puede uno reír en el entierro del padre pero sí debe uno llorar aunque sea sin ganas en el entierro de un hijo desgraciado y muerto con la desgracia tan contagiosa como la viruela, Amadeo Gosende, en el entierro de su hijo Miguel que apareció muerto de sobredosis y todavía con la aguja clavada en la sangradura en el excusado del bar Martín, el caballo no perdona, iba medio distraído y pensando en esto, las filosofías rebozadas en excremento humano, en excremento del cuerpo y el alma, sirven para poco porque al final es preferible la muerte obcecada al humillante arrepentimiento, que suele ser falso, y al monótono buen camino.

—¿Podría usted distinguir el odio de la compasión?

—No creo, ¿y usted?

—No, yo no.

En la ensenada de Niñones, al norte de punta Escorrentada, se ahogó la señorita Elvira López Villalba la víspera de su boda, por la tarde hubiera ido a que le hiciesen la permanente y a visitar a su abuela Enriqueta, la madre de su madre, que ya no podía moverse de la mecedora, el cadáver de la señorita Elvira lo engulló la mar y nunca más se supo.

—Y el desprecio de la admiración, ¿podría usted distinguirlos?

—Sí, eso quizá sí, ¿y usted?

—No, yo no por más esfuerzos que hago, vamos, yo no sin duda alguna, para estos juegos morales hay que ser muy ingenioso y yo soy tirando a torpe.

Es razonable que se tolere al afortunado presumido pero no al desdichado fatuo, cuando las aguas erosionan la costra de la tierra se dibuja una furna, o sea una cala más bien pequeña, los últimos en arder en la furna de los Difuntos Queimados fueron los veintitrés tripulantes del petrolero ruso Vladiwostok, no hubo ni que enterrarlos, los delfines dieron aquella mañana unos saltos muy raros y difíciles de interpretar, parecían cabras haciendo piruetas o perrillos falderos y lamerones, el pesquero francés Noll-Zent se hundió sin muertos en el pelouro de Arou, el carguero inglés Saint Marc se hundió sin muertos en la Pedra do Sal, virgo fidelis, ora pro nobis, el carbonero griego María L. se hundió sin muertos también en la Pedra do Sal, per omnia saecula saeculorum, el carguero inglés Ribadavia se hundió sin muertos en la punta Capelo, el barco alemán Barcelona cargado de barriles de vino se hundió sin muertos en el mismo lugar, los robalos estuvieron teniendo gusto a bodega durante mucho tiempo, la draga holandesa Rosario n.º 2 se hundió sin muertos en el batedoiro de Santa Mariña, da gusto dejar de contar los muertos, el oficio de marinero ya es lo bastante duro de por sí, a Policarpiño el patrón del patache San Fernando se lo llevó la mar en Punta Cagada, con él se ahogaron tres marineros, el carbonero inglés Trevidere también se fue a pique en Punta Cagada, hubo un muerto, los carboneros Modesto Fuentes, español, y Alekos, griego, se hundieron en el carreiro de la Cagada, ¡qué monotonía!, sin muertos, Pierre Durand el contramaestre y Nocencio Estévez el marmitón del paquebote francés Saint-Malo naufragado en la piedra del Aforcamento fueron los dos únicos ahogados, los demás pudieron salvarse, el capitán, los oficiales, la marinería y todos los pasajeros, el marmitón no pudo salir de la cocina, estaba mirando por la pularda del capitán y cuando se quiso dar cuenta ya no pudo salir, y el contramaestre se rompió las dos piernas y fue imposible moverlo, el pesquero Julita se dio contra la misma piedra que el Serpent, murió un marinero al que arrastró un salabardo que pesaba más de lo prudente, quedó atrapado bajo la red, el maestro redero Farruquiño Quintáns toca cada día mejor la marcha del Antiguo Reino de Galicia, la gaita no tiene secretos para él, soplando hace lo que quiere, a Farruquiño Quintáns también le gustan los corridos mejicanos pero no se lo dice a nadie para no desorientar, era ya de noche en el solitario octubre y mis recuerdos eran traidores y mustios porque no sabíamos

que era el mes de octubre, ¿por qué no sabíamos que era
el mes de octubre?, sin duda alguna los versos de Poe
quedan mejor en gallego, lo que no sabe tocar Farruquiño es el acordeón, ¿llegarán muy lejos las notas del
acordeón?, ¿las oirán los cachalotes y los rorcuales?, Farruquiño Quintáns se hizo un redingote nuevo el año
pasado y va siempre de gorra de visera a cuadros, entre
los montes Yugueiz y Moteiz vive un recio carnero de
Marco Polo que se llama Alejandro, yo le llamé Alejandro cuando lo vi, se notaba enseguida que ese era su
nombre, a Alejandro no hay quien lo cace porque puede
subir hasta donde el hombre no respira y se le dispara el
corazón, Alejandro tiene cinco años, una cuerna descomunal y un mirar desafiante o suplicante según la hora,
la temperatura o el ánimo, a los veinticinco años Alejandro habrá ya muerto de viejo si no lo matan antes, a los
veinticinco años ya no se debe jugar al rugby, en el
Hunslet Boys no hay más que tres jugadores que pasen
de esa edad, el winger James E. Allen dejó de jugar a los
veinticinco años porque se sintió viejo, un cuarto de siglo suena más solemne, con un cuarto de siglo a las espaldas un hombre es joven según para qué, para torero
sí pero para jugador de rugby no, mi primo Vitiño Leis
es valiente, forzudo y descarado, mi primo Vitiño Leis es
el cumplidor maromo de doña Dosinda y además admite regalos, los machos de todas las especies admiten
regalos y se dejan querer, el lobo, el raposo, el xabarín,
es una manera de avisar su fuerza, las piedras hablan
una lengua que no siempre se entiende, hay hombres
que tienen mejor oído y hombres sordos como las estre-

llas del cielo que no hablan más que por señas, la lluvia
y el granizo también hablan una lengua misteriosa y
confusa, casi hermética, al cabo Trece también le llaman
cabo de Tosto, remata en la punta del Boi donde las piedras cubren y descubren y confunden, las Baleas de
Fóra y las de Terra, aquí la mar arrió dolorosamente la
bandera del carguero inglés Iris Hull al que hizo treinta
y siete muertos, la Pedra de Abalar de Muxía sólo abala
si se está en gracia de Dios y se queda quieta cuando se
arrastra algún pecado mortal, volviendo a lo de antes,
navegando una fuerte galerna al vapor inglés Diligent
se le partió el árbol de la hélice y la tripulación tuvo que
abandonarlo, alcanzaron la costa en los botes salvavidas
y con tanta suerte como esfuerzo, a trancas y barrancas
el remolcador alemán Newa consiguió llevarlo hasta La
Coruña donde no pudo pasar los bajos de la Guisanda y
se hundió, don Antonio Maroñas, el armador del carguero Vicente Maroñas que naufragó en la piedra Espiritiño, se hizo rico trabajando y ahorrando, cando era
pobriño todos me chamaban Toniño, agora que teño
abondo para todos son don Antonio, Vicente Maroñas
es su padre y vive todavía, no sabe leer ni escribir, fuma
en pipa de loza y le gusta oír la radio, la televisión la ve
mal porque le escuecen los ojos, los pescadores de abadejo de la trainera fisterrá Aurora pudieron ver cómo un
submarino alemán, fue durante la Guerra Europea, yo
tenía un año, detuvo en el caladero de los Arboliños al
carguero portugués Cabo Verde y lo voló por el aire
cuando asomó en el horizonte un crucero inglés, los tripulantes desembarcaron todos en Santa Mariña, dicen

algunos que cuando naufragó el Iris Hull, hace ya un siglo largo, sus tripulantes lanzaron a la mar una fisga atada a un cabo con nudo de barrilete para que no escurriese y pudieran cazarlo quienes miraban desde tierra pero los aldeanos, ojalá sean maledicencias y no verdad, picaron el cabo para llevárselo mientras los ingleses se ahogaban uno tras otro, el capitán del Iris se quitó la vida cortándose las venas del cuello, el vapor inglés Loss of the Trinacria se dio contra el bajo de Lucín, a siete hombres los arrojó la mar vivos a tierra y otros treinta murieron y hubo que pegar fuego a los cadáveres porque no pudo sacárseles de la maraña de hierros en la que quedaron presos, ellos fueron quienes dieron nombre a la furna dos Defuntos Queimados, los últimos en arder fueron los rusos del Vladiwostok, por la comarca corre la leyenda de que un perro ayudó a los náufragos hasta que cayó rendido del esfuerzo, Celso Tembura me invitó a centolla, castañeta al horno, pajaritos fritos, empanada de raxo y filloas y después me regaló un búho disecado, yo puse el vino, la augardente y los puros, soplaba mucho viento de la mar y salvo el susto del compañero que enfermó, después vimos que no había sido nada de mayor importancia, la larpadela en la que nos metimos salió como pocas veces de bien, hay que dar gracias a Dios que nos permite gozar de la vida, las putas mandamos traerlas de Santiago, en el Pombal hay mucho muestrario, eran portuguesas porque para francesas no nos llegaban los cuartos, son más caras y exigentes, los otros tres oficiantes de la larpada me mandan que calle sus nombres porque no quieren líos, yo los entiendo.

—¿Y usted se confiesa de cada vez?

—No, de cada vez no, cada dos o tres veces, tampoco hay que exagerar, se debe ser siempre discreto.

Don Xerardiño, el cura de San Xurxo, hace los milagros como quien monta en bicicleta con una sola mano, con gran naturalidad y casi sonriendo, don Xerardiño está muerto pero no se lo nota casi nadie, don Xerardiño confiesa al que tiene pecados que confesar, juega a la brisca con quien le pide posada, saca las telarañas de las dos sartenes que tiene colgadas de la pared, canta de caridad en la misa de los marineros muertos y cocina pescada a la gallega, cortada en toros se cuece a fuego muy vivo y con unos cascos de cebolla y unas hojas de laurel, casi se escalda, y aparte se hace el rustrido, don Xerardiño chámalle allada, con ajos fritos, un chorro de aceite y pimentón dulce.

—Usted dirá lo que quiera pero a mí se me hace que esto va muy revuelto, vamos, demasiado.

—No, esto no va ni medio revuelto.

—Como usted guste, yo no le he de llevar la contraria.

Uno de los amigos de la fiesta, no tengo por qué decir el nombre, se nos puso malo y tuvimos que llevarlo al médico a Corcubión, fuimos en el dodge de Carliños de Micaela y tardamos mucho porque el automóvil iba perdiendo aceite y además tenía una rueda medio pinchada, por el camino el enfermo fue todo el tiempo temblando, vomitando y echando sangre por los oídos, hubo momentos en que íbamos asustados y otros en cambio en que hasta nos daba la risa, con nosotros vino una de las portuguesas, Dolorinhas, que era medio enfermera y sabía tomar el pulso y poner inyecciones y lavativas, mi cuñado Estanis es muy alto, a mí me saca la cabeza, para maestro de escuela no hay que ser muy alto pero para jugador de baloncesto sí porque ayuda mucho la estatura, mi cuñado Estanis es amigo del crego Recesinde y anda bastante preocupado con el pecado de la carne que puede acarrear muy arriesgadas secuelas, la blenorragia, la sífilis, la condenación eterna, ahora también el sida, en el naufragio del María Laar un guardia civil arrampló con un queso casi tan grande como una muela de moler y le mandó a un marinero que se lo llevase a su novia, nunca más se supo ni del queso ni del marinero, el guardia civil en vez de receloso fue confiado y se quedó sin el queso, en las noches de temporal los campesinos recorren la ribera en busca de lo que la mar devuelve, don Xerardiño fuma más de la cuenta y esconde los macillos por todas partes, Rosa Bugairido se quitó la vida tirándose a la mar, por el aire no le dio tiempo de pensar en nada porque le empezaron a zumbar los oídos, esto no es más que una suposición, a todos nos gustaría saber el misterio de la muerte, lo que pasa es que Dios es muy callado y no suele decir las cosas a los hombres, a lo mejor esto es el libre albedrío y todos nos asimos a la duda como a un clavo ardiendo, mi tío Knut Skien caza el rorcual con artes antiguas y hace experimentos de física recreativa quemando fósforo debajo del agua.

—Yo bebo la sangre del animal porque lo respeto, la mezclo con ron para darle más fuerza y quitarle el veneno, yo no mato por matar sino para vivir, el alma del rorcual huye con la última gota de sangre de su cuerpo y se funde con mi alma.

Fideliño o Porcallán llegó escurriéndose como un raposo hasta la peña de la Muller dos Cinco Dedos y se pegó un tiro en la boca, cayó rodando y los primeros pájaros de la mañana le comieron los ojos y la lengua, Floro el pastor de vacas cree que el ruido de la mar va y viene con el pulso de la vena de la sien pero no es verdad, el ruido de la mar viene siempre, zas, zás, zas, zás, zas, zás, al ciclista Gumesinde lo mataron en la guerra civil y no pudo ver la victoria de los aliados, el ciclista Gumesinde era medio anglófilo, en esto parecía cazador de leones, pero se lo callaba porque estos sentimientos no hay por qué expresarlos, esa es la buena educación, al capataz James E. Allen cuando dejó de jugar al rugby se lo llevó su tío Knut Skien a cazar el carnero de Marco Polo, Knut Skien también era tío mío pero a mí no me llevó nunca.

—Tú bastante tienes con montar a caballo y bailar el pasodoble, no puedes tener todo.

—Sí, eso también es verdad.

El carnero de Marco Polo lleva dentro el espíritu de un guerrero mongol.

—¿O manchú?

—Bueno, o manchú.

—¿O afgano?

—Bueno, o afgano.

El carnero de Marco Polo esconde detrás de la cuerna el arrebato de un guerrero de la antigüedad de su país y de los que tiene alrededor según los cuatro puntos cardinales, estas lindes son muy confusas, el Al-

tai y el Alatura ni empiezan ni terminan, algunas ancia-
nas de Arévalo todavía recuerdan a Timoteo Gutiérrez-
Enciso, el discípulo de San Pablo que escribió en arameo
el diáfano *Libro del esplendor,* en la Lobeira Chica naufragó el buque inglés Dervenwater cargado de fruta, se
ahogaron dos marineros, a Antona do Vougo, la meiga
de Campelo, le llaman Vacaloura porque anda siempre
vestida de negro, el luto es el color del respeto.

—¿Y del desprecio?

—También.

—¿Y del hastío?

—También. Y de la intolerancia, la cerrazón y el desamor.

Antona cura el flujo de sangre poniendo sobre los riñones del sangrante unas telarañas cocidas en vinagre
de vino con un dedal de polvillo del barro del horno de
pancocer, si la sangre brota de la nariz el remedio se
pone sobre el pescuezo y si mana de la boca, vamos, si
se escupe, se debe uno confesar con un cura gordo, no
con un cura flaco, para tísicos ya hay bastante con uno,
y cumplir la penitencia con cierta devoción y unción, el
carnero de Marco Polo puede subir más alto que ningún
otro animal de tierra y tanto como cualquier orgulloso
pájaro de altanería, hay aves rapaces y carroñeras que
pesan tres arrobas, en la Lobeira Grande se hundieron
sin muertos el barco español Francisca Rosa cargado de
sal y el barco inglés Skuld Stawanger cargado de mineral,
Antona Vacaloura le dijo a mi tío Knut que se anduviera
con cuidado con el peón Pauliños porque lo quería en-
venenar con unos productos del laboratorio, hay subs-

tancias que destruyen el organismo y que ni dan tiempo
siquiera a vomitarlas, el carguero noruego Blus se hundió sin muertos frente a la factoría de Caneliñas, cuando
James E. Allen dejó de jugar al rugby todavía Moncho
Méndez, digo Mínguez, no había capado al dublinés
Juanito Jorick, el suceso dio mucho que hablar a todo el
mundo y en general la actitud de Moncho fue muy criti-
cada por la gente, el capataz James E. Allen, pelirrojo y
pecoso, es inglés pero parece irlandés, también tiene
trastornos de la voluntad y vaivenes en el entendimiento, James toca el acordeón con verdadera maestría
sentado en el muro de la ballenera y mirando para la
mar, nunca se le debe perder la cara, James toca javas y
polcas y rigodones con paciencia, con entusiasmo y con
resignación, parece el duque de Yss, poco más al norte
se fue a pique el pesquero Río Tambo, se ahogaron dos
marineros, mi tío Knut nos contó a James y a mí lo que
le había dicho Antona Vacaloura.

—Esto fue lo que me dijo la mujer, seguramente es
cierto pero yo creo que con los peones se debe tener algún cuidado, sí, pero tampoco tanto porque no son peligrosos, no son más que ruines, lo que hay que hacer es
evitar que se engallen, yo no creo que sean unos bolche-
viques peligrosos pero hay que evitar que se engallen,
un peón engallado puede ser molesto y obliga a darle
con la tralla, Pauliños no tiene malas inclinaciones, no
es más que tímido y vergonzoso y quiere luchar contra
su manera de ser, contra sus tendencias.

Enfrente, en el cabo Nasa que queda por encima del
islote Carrumeiro, se hundieron sin muertos el patache

español Nuestra Señora del Carmen y el vapor inglés Country of Cardigan con la bodega repleta de maíz, los delfines engordaron y se pusieron muy alegres.

—Hay dos clases de hombres: quienes al despertar creen que sus sueños fueron pura y vana ilusión y quienes sueñan despiertos, estos son los más peligrosos porque se sienten capaces de todo y se dejarían matar por una idea e incluso por un capricho, Pauliños no es más que un ruin que a veces se engalla.

Por Cornualles, Bretaña y Galicia pasa un camino
sembrado de cruces de piedra
y de pepitas de oro.

II

ANNELIE
Y EL JOROBADO
(Cuando dejamos de jugar al tenis)

Annelie Fonseca Dombate, alias Mosquetín, esto no se lo llama casi nadie, la viuda del filatélico don Sebastián Cornanda, el hombre iba a caballo tan campante cuando lo mató un mercancías en el paso a nivel de Osebe, se conoce que iba distraído, tiene amores con un jorobado que fuma yerba, conoce todas las estrellas del firmamento sin dejar ni una, también acierta con los arcanos de la astrología, es buen repostero, su tocinillo y su tiramisú llegaron a ser famosos, sabe leer las rayas de la mano y echar las cartas, entiende de vinos y de quesos y hace juegos malabares con siete naranjas o siete botellas al tiempo y sin que se le caiga ninguna, ahora cuida los sellos del finado don Sebastián, el rico de mi familia fue Dick el hermano de Cam, mi bisabuelo materno, Dick fue cazador de ballenas en las Azores y quiso hacerse una casa con las vigas de boj pero no pudo porque le faltó tiempo, en el área

de Corcubión se hundieron los cargueros españoles
Ereza, Gijón y María II y los carboneros griegos Cons-
tantino Pateras, Manoussis y Mont Parnass, no hubo ahogados, aguas alrededor del Carrumeiro la mar es muy
traidora y barre con fuerza, el jorobado de Annelie se
llama Vincent Goupey y es francés, se supone que es
francés aunque no tenga documentación, la perdió en el
naufragio y ni la guardia civil ni la comandancia de marina se la pidieron nunca, la palabra también vale, hay
días en que Annelie le llama Vicentiño o Vicentico, el jorobado vino tripulando el bergantín Aurore Chaillot
que se fue a pique en la playa de Mozogordón en Ponte
do Porto, fue el único que se salvó, los demás tuvieron
peor suerte, el sitio está resguardado y no es malo, tampoco lo bate la mar pero al barco le explotó la dinamita
que cargaba y salieron todos por los aires, llegaron al
purgatorio volando todos juntos, al dublinés Juanito Jorick lo caparon porque le pisó la sombra a un guardia
municipal, bueno, ya no lo era, poco antes de llegar al
fondeadero de Camariñas, entre las puntas Insuela y
Lingundia y al cobijo del pico Trasteiro encalló el patache Bonitiña que partió en dos y dejó dentro al grumete
que era nieto del armador, se llamaba Nuco Gundián y
tenía doce años, Vincent Goupey habla bien el español
y el gallego, los chepas suelen tener mucho instinto para
las lenguas y también para los juegos de azar, la lotería,
las quinielas, los dados, el bingo, también traen suerte y
alejan la desgracia, en la administración de loterías Vincent se deja pasar los décimos por la chepa y acepta pro-
pinas, cinco duros, diez duros, veinte duros, Annelie

llama amorosamente mi piltrafa a su jorobado, en la cama, cuando Annelie se siente ya servida levanta el embozo y Vincent se va a dormir a la alfombra, se tapa con la otra alfombra y usa de almohada un cojín del sofá, cuando Annelie le da con el matamoscas Vicentiño le alcanza las chinelas, una vez, o la bacinilla, dos veces, algunas noches Vincent se la menea a la luz de una vela porque a Annelie le gusta ver cómo se corre, ahora pega más llamarle Vicentiño.

—¿Y Vicentico?

—Eso va mejor hablando de su carácter.

Vicentico es tímidamente caprichoso pero servicial, a él le gusta servir y obedecer, Vicentico es bien mandado y goza con la sumisión, a lo mejor lleva dentro un cauteloso criminal, él se serena sirviendo y obedeciendo.

—¿Sin reservas?

—No, con alguna reserva.

En la factoría de Caneliñas trabaja mi tío el noruego Knut Skien, también es tío de James E. Allen que ya no juega al rugby porque es viejo, ahora juega al tenis y así puede estar hasta los cuarenta o cuarenta y cinco años.

—¿Y después?

—Después ya veremos, depende.

El placer Pedras de Xan y las lajas ahogadas de los Galiñeiros engañan a los navegantes y castigan al que no está avisado, el patache Bitadorna se hundió en estas aguas con sus seis tripulantes.

—Eran siete.

—Bueno, con sus siete tripulantes.

Vincent lee a Albert Camus y tiene una foto de Edith Piaf y otra de Catherine Deneuve dedicadas, Annelie se lo consiente pero no le permite que las tenga a la vista, a Vincent le gusta mucho ayudar a las misas de difuntos cuando se tercia, poner flores en el altar mayor, acompañar al viático y jugar a las damas, al demo nubeiro se le espanta tocando las campanas y al demo troneiro se le sujeta con una ramita de laurel bendecido, el tardo nos hace soñar pesadillas y el tarangaño roba la salud a las criaturas, a Vincent se le apareció una noche el demonio cuando rezaba el rosario con Annelie, lo ahuyentó rezando más alto y encendiéndole una lamparilla a San Pito Pato, patrono de los romeiros tatelos, San Pito Pato va peor vestido que Carafuzas o cualquier otro cacodemón pero a él no le importa porque vivió siempre dando la espalda a los respetos humanos y a las historias de los agatodemones, en el concilio Vaticano II borraron a San Pito Pato del martirologio con San Fiz de Valois patrono de los cojos y otros varios diferentes, Braulio Isorna le dijo a su vecina Leonor que no sacaba a pasear a Ricardiño porque era medio parvo, con los tontos ni a misa porque voltean para el coro y se ríen y se mean en el evangelio, cuando el demonio escupe en la harina de amasar pan o en la ropa de cama recién limpia es señal de que se debe primero airear y después bendecir la casa, en el libro de San Cipriano se recomienda tomar dos ojos de león oreados a la luz de la luna en cuarto creciente, etc., esto es muy difícil porque por esta costa no hay leones, no los hubo nunca porque los escorrenta la mar, Vincent va todos los años a San Andrés de Teixido, onde o que non vai de morto vai de vivo, fun ó Santo San Andrés aló no cabo do mundo, ¡só por te ver meu santo, tres días hai que non durmo! Annelie y Vincent no se casan porque él ni tiene papeles ni quiere buscarlos, Dorothy la esposa de mi tío bisabuelo Dick es una mujer de muy raros hábitos, el marido demuestra mucha paciencia con ella porque prefiere hartarse de razón, quizá acabe tirándola por la ventana, esto no se puede saber nunca, mi tío bisabuelo Dick tuvo tres hermanos, Cam, Sem y Jafet, yo vengo de Cam, mi abuelo y mi padre también se llamaron Cam, los tres cazaban ballenas y no se llevaron nunca bien ni correctamente, ninguno tenía buen carácter y los tres fueron envidiosos y avaros, el chino Li Piang-tung se hacía llamar Adrián Brenaing alias el Uzbeco porque prefería pasar inadvertido, un antepasado suyo llegó a las islas Carolinas antes que el navegante Toribio Alonso de Salazar pero no se lo dijo a nadie, un siglo después Papin inventó la marmita de vapor, Braulio era amigo de Vincent y le cambiaba sellos e incluso marcas prefilatélicas, en su casa había muchas, por chorizos de Lugo, chourizos cagueiros y ceboleiros, y queso de Arzúa, el pesquero Siempre Perales se hundió en las islas Sisargas, fueron rescatados con vida sus cinco tripulantes, Ricardiño era hermano de Leonor y un poco retrasado del entendimiento, había ido a la escuela y acertaba bastantes capitales de Europa, sabía sumar, restar y multiplicar, no dividir, pero no se le alcanzó la regla de tres, hay cinco nombres malditos, Barrabás, Satán, Caín, Herodes y Judas, todos duermen por estas latitudes, Barrabás en el monte Farelo, Satán en el pico de la Fonfría, Caín en Facho Lourido, Herodes en el Leixón de Xan Boi y Judas en la punta de Casa Santa, cada uno se disfraza como puede, de animal, vegetal o mineral, esto es lo mismo, en el camposanto de San Xurxo flotan los fuegos fatuos con mucha naturalidad y reposo, verlos tan confiados da mucho sosiego al espíritu, el velero Bella Edelmira se hundió con su cargamento de galletas en la piedra Fusisaca que cubre y descubre al norte de la punta del Roncudo, murieron tres marineros, no se ahogaron, partió el trinquete y les dio en la cabeza, el meigo de Sedes cura las cataratas pidiendo ayuda a los santos Pedro y Rufina, belidas traio, belidas levo, se non veñen San Pedro e Santa Rufina a levalas primeiro, ave María purísima sin pecado concebida, yo no soy vengativo pero sí rencoroso, yo soy como un caimán y me vengo sin rencor ninguno, me vengo por entretenimiento y sin emoción ninguna, los tres pilares de España son los cristianos guerreando, los moros cultivando la tierra y los judíos comerciando, también los gitanos comprando y vendiendo caballerías, los moinantes trampeando y los misioneros bautizando infieles, el arte de tocar el acordeón es muy confuso, Vincent es habilidoso pero no sabe tocar el acordeón, se le da mejor la bandurria y sobre todo el banjo que es muy moderno y agradecido, los cadáveres de la mujer y el hijo del capitán del Adelaide aparecieron abrazados y asiéndose amorosamente a la muerte, en Ponte do Porto las mujeres también hacen encajes, Annelie mueve con mucho gusto y buen equilibrio los palillos mientras Vincent le lee novelas de Corín

Tellado procurando cuidar la entonación e incluso el gesto, los encajes de Camariñas se hacen por toda esta costa desde Corme hasta Muxía, Annelie se ríe por lo bajo pensando en Vincent y el gusto que le da, o amor que ha de ser meu ha de ter as pernas tortas, a barriguiña redonda e unha xoroba nas costas, a mí me preguntó con mucho respeto un marinero de Noia cuyo nombre no soy capaz de recordar,

—¿Sabía usted que en el Rego de Goa, por encima de punta Gómez, se apareció el demonio el año pasado? Se presentó en forma de tortuga de tamaño medio con la cabeza aureolada por el fuego de San Telmo, echaba llamas por los ojos y rayos por el rabo y hundió dos gamelas sólo con mirarlas, ¿lo sabía usted?

—No, yo no, tampoco me lo contó nadie.

En el Aurore Chaillot que era un barco pequeño pero rico, un barco muy bien acondicionado, Vincent gobernaba la gambuza con orden y sabía conservar los alimentos, Vincent cargaba siempre naranjas y limones para frenar el escorbuto, con él no se le pudrían las encías a los hombres de a bordo por más tiempo que estuvieran sin tocar tierra, en la aldea de Aplazadoiro aparecieron una mala mañana todos los perros muertos, esto fue el aviso porque después empezaron a morir chiquillos hasta que no quedó ni uno, no había tantos, los muertos presentaban un bocado en la garganta, un mordisco limpio y con tres ojales, nadie oyó gritar a nadie, la guardia civil de Vimianzo no averiguó nada porque no pudo hacerlo, Vincent le dijo a Annelie que sospechaba de un náufrago del submarino ruso Igor Yavlinsky que se había convertido en lechuza que andaba merodeando por allí, por artes nefandas la oficialidad se había mudado en lechuzas y la marinería en medusas, Annelie le dijo que era mejor que se callase porque no le iban a hacer ni caso, hay asuntos en que los forasteros no deben ni entrar ni salir, la correola es una yerba mágica que sólo se cría en el huerto de algunas brujas, atando los pies del enfermo con hojas de correola se corta de raíz la correncia de quien se zurrasca por la pierna abajo contra su voluntad y sin pedir permiso.

—¿Sabe usted dónde para el cocodrilo amaestrado de Ricardiño, el hermano de Leonor?

—No, se escondió en una de las tres fuentes de Tufiones y de él no volvió a saberse más nada.

Pedro Chosco cura las verrugas sin mayor molestia, Pedro Chosco abre las dos puertas de su casa, el verruguento entra por la del norte, echa un puñado de sal gorda en el fuego de la lareira, le deja al milagreiro un mollete de pan de centeno y un cuartillo de augardente de herbas, dice lo que debe decir, verrugas traio, verrugas teño, aquí as deixo e voume correndo, y sale ya limpio por la puerta del sur.

—¿Usted sabe que se puede sanar el baile de San Vito de las viudas comiendo bacalao guisado con patatas nuevas, pimientos morrones, zanahorias, cebolla, ajo y perejil?

—Eso me dijo Adega pero no lo creo.

Si el Espíritu Santo fuera un murciélago en vez de una paloma nuestra religión no sería la verdadera y habría menos católicos y si fuera una urraca o un cuervo no habría ninguno, el demonio se aparece en forma de cabrón al que se le besa respetuosamente el culo en señal de acatamiento y pleitesía, el Espíritu Santo hubiera podido ser una andoriña pero tampoco un cormorán, la figura del Espíritu Santo está bien discurrida, al instante se ve la mano de Dios, don Xerardiño, el cura de San Xurxo, supone que también pudo haber sido una bolboreta con todos los colores del arco iris, entre el bajo Curbiños y punta Escorrentada aparece la piedra Pedo Muiño que vela en la bajamar, los hermanos Teodoro y Leoncio Quindimil juegan al chamelo y al mus como nadie, son unos verdaderos maestros, Vincent cree que hacen trampas pero se lo calla por prudencia, no sobra nunca ser prudente, el Espíritu Santo no adoptó jamás la figura de un animal de tierra, sus buenas razones habrá tenido para hacerlo así, para haberse trazado esa línea de conducta, el Espíritu Santo sólo hubiera podido ser cordero o conejo que son bestezuelas tímidas y mansas, no esquivo raposo ni gallo presumido y peleón, orgulloso y pendenciero, los cristianos pintaban un pez en el muro de las catacumbas pero esta es una representación muy antigua y ya no se entiende, Teodoro Quindimil es maestro de obras, ahora se quedó con la contrata del matadero y del grupo escolar, su hermano Leoncio tiene una tienda de electrodomésticos y un gimnasio con sauna, a mi primo Vitiño Leis le regalaron una radio nueva, todo el mundo sabe que fue doña Dosinda pero él no lo dice, a James E. Allen le quedan aún muchos años por delante para jugar al tenis, a Vincent también le hubiera gustado pero no tiene condiciones físicas, los chepas no pueden jugar al tenis porque la pelota les sale escorada, da alguna risa verlos, no demasiada, a lo más que pueden jugar es al volante porque la risa que dan es más caritativa y condescendiente.

—¿Quiere usted que juguemos al volante?

—No, yo soy francés y prefiero la petanca.

Annelie cena fruta y leite callado, le gustan los pexegos y las claudias, también las moras y los morodos, por La Coruña llaman peladillos a ciertos melocotones, es un decir, paraguayos a las paraguayas y japoneses a las ciruelas de yema, Vincent cena habichuelas con tocino o chorizo frito con castañas cocidas, varía poco su costumbre, ha de tener cuidado de no tirar pedos porque le riñen, Annelie es muy mirada y no consiente ordinarieces ni confianzas, Annelie tiene un repente alborotador, un pronto sublevado, después se calma, al islote Carrumeiro Chico le llaman el cementerio de los barcos griegos, muchos vinieron a morir aquí y los tripulantes bajaban a tierra aseados y sonrientes, con las chaquetas puestas y las maletas nuevas y de muy buen ver, no parecían náufragos, puede que el Lloyd of London tenga información reservada, el monte Corpiño remata en el espolón donde se alza el santuario de Nosa Señora da Barca que está lleno de exvotos, ya no cabe ni uno más, esto es en Muxía, al Apóstol se le apareció la Virgen con el Niño Jesús en brazos en una barca de piedra en la que bogaban dos ángeles rubios y con la melenita recortada, después salieron todos volando y la barca se convirtió en la Pedra dos Cadrís, pasando por debajo de ella se curan todas las enfermedades de los huesos y algunas

del espíritu, también las de los bofes, las del bandujo y
las de las otras asaduras del cuerpo humano, tres marineros murieron y a otros cinco se los llevó la mar en el
naufragio del mercante danés Charm fuera de las aguas
jurisdiccionales españolas, cuatro tripulantes pudieron
sobrevivir, Vincent es cuidadoso con los sellos que heredó Annelie, no los toca con la mano sino con unas pin-
zas y procura que los álbumes estén en lugar seco, Vincent cultiva tabaco y marijuana, las hojas las seca en la
lareira y las fuma liadas en papel Abadie o Smoking, a
los pitillos les pone un poco de azúcar o de miel y los
hace con mucha perfección y equilibrio, o sea regulari-
dad, Ptolomeo llamaba el Pájaro a la constelación del
Cisne y Vincent lo sabe, según se muevan las estrellas
así adivina la marcha de la vida y los azares del amor y
la muerte, el sordomudo Cósmede Pedrouzos estuvo
varios días sin salir de su alpendre, se conoce que estaba
con calentura, su lobo le trajo un conejo del monte con
el que se alimentó, el oso le llevó un repollo y unas patatas, en el alpendre tenía siempre el fuego encendido, las
brasas duran mucho tiempo y arrimándoles piñas secas
pronto asoma la llama, Ricardiño libró del servicio militar por estrecho de pecho, Ricardiño no es muy listo
pero tampoco se puede decir que sea parvo del todo, no
es más que medio parvo, Ricardiño trabaja en el comercio de Leoncio Quindimil cargando y descargando mercancía, no puede llevar el motocarro porque no tiene
permiso ni condiciones, una vez que lo puso en marcha
se metió por el escaparate y lo tuvieron dos años sin cobrar y además le dieron una paliza, lo tundieron a palos

y a patadas, lo insultaron y lo pusieron perdido de escupitajos, también le metieron la cabeza en el excusado para que escarmentase, todo eso es natural, Ricardiño barre la tienda, va a recados, cuece los percebes y las nécoras y hace café de pota, Ricardiño no tiene contrato ni seguridad social y algunos sábados no le dan la paga pero por lo común lo tratan bien, el cabo Vilán visto desde el norte, desde el cabo Trece y las Baleas de Tosto semeja el decorado de una ópera de Wagner, es demasiado solemne y teatral y parece de cartón piedra, no le debe faltar mucho para medir los cien metros sobre la mar, en lo más alto está el faro y a media ladera se ve todavía la arruinada silueta del faro antiguo, en el coído Arneliña pastan unas cabras cornalonas y tetudas que miran con desconfianza y descaro a quien va de camino, el cabo Vilán termina en el Estufro que es una piedra de muy caprichoso aspecto, de muy fantasiosa traza, a poca distancia aparece el islote Vilán de Fóra, entre la costa y él no caben sino embarcaciones menores y eso con mar llana, algo más lejos está la peligrosa y traidora peña O Bufardo, aquí pasó una noche entera Farruco Pedrosa, el marinero de Merexo que se cayó de la motora Tres Amigos, lo tiró al agua un golpe de mar, Farruco se pegó a la roca como una lapa y aguantó hasta que a la mañana siguiente pudieron echarle un cabo y salvarlo, nadie se explica cómo pudo resistir, cómo no se hartó de seguir vivo, bueno, medio vivo, más muerto que vivo, los ahogados flotan todos panza arriba, se les hincha el vientre y quedan panza arriba, los ahogados señalan las corrientes y la resaca que son fenómenos

que no siempre repiten, algunos ahogados vuelven solos a tierra y a otros hay que rescatarlos cuando se
puede, a veces no se puede, también los hay que se pierden y después se olvidan para siempre o se diluyen
poco a poco en la mar, la rebelde conducta de la mar en-
torpece mucho los trámites legales, la guardia civil tiene
que rellenar unos impresos y a veces no puede, los pá-
rrocos y los secretarios del juzgado o del ayuntamiento
también necesitan comprobaciones y testimonios, Arneirón es muy mentiroso, se pasa la vida inventando fi-
guraciones que no le cree casi nadie, él sí, Vincent corta
unas lonchas de queso del país y de carne de membrillo,
pone una de éstas entre dos de aquéllas, las reboza con
harina, huevo y pan rallado, las fríe en mucho aceite
hirviendo, las deja escurrir bien, las espolvorea con canela y azúcar y se las come mano a mano con Annelie
que en premio suele sacarse una teta por el escote, por
encima del cabo Vilán se fueron a pique los carboneros
ingleses Begoña, Tumbridge y Travessie sin muertos, el ya
dicho Loss of Trinacria tuvo treinta, se salvaron siete, el
contramaestre se ahorcó con el cinturón, el quechema-
rín noruego Sirius con otros siete muertos, los carboneros italianos Ciampa y Brignetti sin muertos, el patache
arosano Lourido con cinco muertos, el rapetón fisterrán
Loliña con diecisiete muertos, todos los tripulantes, y el
carguero español Duró, el carguero liberiano Yaga, el patache portugués Yale Hermoso que transportaba tabaco
y un dique flotante francés que rompió amarras porque
marró la señal, los del remolcador izaron el gallardete
con la A, ¿está firme el amarre?, y los del dique les res-

pondieron con la misma bandera, está firme el amarre, y no era verdad, todos estos barcos libraron sin muertos, a esta letanía no se le conoce el fin, es probable que no tenga fin, los barcos de la mar arrastran siempre su historia y algunos hasta su historia de amor, de odio y de conveniencia comercial, política y marinera, la historia del mundo podría repetirse con muy hermosa puntualidad sumando las abnegaciones y los resentimientos, también las envidias y los altruismos, la historia del mundo no se escribirá jamás porque el hombre es un ser impaciente, un animal nervioso que se alimenta de escalofríos.

—¿Usted sabe historia sagrada?

—No mucha.

—¿Usted sabe historia natural?

—Tampoco.

—¿Usted sabe historia universal?

—Tampoco, yo casi no tuve estudios.

Ariadna, la novia del patrón don José Eutelo Esternande, se ahogó frente a la punta de Caldelaxes, el patrón no encontró nunca consuelo y dispuso que su cadáver fuera arrojado a la mar cuando le llegase la hora, Ricardiño tenía un cocodrilo amaestrado pero lo perdió en Tufiones, se le metió en una de las fuentes del regato Mouriño y no volvió a salir nunca más, se conoce que estaba a gusto, Leonor es la hermana de Ricardiño, viven los dos juntos y mira un poco por él, mira que coma con provecho y ande aseado, Leonor trabaja de asistenta donde la llaman y se acuesta a veces con Teodoro y con Leoncio Quindimil, suele ser los lunes, cierran la tienda, mandan a Ricardiño a algún recado y se refocilan con ella en el almacén, en un hule que extienden en el suelo para defenderse de la humedad, le dan sesenta duros y le regalan chicles y chocolatinas, también le pagaron ya dos abortos, Leonor tampoco hubiera podido cuidar a un hijo, Adega hace bien los abortos, con mucha higiene, Vincent sabe interpretar la traza de las rayas de la mano, su longitud, su mayor o menor profundidad, sus interrupciones y quiebros, no suele equivocarse porque esta es una sabiduría muy científica, también echa las cartas aunque no siempre dice lo que lee, a Vincent no le gusta ser pájaro de mal agüero, Adega cree en las virtudes sanadoras de algunos alimentos, sobre todo el bacalao, Floro Cedeira sana el reuma, el lumbago y los calambres con pulpo crudo, hay que masticarlo bien, Adega cura las afecciones de la respiración con bacalao crudo, las de la digestión con bacalao frito, las de la micción con bacalao asado y las de los nervios con bacalao guisado, no se deben olvidar las espinacas y las acelgas porque tienen gran valor termodinámico y reflectante, por debajo del cabo Vilán, hace más de doscientos años, se hundió la fragata La Cantabria, correo de S. M. El Rey de La Coruña a Buenos Aires, el cadáver de su capitán apareció en Coenda con la rueda del timón en la mano, murió en el barco como era su deber y no quiso soltar el mando ni después de muerto, con él también murieron otros quince hombres, Vincent tiene buen paladar para el vino y acierta a conservarlo en buenas condiciones, Braulio Isorna no sale de paseo con Ricardiño pero tampoco le vuelve la espalda si se lo encuentra, a Ricardiño le gusta la compa-

ñía pero va solo casi siempre, a los parvos o medio parvos nadie se arrima con confianza, lo primero que hay
que hacer para enamorar a una mujer madura es asear-
se, las mociñas son menos exigentes porque están más
necesitadas, Telmo Tembura me dice que en la restinga
de las Baleas el dique de la marina de guerra francesa
no se hundió, no se llegó a hundir porque acabaron sal-
vándolo, lo que pasó fue que no pudo aguantar la galerna, el viento le hizo romper amarras y lo dejó a la deriva pero cuando se calmó un poco la mar el armatoste
pudo ser remolcado hasta Ferrol, sus tripulantes pisa-
ron tierra en los pedruscos de Dor da Man, entre percebes y los argazos que la mar regala, por estos parajes
donde naufragó La Cantabria también embarrancaron
el barco de bandera marroquí Banora que iba cargado
de naranjas, la mar cambió de color porque quedó sem-
brada de naranjas, y el vapor norteamericano Black
Arrow que había sido alemán, sirvió para pagar deudas
de la guerra del 14, con carga general, pasaje y más de
cien tripulantes, libraron todos de la muerte, al Black
Arrow pudieron reflotarlo y fue reparado en los astille-
ros de Ferrol, Black Arrow significa Flecha Negra, durante la guerra civil española hubo una división italiana
que se llamaba Flechas Negras, no tenía demasiado
prestigio, los franceses suelen entender de quesos y Vincent no iba a ser excepción, Galicia tiene buenos quesos
si se saben buscar, no muy variados pero buenos aunque quizá imprevisibles, por estos escondidos parajes,
nadie me pudo precisar el lugar exacto, tuvo su refugio
el famoso Capitán Tiengo, un aventurero tinerfeño que

le plantó cara a Drake, don Anselmo Prieto Montero, ca-
tedrático de latín del instituto coruñés Agra del Orzán,
escribió una novela muy amena sobre este personaje y
sus andanzas marineras, se titulaba *La campana del buzo*
y estaba bien escrita, con mucha soltura e interés, en la
forma de narrar las aventuras recordaba un poco a Ba-
roja, fue lástima que no encontrara editor y que en el lecho de muerte mandara quemar el original, yo no pude
convencer a sus herederos, me dijeron eso tan cam-
biante de la última voluntad del finado, etc., a los sapos
a los que se les cosieron los ojos hay que quemarlos para
que no se venguen con crueldad, los sapos con los ojos
cosidos son muy rencorosos, lo del Mar Egeo fue una
verdadera catástrofe, fue como una maldición de Dios,
el Mar Egeo se dio contra las piedras de la Torre de Hércules cuando iba al pantalán de Repsol y vertió en la
mar cerca de ochenta mil toneladas de crudo, la marea
negra envenenó casi doscientas millas de costa, Vincent
también le lee a Annelie novelas de Carmen de Icaza y
de Concha Linares Becerra, a Annelie le gustan las novelas de amor, se repiten como el amor pero eso no es
malo, en esta mar abierta también hubo otros naufragios menos importantes, el velero Rosario, el pailebot
portugués Delfina que se hundió con una compañía de
cómicos a bordo en los Boliños da Fortuna, cuando se
vieron perdidos los cómicos se emborracharon todos y
cantaban fados muy tristemente, el carbonero Luz, la
goleta Santa Rosa de Lima y las dos mujeres del capitán,
las dos se llamaban Consuelito, y quizá algún otro, al
demonio se le ahuyenta haciendo la señal de la cruz,

todo el mundo lo sabe, el fantasma del chino Adrián Brenaing el Uzbeko duerme en el monte Farelo escondido por Barrabás, a algunos curitas jóvenes les gusta preguntar en el confesionario por los ligeros toqueteos, es muy reconfortante y da gusto ver cómo las niñas se ponen coloradas, las hay que se ríen por lo bajo, hay curitas jóvenes que huelen a esmegma y a fijador, Vincent es muy hábil haciendo juegos malabares, no se le cae ninguna naranja al suelo, también es prestidigitador y es capaz de sacar un conejo de la chistera, en el hipnotismo no está muy impuesto, los chepas tienen muchas aplicaciones, muchas habilidades, pero quizá no se den buena maña para el hipnotismo, Carliños de Micaela juega mal al tenis, a él le gustaría hacerlo mejor pero no se aplica y así no hay manera, a James E. Allen le cuesta encontrar con quién jugar al tenis, al deporte hay que dedicarle algún tiempo y cierto entusiasmo, Carliños de Micaela tiene un dodge desvencijado que casi no anda, va a tener que repararlo antes de que sea tarde, el arreglo puede salirle carísimo y a lo mejor ni merece la pena, el dodge de Carliños tiene usos muy diversos tanto decentes como indecentes, está al aire libre al socaire de una piedra casi redonda y algunas noches el viento lo sacude con furia, da gusto estar con las ventanas cerradas abrazado a una mujer aunque sea vieja, en medio del temporal eso es lo de menos, Vincent da clases de francés a los niños de la escuela municipal, a cambio aprende gallego, lo habla ya bastante bien, los niños de la catequesis son los mismos que los de la escuela pública pero sus costumbres son diferentes, Vin-

cent no sabe gramática francesa pero se defiende bien
bordeándola, las chinelas de Annelie tienen una flor de
loto de varios colores bordada con mucho relieve en la
puntera, cuando Annelie le da una vez con el matamoscas Vicentiño se las alcanza, a Vicentiño le gusta obedecer, eso da mucho aplomo a la conciencia, mucha serenidad, la sumisión es el molde que amansa el carácter, los
escapularios de flor de verxebán ayudan a ganar las batallas amorosas, el bergantín francés Franlla venía de La
Habana y se hundió en la Villueira, por debajo de la
punta Virxe do Monte y la rada de Portocelo, la corbeta
Constancia se dio contra las rocas de la punta de la Carnicería, Vincent cocina las verduras, el pescado y la
carne muy al gusto de Annelie, las verduras en ensalada
y hervidas, por aquí se suelen hervir más de lo necesario, el pescado frito, la carne al horno, al rosbif le da
el punto justo, parece inglés, con los guisos también
acierta y no digamos con los postres, su arroz con leche
y sus natillas tienen mucho renombre, además le gobierna bien la casa, los chepas son muy intuitivos, le ad-
ministra las provisiones con eficacia y orden muy esme-
rado y no olvida dar tres golpes a cada resto de comida,
allí se aprovecha todo y no se tira nada a la basura, las
croquetas y las empanadillas admiten lo que se les eche,
el horno no está para bollos y hay que mirar para lo que
se gasta, Vincent dice cocretas y Annelie también, en
esto de la cocina se dice lo que se quiere, la gente también suele llamar mayonesa a la mahonesa, tampoco
importa, Annelie no es muy respetuosa con nadie pero
no esconde inclinaciones perversas, sólo algo desvia-

das, Annelie quedó viuda por culpa de un tren de mercancías, don Sebastián Cornanda también pudo tener más cuidado, a Annelie Fonseca Dombate cada vez le llama Mosquetín menos gente, hay apodos que se baten en retirada, que van a menos, una ola se llevó a un marinero filipino de la cubierta del barco panameño Aruba Jade, los piratas moros hace ya varios siglos que no azotan la costa gallega, don Anselmo Prieto les llama sarracenos, después vinieron los ingleses, el Capitán Tiengo también peleó con el sanguinario Harry Pay, el hombre que ahorcaba un prisionero cada mañana a la hora del desayuno porque le gustaba verlo espernexar, los gallegos artillamos el monte Louro y alguna punta dominante, las culebrinas hacen blanco con precisión y son fáciles de mover, también llegamos a enterrar las campanas para que no nos las robasen para hacer cañones, el bronce es el mismo, el bronce es metal noble y de muchos usos, los menorquines llegaron a hacer monedas con las campanas, sonaban que daba gozo oírlas cuando se batían contra el mostrador, Vincent tiene buena mano para los juegos de azar y tiene suerte con la lotería, esto ya se sabe que les pasa a todos los jorobados, al queso de San Simón lo ahúman con madera de bidueiro, a Vincent le da pena que al queso del Cebreiro no lo cuiden un poco más, James E. Allen juega al tenis, antes jugaba al rugby, cuando dejemos de jugar al tenis será señal de que vamos ya para viejos, un poco más viejos, el calendario no recula nunca, enseguida se ve que tiene muy mala voluntad, la pontevedresa Santa Tramunda da ánimos al morriñento, se le pone una vela para que

la morriña no nos derrote, los moros de Abderramán II
se la llevaron desde la aldea de San Martiño a Córdoba,
al cabo de muchos años le entró la morriña y los ángeles
la devolvieron al país, la dejaron en Poio, el pastor de
vacas Floro Cedeiro no se ve en el espejo porque está
muerto, no enterrado pero sí muerto, Carliños de Micaela tiene vocación de señorito pero no condiciones, la
voluntad es mucho sin duda alguna pero no todo, la voluntad es sólo una herramienta que pone al hombre al
alcance de las cosas, a la voluntad hay que arrimarle
otros merecimientos, a Carliños de Micaela no le gusta
demasiado trabajar, de la factoría de Caneliñas tuvieron
que echarlo por vago, no cumplía con lo que le mandaban y no tuvieron más remedio que echarlo, los rorcuales muertos huelen que apestan y además crían muchas
moscas, por la rampa también pululan las ratas, los
perros matan las que pueden, los fox terrier de pelo
blando son inteligentes y valerosos, pelean con mucha
astucia, hay perros con suerte y perros desgraciados, a
los hombres les pasa lo mismo, también hay perros con
buen humor y perros caprichosos, algunas ratas viejas
plantan cara y otras huyen tirándose al agua o escon-
diéndose entre los montones de tripas, el pesquero Rey
Álvarez II naufragó al noroeste de La Coruña, dos marineros cayeron al agua desde el helicóptero de salvamento y se ahogaron, fue un fallo de la grúa, los otros
seis tripulantes se salvaron, Vincent nació un 26 de octubre y por tanto su signo del zodíaco es Escorpio, en el
periódico dice que su horóscopo sigue patrocinado por
la diosa Fortuna, lo que acelera su glándula tiroides y le

inyecta optimismo y jovialidad, los chepas reparten
suerte y espantan la desgracia, Annelie llama meu farra-
piño, miña piltrafiña, y le prepara yemas con vino de
Oporto para que coja fuerzas, el petrolero alemán Nord
Atlantic se hundió en la ría de Camariñas, puso el agua
perdida y mató mucho marisco, en la punta Buitra naufragó el vapor de bandera liberiana Bristol and New
Monrovia cargado de capullos de seda con la mosca
viva, varios millones, se ahogó la tripulación entera,
veintidós hombres, todos negros menos el capitán que
era irlandés y tenía la Osa Menor tatuada en la frente,
los acordeones del Salier siguen sonando por la mar
abajo frente a la punta de Corrubedo, mi amigo el conservero Jesús Martínez me dice que por esta mar hay
medusas con paraguas de cinco metros de diámetro y
pulpos descomunales que cazan en aguas profundas el
robalo y el peixe sapo y sólo asoman a la superficie para
tomar el sol, por aquí no suele hacer mucho sol, hay un
pulpo gigantesco al que puso nombre, Raposo Bermello, que le saluda levantando los brazos, dos o tres brazos, Jesús Martínez y yo no sabemos si los pulpos cazan
o pescan a sus presas, a veces nos parece una cosa y a
veces otra, Jesús me dice que también hay tintoreras rabiosas y muy voraces pero a mí no se me da que sea
cierto, a nadie más se lo oí, el pájaro Besta Cantigueira
es del mismo tamaño y tan ruidoso como un ultraligero
y lleva las alas armadas con nervios de madera de boj,
sólo vuela de noche cuando no hay luna y roba corderos, cabritos y niños pequeños, es capaz de meterse en
las casas bajando por la chimenea, el barco griego Ionion

cargado de chatarra se hundió en el mismo sitio que el Bristol y sus capullos de seda, el santanderino Inogedo tocó fondo en el bajo Habilidosa, algo raro debió pasarle porque el día estaba claro y con buena mar y los pescadores que faenaban por allí le avisaron de que marraba el rumbo, los barcos tienen sus caprichos y no siempre obedecen, el timonel de una tarrafeira que andaba a la sardina hasta le disparó un cohete pero el Inogedo ni se enteró, un día que estaba cabreada, a veces esto puede venir mismo del estreñimiento, el agua de cocer unas astillas de madera de boj puede ser buen remedio, un día que estaba cabreada Annelie buscó las fotos de Edith Piaf y de Catherine Deneuve y les pintó bigote y les escupió las dedicatorias, Vincent hizo como que no se enteraba y se fue a arreglar las flores del altar mayor, Jesús Martínez tenía muy fantásticas ocurrencias, para él la mar era como un libro abierto en el que todo estaba escrito y se podía leer con facilidad, la lástima es que Jesús muriera de viejo y con mala suerte sin apuntar sus adivinaciones y sus inventos en un papel, San Crispín es el patrono de los zapateros, San Crispín convertía a los pobres al cristianismo arreglándoles los zapatos de balde, tíñache un burro meu tío Crispín que cada día saíu máis ruín, en algunos lugares es costumbre que los zapateros y los sastres sean judíos, mi bisabuelo Cam y sus hermanos Dick, Sem y Jafet nunca se llevaron bien ni se trataron con cariño ni respeto, los que quedaban en este mundo rezaban por los que se iban para el otro pero nadie los vio llorar, la caza de la ballena separa a las familias y siembra la mar de dudas

pero no de aplomo ni de elegancia porque nadie quiere
ceder, las ballenas tienen nombre que no siempre es re-
cordado por los arponeros y los descuartizadores, mi bisabuelo me regaló un reloj, una brújula, un quintante,
un barómetro y un termómetro, ya sólo me faltaba la
voluntad, el vapor panameño Nuño Galante con carga
general naufragó en los islotes de los Forcados frente a
Punta Cubelo, se salvaron todos sus tripulantes menos
dos que la mar arrastró hasta el playal de Carnota, el
tonto de Xures le hace recados a don Xerardiño quien le
da un caramelo de limón cuando va a confesar, en las
laxes dos Buxeirados se hundió el carbonero noruego
Svea, se salvaron sus trece tripulantes, el carbonero Antonio Ferrer tocó el mismo fondo y naufragó también
sin víctimas, a Jesús Martínez lo mató un taxi en Santiago, tenía ya ochenta y tantos años pero se conservaba
terne y animoso, había ido a graduarse la vista, en estas
mismas laxes se hundió el Alfonso Fierro, los veintiocho
tripulantes no pudieron salvar sus pertenencias pero sí
sus vidas, esto fue en el 1933, algún tiempo más tarde,
en el 75, el petrolero Ildefonso Fierro con un boquete en el
costado de babor tuvo que recalar en la Llagosteira para
ser reconocido y decidir lo que debía hacerse, con las
debidas precauciones y ayudas pudo ir hasta los astille-
ros de Ferrol donde lo repararon, los accidentes de estos
dos barcos de nombre tan parecido dieron lugar a confusiones, Vincent ayuda a misa casi con unción, las misas de difuntos son las más sentidas y deseadas, a la
gente se le despierta el rijo en las misas de difuntos, primero manso y después calenturiento y caprichoso, Vin-

cent también sabe jugar a las damas y al dominó y se
entretiene haciendo solitarios con la baraja, la viuda de
Jesús Martínez me vendió algunos objetos personales
de su difunto marido, un catalejo, unos prismáticos,
unos gemelos de teatro, unos impertinentes de señora,
unas gafas de leer, un ojo de cristal azul, unos mapas
del Instituto Hidrográfico de la Marina, los *Episodios
Nacionales* de Pérez Galdós en una bonita edición encua-
dernada y dos dentaduras postizas en buen estado que
me venían algo pequeñas, pudo haberme regalado estos
recuerdos, es cierto, pero no lo hizo, debo decir en su
disculpa que no quedó en muy holgada situación económica, en la punta de la Barca o de Xaviña se hundieron el carbonero Mina Sorriego, murieron sus once tripulantes, el pesquero José Antonio Lasa, con otros once
muertos, sólo se salvó el patrón a quien la mar arrancó
del puente, y el María del Carmen, otro pesquero al que
se le mataron dos hombres, hay ocasiones en que lo difícil no es alcanzar la tierra sino impedir que la mar
vuelva a barrernos otra vez para afuera, las algas hacen
a las piedras muy resbalosas y es difícil mantener el
equilibrio hasta el final y antes de que el cansancio aparezca y le rinda a uno, don Gabriel Iglesias cree que al
matrimonio se le deberían marcar plazos legales prorro-
gables, el entierro de mi amigo Jesús Martínez llevó tres
curas cantando el gorigori y mucha gente detrás, al
camposanto y a la misa de cuerpo presente fue todo el
mundo, no sólo los vecinos de la parroquia y de las
aldeas de alrededor, la gente lo quería y lo respetaba porque fue siempre muy caritativo con todos, muy favore-

cedor de los demás y socorredor del necesitado, Pelegrina Romelle era chorona y capataz de choronas, las apalabraba en muy buenos términos y condiciones y las hacía llorar sin descanso y con vehemencia, los entierros en los que lloraba Pelegrina destacaban por su solemnidad y buena factura, ¡adeus, meu santiño, pai dos pobres e dos coitados!, ¡meu tesouro, meu home, meu ben de toda a miña vida!, en cualquier momento y cuando todo el mundo está más confiado puede surgir la pregunta igual que una flor o un caracol y entonces alguien dice,

—¿Yo o Tristán?

No recuerdo si fui yo o si fue Tristán, el primo de Celso y de Telmo Tembura, quien dijo que a veces las ballenas nadan tan pegadas las unas a las otras que no dejan pescar al curricán porque confunden y destrozan los anzuelos, a mí no me parece exagerado pero a la gente quizá sí porque es desconfiada y recelosa, el carbonero Emilia Mallol varó en el bajo O Garrido de Touriñán sin muertos, en la punta del Boi se hundió el cementero español Begoña, tuvo cinco muertos, el carbonero inglés Begoña del que ya se dio aviso se llamaba en realidad Punta Begoña y se fue a pique más de medio siglo antes en la cala del Cuño, mismo donde el poeta Bernaldín de Brandeñas oyó cantar al último jilguero de occidente, los niños de Iria jugábamos a una especie de béisbol sin pelota en el que nos preguntábamos ¿hai fume na túa casa? para respondernos ¡non, na miña casa só hai lume! y salir corriendo como gamos, James E. Allen armado de paciencia y de una navaja

cabritera, hizo una carrilana de madera de boj para rega-
lársela a Luquiñas el de Tomasita Silvarredo la de A Gudiña, cada cual tiene sus razones, sus mañas y sus propósitos, también sus maneras de adorar al santo por la
peana, James E. Allen se acerca de vez en cuando a La
Coruña a jugar al tenis en el Leirón, A Gudiña cría mozas garridas y saludables y buenos chorizos, como hace
frío los embutidos curan como Dios manda, también
tiene un queso de cabra muy sabroso, A Gudiña está en
la comarca del Tameirón, ya casi donde acaba Galicia,
aquí nació San Francisco Blanco a quien crucificaron los
japoneses, San Francisco Branco, natural do Tameirón,
farto de andar coas cabras foi morrer ó Xapón, la carrilana es un patín de tres ruedas en el que se va sentado,
solía hacerse de pino con el eje de salgueiro o de carballo pero James E. Allen quiso que el de Luquiñas fuese
de boj, la ballena es un animal que carece de olfato y ve
mal, en cambio oye bien y discurre mucho, es casi tan
lista como los gatos monteses, Tristán Suárez Tembura
estuvo una temporada en Buenos Aires y ahora trabaja
en la ballenera de Caneliñas, en la conservación de las
instalaciones, de lo que queda de las instalaciones, el
tango no lo baila muy bien, él dice que sí pero no es
cierto, Florinda Carreira, la mujer del droguero Ángel
Macabeo Verduga, sabe que su marido murió envenenado pero se lo calla con muy orgullosa misericordia,
tampoco está bien que los jueces se enteren de todo, hay
cosas que no deben saber ni los jueces, los hombres no
se ponen de acuerdo en lo de la caza de la ballena y ter-
minarán acabando con la especie, con todas las especies,

mi tío Knut cuando me quiere hablar en serio me invita a un vaso de vermú rojo.

—Te lo tengo dicho ya muchas veces, Cam, nosotros no sabemos más que matar ballenas y cuando acabemos con la última pasaremos hambre, ahora ya no tenemos donde pelear en guerras provechosas, las guerras ya no se hacen más que entre pobres que están muy acostumbrados a sufrir. Aquí en este oficio de la ballena o los países llegan a un acuerdo y lo cumplen o nos vamos al garete y nos hundimos sin remisión, yo sé que los japoneses tienen que comer pero también sé que no pueden comerse lo de todos, la ballena tiene una conducta más serena que el hombre, unas costumbres menos artificiales.

En el facho de Lourido, entre el alto de la Buitra y el de Cachelmo, vivió un invierno un ermitaño francés que se llamaba fray Anselme al que una noche se llevó el viento, dicen que lo vieron pasar volando camino de Touriñán.

—¿Usted sabía que sólo pueden volar con el viento los ermitaños cornualleses, bretones o gallegos?

—Sí, eso había oído decir a mi padre.

—¿Usted también le había oído decir que a los ermitaños de esos tres países les servía el demonio como obediente escudero?

—No, eso no se lo había oído decir.

—Nada me extraña porque es mentira.

A lo mejor a Vincent le da miedo tener los papeles en regla, mientras no haga falta no hay por qué cumplir el reglamento, el concilio Vaticano II borró muchos nombres del santoral sobre todo los que se presentaban

en pareja, Cibrán y Xustina, Modesto y Crescencia, Xe-
miniano y Lucía, o en cuadrilla, Eustaquio y sus compañeros, Martiña y sus compañeras, Úrsula y sus compañeras y así.

—¿Sobraban santos?

—Eso parece.

Al pájaro Besta Cantigueira le chirrían las alas al volar, hay mujeres que abortan al oír su vuelo porque no
pueden aguantar la grima, es como rascar la cal de la
pared con las uñas y con mucha resonancia, el conservero Jesús Martínez le hizo un rollo entero de fotografías
al pulpo Raposo Bermello pero no se las quiso enseñar
a nadie, su viuda me dijo que nunca las había visto, la
medusa Oliviña Lourida nadaba a mucha velocidad,
cuando se detenía semejaba un dibujo japonés colo-
reado con tintas delicadas y muy diluidas, al rorcual
Bastián le cantaban las nécoras una canción muy bonita, Bastián, Bastián a cabalo dun can, o can era coxo e
tiróuno nun pozo, o pozo era frío e tiróuno nun río, o
río era branco e tiróuno nun campo, o campo era roxo e
tiróuno nun toxo, o toxo picaba e Bastián berraba e o can
escapaba, el cachalote Eudosio comía arrobas de calamares y a veces hasta tiburones, los delfines tampoco
son fáciles de atrapar porque son ágiles y veloces, son
muy listos, Eudosio también contaba chistes cochinos
en inglés y sabía silbar, estos cinco soldados del aire libre y de la mar presa y azotada no son ni amigos ni enemigos, tienen sus fuerzas medidas y sus territorios bien
delimitados y no se hacen la guerra sino que prefieren
la paz y el disimulo que son virtudes civiles, la mar per-

manece siempre y no se mueve de donde está, se balan-
cea dentro de ella misma pero no se sale de sus bordes
ni viaja, la mar no va y viene sino que viene siempre,
zas, zás, zas, zás, zas, zás, como la vejez de los hombres
y de las bestias, también de los carballos y de los tojos,
si Leonor se dejase Braulio Isorna permitiría a Ricardiño
que anduviese con él, pero Leonor no se dejaba y Ricardiño seguía paseando solo, silbando y dándole patadas
a las piedras, hace ya más de siglo y medio hubo en Galicia muchos bandoleros con más fama que generosi-
dad, con más renombre que virtud, ninguno robaba al
rico para dárselo al pobre, el pobre que se espabile o
que se joda, y se presentaban siempre en gavillas indis-
ciplinadas y crueles, se recuerdan los nombres de algunos cabecillas, se habló mucho de Mamed Casanova,
del Cazurro, de Ciledón Noutigosa, do Gafento de Ervi-
ñou, de Xan Quinto, mi abuelo se encontró una noche
con Xan Quinto en Los Cuatro Olmos, cerca de nuestra
casa, bastó con que le enseñase el revólver, y también de
Pepa la Loba, le llamaban así porque a los doce años
mató un lobo con un sacho, se conoce que le atinó bien,
y lo paseó subido en un burro por todas partes, le dieron muchos socorros y recompensas, siempre pensé que
sería bueno para la historia el poder entender a los fantasmas, Tristán Tembura jura por sus muertos que los
fantasmas de los seis bandoleros dichos se reúnen cada
último lunes de mes para hablar de sus cosas y echar
una partida de cartas en la bodega del patache Simeón
Gutiérrez hundido con toda su tripulación en el cabo
Prioriño Chico, murieron todos y sus esqueletos siguen

bajo la mar, también el de un perro y un loro, Mouro y
Cubanito, se ven pero no se pueden sacar para enterrarlos como es debido, los huesos de los perros y de los lo-
ros se deben enterrar aunque no sea en sagrado, no hay
por qué dejarlos al aire, Cirís de Fadibón murió enguilado al diablo en el alto de Cabernalde, murió de hambre y de sed, hay naufragios que matan a la marinería
de hambre y de sed y hay destinos muy misteriosos y
sorprendentes, todo lo que toca el diablo se tiñe de cau-
telosa reserva y de mucho miedo, los sucesos no tienen
siempre que explicarse porque eso puede dar lugar a
complicaciones, el tonto de Coyiños tonteó justo cuando
las cochinadas de Cirís y Satanás, hay impresiones que
desnivelan el sentido, se discute por los padres de la
Iglesia si el demonio y el diablo son la misma criatura y
también si los demonios son muchos y cada uno tiene
su nombre o si es uno solo que según convenga se llama
de uno o el otro modo, yo no soy quién para pronun-
ciarse sobre este tema tan peligroso y que puede llevar a
la excomunión y al fuego eterno o al menos sempiterno,
a Vincent le gusta mucho la música de pulso y púa, los
instrumentos de pulso y púa son muy agradecidos y
producen mucha satisfacción, cuando la mar zurra y el
viento se desboca el faro de Touriñán parece que va a
salir volando y aunque la mar no cruja y el viento no se
dispare las piedras de Touriñán infunden respeto, es
bastante con que uno se acuerde del magnetismo que
hace bailar la brújula, yo no lo afirmo porque no quiero
levantar calumnias pero sí lo supongo, en estas aguas y
con la mar tranquila, a lo mejor fue un poco más hacia

Fisterra, nadie recuerda el lugar exacto porque de esto hace ya mucho tiempo, el vapor de pasajeros Europa, de bandera inglesa y que navegaba de Gibraltar a Liverpool, abordó al Strafford y se hundió a los pocos minutos de la embestida, era de día y la mar estaba en calma, lo acabo de decir, corría el mes de julio, y se pudo salvar al pasaje y a la tripulación, peor fue el abordaje de los vapores también de pasajeros Irurac-Bac, de pabellón español, que navegaba de La Coruña a Cuba y Puerto Rico, y Douro, de bandera británica, que venía de Lisboa y se dirigía a Liverpool, el Douro era de la Mala Real Inglesa, la compañía en la que siempre viajaba el sastre de los señoritos de Villagarcía de Arosa que eran los mejor vestidos de toda Galicia, mi abuelo fundó en 1902 el Club de Regatas Galicia, es Real desde 1913 y es el más antiguo de España, y aficionó a los villagarcianos al whisky y al té, los dos barcos que se acaban de decir se hundieron con rapidez y muchas bajas, treinta y una el español y cuarenta y dos el inglés, pese a que el vapor Hidalgo-Hull, también inglés, pudo salvar de las aguas a ciento cuarenta náufragos, cuentan que en el amargo trance de este hundimiento todos los actores de la tragedia se portaron bien.

—¿Usted cree que se abandonaron ya las normas caballerescas en la mar?

—Lo digo con mucho dolor pero yo creo que sí, los modernos aparatos de navegación no tienen sentimientos y trastornan al hombre, que en su afán de idealizar la herramienta y confundir la técnica con el espíritu, abdicó del dominio de la voluntad. Y sin voluntad, don

Leandro, ni se sujetan la dignidad y la elegancia ni se salvan náufragos.

Los náufragos de los submarinos rusos se convierten en lechuzas o en medusas según sean oficiales o marineros, en lechuzas o en medusas fantasmales y de sangre fría y que no mueren del todo jamás, Vincent lo sabe pero no quiere decírselo a nadie para no ofender, al carbonero noruego Balduvin lo hundió sin víctimas un submarino alemán, a su capitán fue la tercera vez que lo derrotaban con estas artes, O Farelo es una piedra redonda que descubre la bajamar, algunos le llaman Galluda, queda frente a la ermita de monte Farelo y contra ella se dieron varios barcos, al carguero inglés California, al carbonero francés Meguellan, al vapor noruego Caracas con cargamento de aceite y al velero portugués Maria Alice los torpedearon los alemanes más o menos frente a O Farelo, a los perros y a los niños muertos de un mordisco por el oficial Yavlinsky convertido en lechuza nadie los oyó gritar, el Gumersindo Junquera quedó colgado en esta piedra pero lo sacó de apuros el remolcador Salvamento que vino desde Ferrol, Teodoro y Leoncio Quindimil es probable que hagan trampas en el juego aunque eso es siempre difícil de saber, el patache América cargado de sal y el carbonero alemán Madeleigne Reig también murieron en la misma roca, es injusto que los chepas no puedan jugar al tenis pero no hay más remedio que aguantarse, hay ocasiones en que la justicia no es más que un disfraz, el carguero español Venus se hundió con dos muertos en estas aguas, la fantasía se desborda no pocas veces y la leyenda llega a

confundir o a emborronar la historia, en Touriñán todavía se habla del Embaka y su espantosa y sangrienta catástrofe pero no se dan mayores certidumbres y al final
nadie sabe nada, hubo un carbonero inglés con este
nombre pero su naufragio sin víctimas no tuvo mayor
relieve, Vincent ganó el año pasado 286.414.866 pesetas
en la primitiva, una verdadera fortuna, la combinación
que le dio tan buenos cuartos fue la siguiente, 6, 14, 16,
20, 26, 30, todos pares, esto es ir contra las leyes de la
naturaleza, el estado de la naturaleza, la inercia e incluso la nostalgia de la naturaleza, Vincent se había
comprado un bombo de la suerte, le metió dentro las
bolas numeradas precisas y se dejó llevar, Vincent le
dijo a Annelie lo de la ganancia y acordaron callárselo,
pensaron en hacer un viaje a París pero Vincent hubiera
tenido que sacar el pasaporte y le daba reparo, entonces
compraron oro, dos sacos enteros de napoleones y libras
esterlinas, tuvieron que ir muy poco a poco para no es-
candalizar, y los enterraron en el suelo de la cocina para
pisarlos y adivinarlos y sentirlos siempre.

—A mí tanto me da que suba como que baje el oro,
ojalá que nos muramos los dos sin tener que pensar en
eso.

—Sí, y ojalá que tampoco piense nadie si ahora somos más ricos o más pobres que antes.

En la aldea de Figueroa, que viene a quedar a la altura de la punta Matamao y medio encaramada a los
primeros estribos del monte Pedrouso, vive Damiana
Buiturón Domínguez, la mujer que cura el calleiro caído
lavando el vientre del enfermo con una infusión de ma-

cela en leche de vaca del país y sobándolo después con sebo de carnero, home bravo, muller mansa, manta de fieito, manta mollada, levántame o calleiro como Dios manda, un padrenuestro e unha avemaría por intercesión da Virxe María, amén, esto tiene que repetirse tres días empezando un miércoles y fuera de la menstruación, para curar el cáncer hay que poner sobre la llaga las cenizas de la cabeza de un perro rabioso maceradas durante nueve días en vinagre con unas hojas de barba cabruna, en el coído de la punta Bolal algo al sur de la punta Laxial y antes de la punta Parede, por aquí todo son puntas y entrantes y salientes, se hundió el carguero griego Annubis que transportaba pacas de algodón, los tripulantes pudieron salvarse aunque se pasaron la noche al raso y ateridos de frío, hay que evitar que la desgracia llegue a convertirse en una mala costumbre, la Vía Láctea llena el cielo de balizas auxiliadoras que no siempre queremos ver, hacia Monte Gordo y más abajo de la punta de As Negras se hundió el mercante inglés Rivera con carga de frutas y vino y fardos de pieles, no hubo muertos, también por aquí se hundió desorientado por la niebla el carbonero inglés Richard Robert, también sin muertos, casi llegando al pedregal de Cusiñadoiro o punta de la Vela naufragaron el portugués Illa Madeira cargado de hierro, el vapor maltés Tierra Santa que transportaba peregrinos daneses, y el velero de Villagarcía de Arosa Ocho Hermanos, los tres sin muertos, los peregrinos daneses estuvieron muchas horas en unas balsas pero acabaron salvándose, el vapor alemán Madeleigne Reig pasó por ojo y partió por la mitad al pa-

tache villagarciano veinte años antes de aproar el Farelo y hundirse él también, parece una venganza, Maruxa la de Queiroso tiene un mochuelo en la lareira,
duerme en un caldero de cobre colgado de una viga y
se alimenta de aceite, higos y maíz, a veces caza algún
ratón, algún lagarto o algún pájaro y se los come, por
aquí también llaman moucho al santiaguiño o escacha-
noses, un marisco que sale a pasear por las rocas y se
deja coger con la mano, los dos hijos de Maruxa la de
Queiroso, Bentiño y Nicolás, murieron en el hundimiento del patache Ruadeiro en el cabezo de la Percebeira, iban de Vigo a Gijón con un cargamento de briquetas, Maruxa la de Queiroso se quedó sin poder
enterrar a sus hijos porque sus cadáveres no aparecieron, envueltos en viento y en niebla se los llevó la mar
para siempre, Bentiño había sido siempre muy putero,
Nicolás no tanto, Nicolás se daba más al sentimiento y
a la ventolera, al sur de la playa de Nemiña y lamiendo
la punta de la Barra desemboca el río del Castro que
pasa por la aldea de Lires y no se sabe bien de dónde
viene, en Lires nació el famoso aventurero Crispinián
Anobres, alias Cacharulo, que llegó a ser el rey de la
noche de Rio de Janeiro antes que Chico Recarei, que es
amigo de Moncho Vilas y mío, Crispinián ganó mucho
dinero con la trata de blancas, tenía varios locales de al-
terne y una red de distribución bien organizada, sus
mulatas eran altas y muy esbeltas y él se paseaba en un
rolls-royce dorado.

—¿De verdad que no cree usted que esto va algo revuelto?

—Algo sí, sin duda, pero tampoco demasiado, no debe decirse para no confundir a los jóvenes ni a los misioneros pero la vida y la muerte no se presentan nunca demasiado acordes.

La virgen Locaia a Balagota fue muy maltratada por los infieles y el apóstol Santiago, para escarmentarlos y también para resarcirla en sus derechos, les mandó unas viruelas que los diezmaron, ese fue el principio de su decadencia, a los siete mozos malditos más les hubiera valido que los barriera la mar, los siete mozos que le plantaron cara a Dios, Noé, Chelipiño, Doado, Froitoso, Lucas, Martiño y Renato, uno por cada raposo muerto de la parroquia de San Xurxo, vagan ahora con la Santa Compaña por las márgenes del río Maroñas donde se crían los árboles de las sombras, el misterio y la soledad, ellos saben que les queda aún mucho tiempo de penitencia y escarmiento.

—¿Usted se imagina a un jorobado cazando ballenas?

—No mucho.

—¿Y jugando al rugby?

—Menos aún, los jorobados son todos viejos.

—¿Y jugando al tenis?

—Tampoco, les sale la pelota escorada y la gente se ríe.

—¿Y masturbándose delante del espejo?

—Sí, eso sí, los jorobados tienen mucha afición a masturbarse delante del espejo, se conoce que les gusta manchar de semen el espejo, Annelie agradece a Vincent que se masturbe delante del espejo y delante de ella y lo premia con una sonrisa dulcísima.

—¿Usted se imagina a un jorobado soñando con hacerse una casa con las vigas de madera de boj?

—No lo permita Dios porque sería un descaro imperdonable.

El boj da unas flores pequeñas que tiran a verde, su madera es de color amarillo limón, dura y de elegante pulimento, los violines de madera de boj suenan mejor que ninguno, da gusto oírlos y hasta las bravas gaviotas se callan para deleitarse con su sonido, Dorothy, la mujer de Dick, nunca quiso escuchar la música de un violín de madera de boj porque la emoción le dolía, el vaporcito francés Nouveau Conseil con su carga de vino portugués tocó en la laxe de Touriñán y se le abrió una vía de agua, su capitán luchó denodadamente durante diecinueve días y consiguió encallarlo en la playa del Rostro pero la mar le ganó la batalla y allí quedó convertido en dolorosa flor de desguace, el carbonero inglés Turret apareció naufragado en la playa de Arnela, entre el Gavoteiro y punta Arnela o Robaleira, el Turret era un barco raro, al principio se creyó que se trataba de un torpedero francés, Floro toca aires antiguos en su flauta y mira por sus vacas marelas con mucho esmero, las vacas de Floro se abrigan con el mismo viento que viene de la mar y rebota en el monte, no están muy lucidas, esa es la verdad, pero siguen dando leche y tirando del carro, Spirito Santo Vilarelho enseñó a cantar fados a Cornecho, las canciones unen mucho a los hombres aunque sean de distintos países y les dan fuerzas para luchar con la vida y esperar la muerte sin perderla de vista, sin perderle la cara.

—¿Y sin perder la paciencia?

—También, si la paciencia se pierde todo se va al garete y se desbarata sin mayor remedio.

En As Pardas, a levante de las Sinchouzas, naufragó el Silva Golveira sin dejar demasiada noticia, hay ocasiones en que la desgracia parece como avergonzarse y entonces se esconde, Annelie y Vincent van a misa los domingos, no lo sabe nadie pero Vincent estudió para cura en el seminario de Saint-Étienne, no llegó a cantar misa, a lo mejor en Saint-Étienne no hay seminario, sí lo hay pero se siembra la duda para que el lector se confíe, estas informaciones son siempre muy confusas y engañadoras, también pudo haber estudiado en el seminario de Perpignan, quizá en Perpignan tampoco haya seminario, sí lo hay pero se siembra la duda para que el lector se desoriente y no sepa a qué carta quedarse, Vincent habla con fantasía y a veces hasta con licencia y descaro pero no es mentiroso, el que es mentiroso es Celso Tembura, un hombre incapaz de decir dos verdades seguidas, Celso Tembura me dijo un día en Fisterra, en la cafetería El Mariquito y rodeado de parejas viendo la televisión, que en Santiago, tomando unos vinos en la taberna La Flor de Melide, conoció a los hermanos Estanislao, Estagüisco y Extremado Carkuff y a Etelvina la prima puta, se los presentó su amigo Toribio Berrimes, iban a ganar el jubileo y la llevaban para acostarse con ella, con esa previsión podían ahorrar algún dinero y evitarse situaciones enojosas, todo eso era mentira porque estos peregrinos son inventados y sus nombres también, no existieron nunca, esos personajes fueron

una ocurrencia del sacristán Arneirón, el cuento tenía
cierto sentido común pero era falso de la cabeza a los
pies, contra la punta Petón Bermello se dio la goleta yu-
goslava Split que navegaba de Sydney a Brest cargada
de ovejas, tampoco cabían demasiadas, el barco pudo
ser reflotado y seguir camino, el capitán consiguió va-
rarlo en la playa de Nemiña donde le pusieron unos
parches y en semana y media de trabajo lo dejaron en
condiciones de poder llegar hasta Ferrol con la ayuda
de dos remolcadores, a las ovejas las tiraron a la mar
porque se les acabó el forraje, algunas se defendieron algún tiempo pero otras se ahogaron enseguida, los paisanos de las aldeas del contorno rescataron muchas vivas
o muertas que todas valen, las recién muertas todavía se
pueden aprovechar, si no están podres se desangran y
se destripan del todo, se secan y se orean bien, se curan
un poco en la campana de la lareira y también valen, el
cuero y la lana no tienen desperdicio, la carne se puede
cocer, asar o freír, está buena siempre, también cruda
con un poco de aceite y ajo, en la punta Mixirica embarrancó el vapor inglés Cardiff II que transportaba madera y caucho, todo acabó en la playa de Nemiña, por
aquí llaman creba, quiebra, a los bienes que la mar devuelve, a los bienes mostrencos, en este naufragio murió la tripulación entera, la querida del capitán, que era
una negra de Tobago de mucha apariencia, tampoco libró de la muerte, en las Sinchouzas de Fóra naufragó el
bergantín holandés Westkapelle que iba cargado de bi-
sutería fina, también murieron todos sus tripulantes,
desde el berrón de la Nave hasta la punta de los Oidos

no se ve la señal del faro de Fisterra, estas sombras no se deben navegar de noche porque las estrellas no siempre avisan con el tiempo bastante, la punta del Gavoteiro, hay otra algo más al norte, y la playa de la Mar de Fóra quedan en esta zona a ciegas y desamparadas, el cojo Telmo Tembura desprecia a quienes toman helados y rosquillas, su amigo el cura don Xerardiño Aldemunde se ríe de él pero Telmo se calla porque es muy respetuoso, antes de la punta de Matamao desagua el rial de Cuño y comienza la ribeira de Biceo que es alta y escarpada, esto ya quedó atrás, la verdad es que va todo con mucho desorden, las tundas de la mar tampoco son más ordenadas, aquí se hundió el vapor danés Hirtshals cargado de bananas, no hubo víctimas, San Xurxo es el santo patrono de los barberos, a los calvos se les puede hacer brotar el pelo con el remedio de Costanza de Evanxelina, se lava bien la cabeza con agua de rosas y dos o tres gotas de amoniaco, tampoco más, cuanto más brillante quede el cuero cabelludo mejor, se baten trece yemas de huevo y se les añade hollín de la lareira hasta que forma una pomada consistente con la que se unta la calva al irse a dormir, la cabeza se debe envolver en papel de estraza o en un plástico porque no conviene que respire, se reza el santo rosario, se repite lo mismo cada veintiún días y se descansa otros tantos, es importante no perder la cuenta, las trece claras sin batir se deben tomar en ayunas y es buena señal que el calvo vomite, la familia se ha de reír de él para que escarmiente, se deben tomar las trece claras aunque el calvo empiece a devolver a la segunda o tercera, las dos preguntas que hago nadie me las supo responder, ¿cuántas podrán ser las ánimas de la Santa Compaña marinera, mil, dos mil, cinco mil?, ¿cuánto pesará un alma?, a lo mejor las almas no pesan, el cabo Touriñán empieza en O Carrexo con mar sucia y peligrosa, de repente apareció un sobrino de don Sebastián Cornanda que se llamó a la parte, parecía que se llamaba a la parte y al final se aclaró del todo con cierto disimulo pero sin mayores rodeos, mi nombre es Froilán Cornanda Fontecha, ¿usted es don Vincent Goupey?, yo ni quiero ni pido nada, yo vengo a visitar a doña Annelie la viuda de mi tío don Sebastián Cornanda y a presentarle mis respetos, yo vivo en León pero vine a Galicia por unos asuntos y aprovecho para ver a mi tía, me dijeron que usted es su administrador, en el bajo Farelo se adivinan los restos del Gumersindo Junquera deshecho por la mar, los veriles del bajo son confusos y engañadores, el barco de los chinos se llamaba Cason, ahora lo recuerdo, y explotó y después empezó a arder a unas quince millas de Fisterra y dentro de las aguas por las que está prohibido el paso de cargamentos con grave riesgo para las personas, las autoridades son condescendientes, muy condescendientes, a lo mejor disimulan para ir tirando y no tener que trabajar demasiado, el barco tocó fondo en la punta del Rostro, el viento lo llevó a la playa y acabó embarrancando en la Anzuela, entre las puntas de Castelo y Pardiñas, llevaba treinta y un tripulantes a bordo y se salvaron ocho, transportaba una carga de productos químicos y por la zona hubo cierto miedo de que el aire se envenenase matándonos a todos y el agua se

contaminase matándonos a los peces que nos dan de comer, los bidones llevaban una calavera con dos tibias y
el letrero Inco 6 que sólo se pone a las mercancías muy
peligrosas y cuya identidad no conoce sino el capitán
que en este caso fue uno de los muertos, a la población
de Fisterra la evacuaron sin demasiado orden y las cosas salieron bien porque Dios quiso, igual pudo acabar
todo en una catástrofe, la tortuga con el adorno del
fuego de San Telmo que se presentó el año pasado a
unos marineros en el reo de Goa era el demonio Barrabás, ya se sabe, que acostumbra a dormir en el monte
Farelo paraje que no se debe cruzar de noche porque
puede ser desairado, las virtudes no suelen perderse
sino abandonarse y el temor al demonio sólo puede sujetarse yendo por la vida mascando dientes de allo de
can sin descanso, la radio que doña Dosinda le regaló a
mi primo Vitiño funciona la mar de bien y da gusto
oírla, toca siempre música muy armoniosa y ocurrente,
muy moderna y pegadiza, mi primo es agradecido y a
doña Dosinda le corresponde extremándose en el arte
de las cochinadas, se agradece más desde la desgracia
que desde la fortuna aunque esto no pegue con el carácter de mi primo, en las islas Sisargas se incendió el petrolero griego Andros Patria una noche de fin de año y
vació en la mar cincuenta mil toneladas de petróleo,
hubo treinta muertos y tres supervivientes, cerca de
donde murió el Cason el pesquero donostiarra Cizurquil
fue abordado y hundido por el mercante iraní Iran-el-
Ham, desaparecieron sus siete tripulantes y la mar devolvió el cadáver del capitán, aunque en la mar la gente

se suela portar mejor, al pesquero muxián Josal lo embistió y lo hundió en pocos minutos un carguero que se dio
a la fuga y del que no se supo más nada, el Josal tuvo
tres muertos y cinco supervivientes, lo mismo le pasó al
arrastrero Hermanos Díez Colomé II al que a unas veinte
millas de La Coruña le topó un gran mercante que ni se
detuvo, murió el patrón y desaparecieron sus once marineros, si Vincent supiera hipnotizar sería casi perfecto,
a Annelie le gustaría mucho que Vincent la hipnotizase
pero no hay manera, las desproporciones no suelen ser
buenas aliadas, los niños de la escuela municipal saben
menos francés que Vincent gallego, los niños dicen palabras sueltas incluso con relativo buen acento pero no
atinan a construir frases, tampoco atienden mucho esa
es la realidad, Carliños de Micaela debió haber nacido
de familia rica, condiciones y presencia sí tenía pero la
suerte no estuvo de su lado y nació pobre, tampoco pobre del todo porque en su casa no se pasaba hambre, el
dodge de Carliños de Micaela no tiene papeles, en realidad ya no existe aunque siga rodando, lo que hace falta
es que no lo pare la guardia civil en la carretera, la verdad es que él sale ya poco, el dodge de Carliños de Micaela tiene usos imprevistos pero razonables, es como
las personas, tanto la castidad como la lujuria presentan
sus vaivenes y sus oscilaciones, un día Leonor se dejó y
Braulio Isorna empezó a pasear con Ricardiño, los condones son caros pero lavándolos bien y conservándolos
en serrín se pueden usar varias veces, Braulio Isorna le
regaló a Leonor dos pañuelos con una flor bordada el
día de su santo.

—¿De dónde los sacaste?

—Eso a usted no le importa.

—¡Carallo, qué modales tiene la mosquita muerta!

El mercante de matrícula de Bilbao Dauka chocó en el cabo Vilán con el frigorífico polaco Harmattan, hubo tres muertos, diez desaparecidos y un superviviente, el gallego Ramón Cambeiro, Feliberto Urdilde era de Baxantes y le llevaba el pulso a mi primo Vitiño, al pobre lo mataron dándole con un caneco de ginebra en la cabeza, se la partieron en dos como a una calabaza y lo mandaron ya muerto al hospital, ahora se les aparece a las viudas para que no puedan dormir con resignación y sigan abusando del café, es un círculo vicioso que no consigue vencer la valeriana, por lo menos le cuesta mucho trabajo, hubiera sido hermoso que los dos palos del bergantín Aurore Chaillot velasen durante cinco inviernos pero salieron volando en pedazos con la explosión, se conoce que la Virgen de Pastoriza no miró por él lo bastante, a Virxe de Pastoriza velaí vai na súa barca, alá no medio do mar tódalas augas aparta, el Aurore Chaillot no estaba en medio de la mar y la Virgen de Pastoriza no lo apartó del fuego, no pudo o no supo, a lo mejor es que no era lo suyo, los santos ponen ellos mismos linde a sus protecciones porque lo contrario sería una merienda de negros, el grumete Nuco Gundián tenía doce años cuando murió en el patache Bonitiña, quedó atrapado en la bodega y no acertó a salir, su abuelo era el armador y se metió monje en el monasterio de Samos porque no quiso volverle a ver la cara a la mar, tampoco hablar con nadie ni de la mar ni de nada, la tristeza se lleva mejor en silencio y lejos de las olas, lo malo de la tristeza es que ahuyenta el deseo de abandonarla, el hijo del armador del Bonitiño, o sea el padre de Nuco, también había muerto en la mar, en el naufragio del patache Novo Pardemarín que varó en el bajo de A Carballosa y se hundió con toda la tripulación a bordo, la mar no dejó salir vivo ni a un solo hombre, los benedictinos, ora et labora, rezan y trabajan, cantan gregoriano, sachan la tierra, crían vacas y hacen quesos y licores, los moros que cruzan el estrecho de Gibraltar hacinados en pateras dicen que el viento y el miedo y la vida pasan pero que la mar y la tierra y la mentira quedan, también la miseria y el sueño, los miserables tienen siempre sueño, lo que no tienen es donde dormir ni morir, donde caerse dormidos o muertos, un durmiente y un cadáver ocupan el mismo sitio, todo el mundo sabe que no es igual que los sesos cuezan en el anegado caldero de la calavera o se churrusquen en la sartén al rojo del corazón, hay tantas clases de muertes como muertos, hay ciudades a las que se lleva el viento o se traga la mar y hay otras a las que barre el terremoto o sepulta la licencia de las costumbres, el yate de bandera suiza El Pirata, así en español, naufragó frente a Ortigueira, muy lejos de aquí, hubo nueve ahogados y tres supervivientes, Arneirón no pisa nunca las rayas de las losas del muelle para no menospreciar la santa cruz que es nuestra herramienta para luchar con la desgracia y el pecado, quien pisa raya pisa medalla, quien pisa cruz pisa al Niño Jesús que es la segunda persona de la Santísima Trinidad sólo que de pequeño, la voz de la mar asusta

hasta a quienes están acostumbrados a oírla y a los infieles, o sea a los herejes, no hay por qué tratarlos con
consideración pase lo que pase.

—Habría que matar a todos los infieles, a todos los
herejes empezando por los protestantes que son los peores, la pena de muerte es ejemplar o no es ejemplar, a mí
eso no me importa, a mí me trae sin cuidado eso del escarmiento, lo que es la pena de muerte es reconfortante,
yo creo que habría que matarlos a todos.

—No digo que no.

—¿Decapitados o agarrotados?

—Tanto tiene, podría escucharse a los entendidos.

El tiempo es el espía del hombre, el confidente del
hombre, la muleta y la brújula del hombre, Carmeliña
tiene la tez sonrosada, los ojos azules, el pelo rubio, Carmeliña es viuda de un pescador ahogado en el placer de
Casteláns, Carmeliña es la imagen y la misma sombra
de la dignidad, el cura de San Xurxo dos Sete Raposos
Mortos es manecho pero bendice a sus feligreses y les
da la comunión con la mano derecha, don Xerardiño no
tiene apego al dinero y reparte lo poco que guarda con
los demás, cuando los lobos aún trotaban por estos
montes había que defender a las cabras, a las ovejas y a
los cochos novos, ahora sólo hay que guardar del raposo a las gallinas y a los parrulos, James E. Allen jugaba al rugby y ahora juega al tenis, toca el acordeón y
recita misteriosas poesías de Poe en gallego, no es ningún secreto que Poe gana mucho leído en gallego y sin
perderle la cara a la mar.

Aquí, unha vez, ó traverso dunha avenida titánica
De alciprestes, con Psique e a miña alma,
De alciprestes, co meu Espírito e a miña alma.

¿Alguno de ustedes sabe si las ballenas oyen el acordeón y los versos del capataz James E. Allen? María Flora, el ama de don Socorro el cura de Morquintiáns, se esconde del demonio tapándose la cabeza con un mantón de Manila.

—¿Usted cree que el demonio tiene el carallo como los hombres?

—¡Ave María Purísima, qué ocurrencia! Una servidora cree que sí sólo que más afilado y en forma de tornillo, o sea como los porcos, perdonada sea la manera de señalar.

La herba de Nosa Señora cocida en agua de lluvia y unas gotas de anís dulce alivia muchas enfermedades pero no cura ni la morriña ni el desamor, al bonitero vasco Playa de Arrízar lo abordó y hundió el portacontenedores francés Artois, hubo un muerto, seis desaparecidos y cinco supervivientes, entre marineros se llama muerto a aquel a quien la mar devuelve muerto, y desaparecido a aquel otro a quien la mar esconde para siempre y no devuelve jamás, las filloas con augardente son la llave del corazón y la memoria de Telmo Tembura, dándole filloas con augardente y un purito farias Telmo Tembura cuenta misteriosas historias del monte Pindo y del terremoto que desvió el curso del río Xallas, los caracteres de las personas parecen manchas de mermelada, son como manchas de mermelada de fresa, de gro-

sella, de ciruela, de higos chumbos, de agracejo o de
zarzamora, cada mermelada da una mancha diferente y
de su forma y su color pueden sacarse los caracteres
mansos o bravos de las personas, las sirenas fueron las
primeras palilleiras de Camariñas, con los recovecos de
las algas y las fintas y cabriolas de los cabaliños de mar
hicieron muy airosos dibujos, los marineros del rapetón
Furelo se encontraron una mañana en el Serrón de Touriñán con el cadáver de una mujer ahogada joven y
guapa, parecía guapa aunque tenía mala color, con una
soga al cuello, cuando le fueron a hacer la autopsia el fo-
rense nada pudo averiguar porque la muerta se deshacía como si fuera de jabón de olor, lo único que se supone es que la ahorcaron y la tiraron a la mar, hay
razones muy desconocidas para ahorcar a una mujer y
tirarla al agua, con el cadáver de la moza del Furelo no
se hubiera podido jugar al buzkashi, los guías de las
montañas de Pamir necesitan material más duro, más
consistente y saludable, el carnero de Marco Polo vive y
muere en otro remoto rincón del mundo en el que la
muerte también se ríe de la muerte de los demás, el
hombre puede que no pero la muerte sí, siempre sí, a las
montañas en que vive el carnero de Marco Polo no llegan las confusas noticias del resto del mundo, hay varios lugares de la Tierra en los que pasa lo mismo y
nadie se altera ni se emociona ni se echa a llorar, cualquiera se puede morir del corazón pero no lo encuentra
razonable, los ahorcados, los tísicos, los envidiosos, los
cornudos, los excomulgados y los defuntiños parvos
pueden contagiar su mal a los inocentes, en eso hay que

andarse con mucho tiento, el buque tanque griego Galini se incendió después de tres explosiones y se hundió frente al cabo Ortegal y lejos de la costa, tuvo tres muertos y nueve desaparecidos, todo el mundo sabe que la historia tiene un comienzo incierto y un final confuso, si esto se recordase nadie saldría a navegar, la cuerna del carnero de Marco Polo que cazó mi tío Knut está llena de telarañas, se conoce que nadie le pasa el plumero y eso siempre da pena, al principio no se nota pero después sí y da mucha pena y hasta cargo de conciencia aunque tampoco tendría por qué, al cementerio de los Ingleses lo devoró la incuria y también da dolor verlo tan digno y derrotado, Caín se sintió despreciado por Abel y desenterró la quijada de burro para poner las cosas en su sitio, un hermano puede ser el peor enemigo del hermano y es triste ver a las familias diezmadas por quienes vienen de fuera y no quieren la paz sino que cultivan el rencor, conviene saber rezar oraciones sin pies ni cabeza porque los milagros no tienen por qué sujetarse a norma, el fantasma del padre de Minguiños el Pilistriquis puede presentársele cualquier noche para preguntarle por el despertador, el joven Bardullas devuelve la salud al enfermo por los poderes que le otorgaron la Inmaculada Concepción y la Santísima Trinidad, Padre, Hijo y Espíritu Santo, amén, Jesús, también tiene natural milagreiro, buena voluntad y honesta conducta, es muy importante que las circunstancias coincidan.

—¿Ha oído usted que Modestiña Fernández la de don Julio parió un pulpo grandecito y con pelo, con mucho pelo, en vez de una criatura aunque fuese mulata?

—Eso no puede ser cierto, la gente habla por hablar y porque tiene ganas de confundir a los buenos creyentes, el demonio no pierde la ocasión de enredar a los cristianos aunque estén en gracia de Dios.

—¿Y de embrollar desde el principio las suposiciones?

—También, claro.

Con unas friegas dadas con la mano con la que se mató una toupa, mejor si es la izquierda, se quita el dolor de barriga que no sea de cólico miserere ni de tupición, a Cornecho le gustaría hablar latín pero no lo necesita para nada, los sacristanes no tienen por qué tener demasiadas necesidades ni caprichos caros porque para su oficio basta con la humilde paciencia y la resignación, los sacristanes deben ser de buen conformar y natural sobrio, a Cornecho también le hubiera gustado saber geometría pero eso queda para los torreros de faro, los poetas y los músicos de percusión y de viento, los de pulso y púa se dejan llevar más por el instinto porque la mano va sola, la patrona de los músicos es Santa Icía a quien martirizaron muy desconsideradamente, el verdugo no acababa de acertarle y le dio los tres golpes de espada que permitía la ley, en Castilla a esta mártir le llaman Santa Cecilia, los palmeiros van a Jerusalén y vuelven con una palma, los romeiros van a Roma con bordón y esclavina y vuelven con la bendición del Papa y los concheiros van a Compostela, se adornan con una vieira y vuelven con el alma lavada por la lluvia, a Cornecho le enseñó a cantar fados el portugués Spirito Santo Vilarelho que era bizco, en la olga de Sabadelle naufragó el queche finlandés Kemi con siete estudiosos

de las conductas de los rorcuales a bordo, se ahogaron
todos, yo los conocí en Malpica ocho o diez días antes,
estuvimos tomando unos vasos en el bar London, pa-
gué yo, y después me invitaron a cenar en Casa Elías,
los paspallás estofados estaban riquísimos, se conoce
que era gente de posibles, el carguero chipriota Erika II
se hundió entre Ferrol y Ribadeo, esa es ya otra mar, desaparecieron nueve tripulantes y se salvaron dos, a Dios
Nuestro Señor no le gusta demasiado que el hombre
haga túneles y puentes y puertos y pantanos, a nadie
le gusta que le enmienden la plana, lo del río Xallas le
agotó la paciencia a Dios, fue la gota de agua que colmó
el vaso en el que Dios bebía, Telmo Tembura lo sabe
bien y a veces lo cuenta a quienes le escuchan algunos
incluso con los ojos cerrados en señal de acatamiento,
doña Dosinda y mi primo Vitiño Leis se emborrachan
juntos en la cabaña de punta Calboa, ella resiste más, lo
que les gusta sobre cualquier otra bebida es la ginebra
holandesa, en la cabaña encienden fuego y están muy a
gusto, a veces se pasan dos o tres días seguidos sin salir,
emborrachándose, jodiendo, vomitando y durmiendo,
Volverán era un pesquero de Porto do Son que desapareció con sus cinco tripulantes, todos eran familia y no se
pudo enterrar a ninguno porque se los quedó la mar, a
los tuertos es difícil mantenerles la mirada porque confunden, también hace raro que un ojo sea de un color y
otro de otro como le pasa a mi tío Knut, tampoco se les
puede mirar de frente porque es muy desorientador,
don Anselmo Prieto, el autor del libro inédito *La campana del buzo,* hinchaba el pecho y se colocaba bien la

pajarita para decir «mi novela discurre sobre determinadas bases históricas que no me permiten excesivas licencias literarias», a la gente le gustaba mucho oírlo, a la
gente le gusta mucho que las frases comiencen y termi-
nen como es debido, don Anselmo puso un verso de
Antonio Machado como lema de su novela, quien habla
solo espera hablar a Dios un día, arneirón es el nombre
gallego del crustáceo que decimos bálano, con perdón,
y cornecho es un caracolillo de mar muy puntiagudo al
que los gallegos también llamamos bígaro, caramuxo y
mincha, lo digo porque me lo preguntó mi vecina Son-
soles Asenjo, la costurera, que es una segoviana muy
curiosa, es la mujer del practicante Portela, los hermanos Carkuff eran checos, eran naturales de Karlovy
Vary, cerca ya de Alemania, pero iban vestidos de báva-
ros con su chaleco de cuero, sus pantalones cortos y su
sombrerito con plumero verde y rojo, el mayor de los
tres, Estanislao, era relojero, tenía mucha paciencia y
muy buen pulso y hacía verdaderos primores, el segundo, Estagüisco, trabajaba en la sección de estadística
social del ayuntamiento de Praga, era escribiente, antes
había estado soplando cristal, y el más joven, Extremado, estudiaba para cura pero cuando las cosas vinieron mal dadas se empleó de bombero y se pasaba el día
haciendo gimnasia, parecía un artista de circo, los de
Marín dicen cona a la chalana y los de Muxía llaman
cona de monxa a la ameixola, aunque ya estaba acostumbrado a oírlo a mi cuñado Candíns le hacía mucha
gracia y lo repetía siempre, Etelvina, la prima puta, no
era muy hermosa pero tenía buena voluntad y deseos

de complacer, Etelvina era más alta y corpulenta que sus primos y comía y bebía más que ellos, Etelvina no dejaba de comer y de beber hasta que le decían que parase y como era disciplinada se paraba, en Santiago llevaban ya más de un año, vivían en Cacheiras, ya un poco fuera de la ciudad, donde las tortillas de patatas, y como eran habilidosos y formales podían subsistir incluso con desahogo, la prima Etelvina no ejercía su oficio para no herir susceptibilidades y trabajaba por horas como asistenta, como mujer de la limpieza, señora de la limpieza, donde la llamaban, sus señoritas estaban muy contentas con ella porque era incansable, su único defecto era que fumaba demasiado pero había que tolerárselo porque gastaba de lo suyo, nunca la sorprendieron robando tabaco, Arneirón o sea el sacristán Cornecho también me contó que estaban arreglando los papeles porque querían hacerse españoles, al principio tropezaron con ciertas dificultades pero ahora parecía que las cosas iban tomando buen cariz y les marchaban algo mejor, los perros de la factoría de Caneliñas son bravos y se pasan la vida persiguiendo ratas y espantando turistas, en la factoría no hay robos porque tampoco hay qué robar, tanto Estanislao como Estagüisco como Extremado juegan muy bien a la petanca y a los bolos y además Estagüisco es un ajedrecista de verdadera categoría, por el contorno no le gana nadie aunque dé una torre de ventaja, los hermanos Carkuff hablan ya bastante bien tanto el castellano como el gallego, por el acento se ve que no son del país pero las dos lenguas ya casi las dominan, cuando los fisterráns se fueron de Fis-

terra huyendo de los peligros del Cason los perros se
medio murieron de hambre, antes acabaron con las gallinas y los conejos de corral, las calles terminaron llenas
de plumas y de restos de pieles, a mí me hubiera gustado conocer a los hermanos Carkuff y a Etelvina pero
Cornecho me respondía con evasivas y disculpas no
siempre lógicas, cuando pasó algún tiempo me di cuenta de que todo era una gran mentira y que esos extranje-
ros ni existían siquiera, a las personas de buena voluntad es fácil engañarnos porque solemos ser crédulos y
confiados, al sacristán en lugar de recriminarle su conducta le invité a unas tazas de ribeiro porque en el
fondo me resultaba simpático, es cierto que la mentira
es un feo vicio pero los mentirosos suelen ser divertidos
(cuando no hacen daño) y sobre todo inevitables, una
vez le pregunté a Cornecho si le costaba mucho inven-
tar trolas y me dijo que no, que le salían de natural, se
salvaron los dieciséis hombres que remaban en la traíña
Joven Elenita que se partió en dos al tropezar con el cabezo da Percebeira, en Camelle hubo mucha ansiedad
porque el rescate de los náufragos duró más de seis horas y la noche se echaba encima, ninguno sabía nadar
pero resistieron como leones agarrados a lo que pudieron, en la mar es necesario resistir, lo que no importa es
saber nadar, la mayoría de los marineros no saben nadar, ¿para qué?, el pesquero Bonito naufragó más o menos en el Berrón Chico, esto no se sabe bien, algo al
norte del cabo de la Nave y la piedra Ventoliña, murieron once marineros y la mar se llevó o se tragó hasta la
última tabla, el carguero sueco Svtford se hundió por en-

cima y hacia afuera de la Carraca, tuvo nueve muertos, y el inglés Denewell naufragó sin muertos por debajo de las rocas de la Carraca antes de llegar al petón de Mañoto, la uralita del chozo de Cósmede está sujeta con piedras para que no vuele, en la playa de Gures sopla el viento con mucha violencia, tampoco más que en cualquier otro sitio de por aquí, el sordomudo Cósmede hace cometas que después regala a los niños de las aldeas, él sonríe y se deja socorrer con restos de comida o unos repollos, una vez le dieron un queso, también pone lazos a los conejos, cría tres gallinas que le respetan el lobo y el oso y pesca nécoras y pulpos, creo que ya se dijo, no estoy seguro, el lobo y el oso se llegan de noche a los vertederos y siempre encuentran algo, los perros les ladran pero los paisanos ya los conocen y los dejan ir tranquilos, el dragón de la punta Uña de Ferro canta jotas en castellano y dice pecados y procacidades, la gente está medio asustada y casi no se atreve a salir de casa por las noches, Froilán Cornanda Fontecha, el sobrino del difunto marido de Annelie, no tardó en dejar ver sus intenciones con disimulo, sí, pero también con tortuosa insistencia, lo que quería era dinero, yo no quiero ni pido nada, yo sólo vengo a visitar a doña Annelie, la viuda de mi pobre tío don Sebastián, que en paz descanse, a mí me hubiera gustado mandar decirle unas misas pero mi posición no me lo permite, la verdad es que no estoy pasando buenos momentos, Annelie y Vincent acordaron darle una prudente cantidad a cambio de que se fuese, tras muchos regateos fijaron la cifra en cien libras esterlinas de oro, Annelie le dijo, me dejó mil pero para demostrarte mi buena voluntad te doy cien, el oro lo pagan bien los dentistas, el oro siempre es oro, firma aquí, el papel decía, yo, Froilán Cornanda Fontecha, español, mayor de edad, de estado casado, con domicilio en León, etc., declaro que renuncio a la parte que pudiera corresponderme de la herencia de mi tío don Sebastián Cornanda Estévez, etc., Vincent estuvo tres días escondido en el faiado para que Froilán creyera que había ido a La Coruña a buscar los cuartos, el vapor de bandera panameña Comodoro Iván Petit, con carga general, se hundió en el petón Besugueiro Mascota, se ahogaron sus doce tripulantes, todos negros, el capitán era irlandés, es frecuente que la marinería negra navegue gobernada por irlandeses, hay cosas que conviene tener presentes y no olvidar jamás, los negros muertos que se han portado bien en esta vida llegan saltando de rama en rama o de ola en ola hasta los felices campos de caza situados en los recovecos de la Vía Láctea, los negros juegan al diábolo y al yoyó en su paraíso, quizá sea el limbo porque no es eterno, también al hula-hoop, y tocan instrumentos de música muy delicados, cuando llevan allí cien siglos vuelven a la vida como hombres blancos, la Vía Láctea es un inmenso río al que van los justos para gozar de todos los placeres imaginables, en su cuaderno de hule negro don Sadurniño escribió la siguiente nota, no hay más que tres colores puros, el rojo de la sangre, el amarillo del oro y el azul de la mar, todos los demás son bastardos.

—¿Y el verde de la yerba y de la tinta con la que escribe?

—Yo sé lo que me digo.

Hace ahora veinte años, en diciembre de 1978, a la Pedra de Abalar de Muxía que pesa ochenta toneladas la levantó una ola por los aires y al caer la partió en dos, desde entonces la mar le zurra desconsideradamente y por ahora nadie acierta con la marcha atrás, el tiempo pasa arreglando y desarreglando vidas y regalándoles herramientas a los vengadores y sogas a quienes se van a ahorcar, todo es cuestión de tener paciencia y no mantenerle nunca la mirada a nadie, no mirar nunca de frente y con alegría a nadie, Fideliño o Porcallán le pegó un susto a Xan de Labaña o Fumacento cuando le pidió a gritos que lo enterrara en sagrado, la vida es larga y sucia y la ocasión siempre se presenta aunque sea renqueante porque el tiempo todo lo cubre y descubre, piénsese bien, todo lo enmienda y arruina, es más veloz la dicha que la desgracia y los años que faltan por venir nos regalan tantos sacrificios como ventajas, ese es el consuelo del pobre, Marta la de los Xurelos no se extrañó demasiado cuando supo que su marido se había pegado un tiro en la boca, lo que no entendía es por qué se había ido tan lejos, Xan de Labaña encontró una bota de bacaladero noruego en la playa, los bacaladeros noruegos son los que mejor calzan de toda la mar, una hermosa bota de pescador rico, una cumplida bota de caña de cuero casi hasta la rodilla y suela de madera.

—¿De boj?

—Quizá sí.

Dicen que un par de zapateros de por aquí hacen un calzado parecido, San Crispín y Santa Mariña de Obre,

padroa dos tendeiros, inspiran verdaderas y muy eficaces y prácticas virguerías a sus apadrinados, se esmeran
en ayudarles, es fama que los judíos tienen misericor-
diosos sentimientos, lo malo de estas botas es que son
muy caras, casi nadie puede comprarlas porque son muy
caras, la otra bota de bacaladero la encontró Fideliño
y Xan se enteró, las cosas salen mejor rumiándolas antes, Xan esperó una noche de temporal para llegarse
arropado por el viento y el ruido de la mar hasta la casa
de o Porcallán, trepó por el tejado y poniendo voz de ultratumba le gritó por la chimenea, ¡dame a bota, Fideliño, dame a bota, que non podo sair do purgatorio sen
ela!, o Porcallán se pegó tal susto que le tiró la bota por
la ventana, se conoce que no se atrevió ni a abrir la
puerta, después se echó a llorar temblando como un
azogado, se acurrunchó en un rincón de la lareira, se en-
tretuvo masticando unas felpas de botelo con pan de
millo, encendió un pito y se durmió, el botelo es embutido de pobres solitarios o misteriosamente enfermos
que se hace rellenando la tripa del cagalar del porco,
mejor del porco bravo, con los huesos de la soaxe bien
machacados y con mucha sal, se cura al humo y se
ofrece al que va de camino, la casa de la mujer de o Porcallán estaba construida sobre las ruinas de un antiguo
molino de viento y le costó a su suegro cuarenta duros
de los de antes, un viejo torrero ya jubilado recuerda la
cifra por el préstamo con el que su padre le ayudó a
comprarla, a mí me lo dijo su biznieto, Marta cuando
quedó viuda la vendió por cincuenta mil pesetas, al
lado del camposanto abrieron ahora una discothèque,

antes la gente no se atrevía ni a pasar de noche por allí y los hombres más valientes daban un rodeo para no tropezarse con los aullidos de los muertos en pecado mortal ni con los fuegos fatuos, los ancianos más serenos dicen que no se puede dejar de creer de repente en lo que sea, dejar de asustarse de repente de lo que sea, hay que creer y hay que asustarse, también hay que ir poco a poco y haciéndose a la idea de las velocidades y las calmas, las cosas cambiaron con la electricidad, el calzado, la píldora de las mujeres y el divorcio, antes no eran así, antes llevaban toda la vida sin ser así, en el alto de Cachelmo capotó un avión alemán durante la guerra, no lo acosaba nadie y se conoce que se le acabó la bencina porque tampoco ardió, murieron sus dos tripulantes, iban muy bien vestidos y llevaban botas y cazadoras de reglamento, reloj de pulsera, uno de ellos llevaba dos, uno en cada muñeca, y pañuelo de seda al cuello, con la tela de los paracaídas se hacen unas velas muy buenas y resistentes, los aparatos de navegar sirven para poco pero se pueden llevar de recuerdo, cuando llega la guardia civil suele encontrarse la cabina dramáticamente soledosa y los muertos desnudos, el vapor inglés Streamer, que iba de Mohammedia a Portsmouth cargado de cítricos, cabras maltesas y putas moras, naufragó en la punta de Chorente, en la bocana de la ensenada de Merexo, nadie sabe lo que pasó porque era de día y tampoco hacía mal tiempo, a los cítricos se los llevó la mar hasta punta Borreiros y las cabras y las putas quedaron flotando, el agua pronto se sembró de chalanas, unas salvaban cabras y otras mujeres, eso va en gustos y en necesidades, se ahogaron varias cabras pero libraron todas las putas, se conoce que estaba escrito, la goleta villagarciana Porvenir Portuario con carga general varó en el arenal de Barreira empujada por el viento, no hubo muertos y al barco pudieron ponerlo a flote sin dificultad, Maruxa Mórdemo echa las cartas y adivina el porvenir en Ponte do Porto, tiene buena clientela porque acierta en muchas singularidades, antes también sanaba con yerbas medicinales pero lo dejó porque los enfermos acabaron dándole repugnancia, Maruxa tuvo amores con don Arturo Catasol, un capitán de cargo que se borró de repente sin dejar rastro, hay quien dice haberlo visto en Montevideo pero Maruxa no lo pudo comprobar, Annelie y Vincent se aman a veces en el suelo, Vincent llevaba un temporada meando turbio y Annelie llamó a Maruxa por teléfono, hay que rezar a San Liborio y á Nosa Señora da Barca, dale un día herba vermella y otro millo do sol, cuando esté curado que tome una infusión de romero todas las mañanas y una ensalada de hojas verdes de saramago con aceite, no le pongas vinagre, hay que tener siempre mucha fe y mucha esperanza y no se deben tomar bebidas con burbujas que se pegan al organismo y lo desequilibran, los chepas suelen padecer de las vías urinarias pero sin mayor gravedad, Vincent sanó pronto, el escozor se le quitó enseguida, Vincent cree que los hermanos Quindimil hacen trampas en el juego pero se lo calla porque más vale ser discreto que entrometido, las cosas no se arreglan por pregonarlas a grito pelado, las cosas se arreglan solas o no se arreglan, el silencio ayuda, hay que entenderlo así desde el principio porque esto es así también desde el principio, esto va según se tercie y según sea la naturaleza de cada cual, en el Spórting de La Coruña hay tres o cuatro jugadores de tenis a los que James E. Allen no podrá ganar nunca, cada cual debe conocer deportivamente sus limitaciones, si el Espíritu Santo fuera una vacaloura o una santateresa en lugar de una paloma, a lo mejor es una rula, nuestra religión no sería la verdadera y los católicos no hubiéramos salido de las catacumbas, hace muchos años se cantaba un charlestón cuya letra decía, en las catacumbas de la ciudad de Nueva York tiene su guarida la horrible secta del terror, esto se refiere al Ku Klux Klan, a los negros se les puede matar de muy diversas maneras todas ejemplares, nunca con veneno que es una muerte sin espectáculo, atándolos a la cola de un caballo al que se pone al galope o al parachoques trasero de un automóvil al que se lanza a toda velocidad, ahorcándolos, quemándolos, a patadas, a palos, a pedradas, etc., no se sabe si Dios es blanco o negro, los de K.K.K. creen que es blanco y la mayor parte de los negros también, el carbonero portugués Cristelo tropezó con el cabezo da Percebeira y se hundió dejando tres muertos y tres supervivientes, a todos los recogió el patache palmeirán Virtudes que iba en lastre hasta Vigo, Annelie manda cuando está acostada con un hombre y Vincent obedece cuando está acostado con una mujer, cada cual tiene sus hábitos y sus misteriosas rencillas consigo mismo y con los demás, esto no hay quien lo cambie porque no hay dos miserias ni dos miserables iguales, esto es como la ley de la gravitación

universal, Vincent está a veces más solo que un niño
pero le reconforta pensar que la soledad es lo contrario
de la melancolía, cuando Ricardiño llegue a viejo, a lo
mejor se muere antes, seguirá sin saber que la miseria
no mata pero llena el alma de cicatrices, Leoncio es aún
más vil que miserable pero lo ignora porque es quien
abre y cierra la puerta de la tienda, eso da mucha energía, la virtud es más monótona que la verdad pero no
más saludable, tampoco menos, el vapor italiano Forto-
reto cargado de especias aromáticas varó en la playa de
Arnela, el remolcador Trafesa IV lo puso a flote y pudo
seguir camino, Vincent conoce todas las mañas de Maruxa Mórdemo pero se las calla para que no lo mareen,
el vapor alemán Zingst con su cargamento de cebollas
se dio contra las piedras de Xan do Norte, también
frente a la playa de Arnela, y salió rebotado hasta el bajo
de A Muñiza donde se hundió con mucha rapidez, murieron todos sus tripulantes menos uno que se pasó varias horas agarrado a un salvavidas de corcho, el pulpo
Raposo Bermello saluda con mucha vehemencia a mi
amigo Jesús Martínez, es preferible que las criaturas de
Dios Nuestro Señor se lleven bien y se traten considera-
damente, el pájaro Besta Cantigueira hace ya varias noches que vuela por este contorno mareando y robando
corderos, hace tiempo que no se lleva niños, el velero
portugués Sesimbra se hundió en el placer de Castelo,
sin muertos, mi bisabuelo Cam nunca se llevó bien con
sus hermanos, todos sabemos de quién fue la culpa pero
nadie lo dice, los que vienen de fuera deshacen las familias porque tienen costumbres que ceban el desagra-

decimiento y lo visten con los colores de la virtud que tiembla y se resiente como un falso señuelo, a los cinco hombres de la dorna Loliña los salvó el pulpo Raposo Bermello que volvió a poner el barco en su posición y los devolvió uno a uno a bordo y sin quebranto, cuando volvieron a tierra nadie les creyó la aventura, el bardo Bernaldín de Brandeñas vio el último arco iris de nueve colores de occidente.

—¿Usted sabe que sólo se enseña a los artistas tísicos (poetas, acuarelistas, violinistas, gaiteiros no porque pueden soplar) de los países señalados?

—¿Cornualles, Bretaña y Galicia?

—Exactamente, y a veces Irlanda. Dígame con sentido fundamento, ¿usted sabe lo que le pregunto?

—Sí, claro que lo sé, hace ya muchos años que se lo oí decir a la pelirroja Elisabetiña de Casiana, la querida de mi padre.

—¿Usted también le había oído decir que esos artistas encomiendan la salud de sus musas de carne y hueso a Santa Casilda?

—Sí, se lo oí decir más de cien veces y al amanecer las mandan poner de rodillas y mirando para la mar, esto es para que el primer rayo de sol les entre por el culo, y les mandan que recen, gárdame, Santa Casilda, do madrío ando saída, amén Jesús.

En el petón de Ferretes, por debajo de Fisterra y a la altura de la Lobeira Chica, se baña Belcebú con su amante la diablesa Botiflor do Peido Amarelo que interpreta valses soplando en un cuerno de apupo, algunos barcos naufragan porque el capitán se distrae mirando, se queda como tonto, ya se sabe que la caza de ballenas separa a las familias, el dinero separa siempre a las familias, mi bisabuelo no me regaló la voluntad y por eso el viento de la vida me zarandeó siempre de un lado para otro y me obligó a hacer de criado al aburrido fantasma que reparte el rancho del ropero de los pobres, que sirve con un cucharón de peltre la sopa boba del convento, las viudas guardan muchos secretos bajo siete llaves y además se lavan poco, huelen a unto de mujer vieja aunque no sean viejas, la viuda del droguero Verduga se llama Florinda y no mira nunca a la mirada, su marido murió envenenado pero esto no importa a nadie, tampoco se añade orden al orden cuando los jueces saben demasiadas cosas, la medusa Oliviña Lourida, el cachalote Eudosio, el pulpo Raposo Bermello, el pájaro Besta Cantigueira y el rorcual Bastián viven en paz porque se parapetan en el disimulo, esa es su gran sabiduría, los barcos de madera se defienden mejor de los monstruos marinos que los barcos de hierro, a estos les traiciona el imán, cuando un pez espada pincha la panza de un patache hay que atarlo para que no escape y se abra una vía de agua, lo mejor es cortarle la cabeza y atarle la espada con unas lías, Damiana Buiturón mata la solitaria con abrótano macho, tomillo y otra yerba que se calla, jamás se la dijo a nadie, a don Glicerio el secretario le mató una solitaria de tres pies de largo, sana la incontinencia do mexo con infusiones de lúpulo y milenrama, don Glicerio ya no se mea por encima, y cura la próstata enferma con un cocimiento de ortigas y vara de ouro, a los de Iria no nos pican las ortigas si las coge-

mos sin respirar, Florinda Carreira, la viuda del droguero Ángel Macabeo Verduga, guarda un arcón entero
de duros de plata, Florinda se busca hombres y les paga
con duros de plata, por un rato, un duro, por una noche,
tres y el desayuno, la lucha contra la soledad siempre es
barata, ella prefiere los forasteros que van de paso, vive
sola pero tiene un mastín leonés que se llama Turco y
que le obedece a ciegas y la defendería en cuanto se lo
mandase, cuando Florinda está acostada con un hombre,
Turco descapulla y se roza, procura no molestar porque
seguramente sabe que pesa mucho, le lame las partes y
el culo a la pareja y se corre donde puede, con frecuencia contra las piernas de Florinda que suele quedar encima por razones de estrategia amatoria, la brújula que
gobierna las posturas de los amantes se aloja en la glándula conacha cobertoira o tercer recoveco de la vulva de
la mujer, no tema, sólo quiere gozar como usted y como
yo, Florinda no consiente que la tuteen en la cama, ella
tampoco apea el tratamiento a nadie, a la viuda le gusta
mucho palparle los huevos al mastín, al tacto son muy
parecidos a los de su difunto, q.e.p.d., cuando tío Knut
me invita a vermú rojo yo me echo a temblar, hago difíciles ejercicios para meter orden en mi cabeza y digo,
me gusta ir aprendiendo a morir quedándome solo pero
también me da miedo la soledad, a veces me acerco a la
ventana y aunque la lluvia azote los cristales adivino
que alguien vive y está comiendo o bebiendo o fumando o soñando o jodiendo o muriendo en algún
lado, de fray Anselme el ermitaño francés que salió volando nada más se supo, quizá ande ya por Terranova o

la costa de Labrador, a diario suceden acontecimientos insólitos por el mundo entero, no los voy a enumerar porque no merecería la pena, la gran emoción es barajar lo imprevisto y equivocarse siempre, el vapor griego Kiparissía cargado de nueces naufragó en la piedra Casteláns Norte, hubo un muerto y cinco desaparecidos, nadie conoce los malos pensamientos de nadie y en la cabeza del que va a hacer daño se amontonan las confusiones para que nadie pueda leerlas con claridad, el marinero que va a morir ahogado no piensa en la muerte sino en la vida y la mujer que a va morir estrangulada no piensa en el dolor ni el ansia sino en la voz y el aliento alcohólico del hombre, ese verdugo contra su voluntad, ese títere mansamente siniestro que se avergüenza de su papel, lo peor es que alguien salte ágilmente la barrera que separa el horror del placer.

—¿Y del deber?

—Sí, a veces también del deber.

En las siete laxes de A Escordadura, quedó atrapado entre la cuarta y la quinta, se hundió el patache camariñán Estrelamar que venía de Noia y no llegó a Ferrol con su cargamento de briquetas, murieron el patrón y dos hombres, el placer de A Escordadura no viene señalado en casi ningún mapa, entre las dos últimas laxes del norte se suelen bañar las sirenas cuando hace buen tiempo, Vincent dice haberlas visto en más de una ocasión, las sirenas se dejan mirar por los chepas incluso con naturalidad, se conoce que les inspiran confianza, Pepiño Tasaraño, el parvo de Queiroso, explica con mucha vehemencia que las mejores sirenas son las que tie-

nen cola de pescada, a las de cola de pixota les falta ma-
durar y las de cola de carioca son demasiado pequeñas,
Pepiño jura que casi todas las sirenas se llaman Rosa, o
cura chamoume Rosa eu tamén lle respondín, destas rosas, señor cura, non as hai no seu xardín, a Pepiño Tasaraño no lo dieron inútil para el servicio militar y lo
mandaron a la guerra, el capitán de su compañía era
más sensato que los de la caja de recluta y lo puso a pe-
lar patatas y no a pegar tiros, las sirenas cantan fados y
otras canciones de amor con voz muy melodiosa y teatral, no es extraño que los marineros se queden sin habla cuando las escuchan, las sirenas gallegas, inglesas y
portuguesas son las mismas, las bretonas son quizá algo
más altas y despectivas, nadie vio nunca las fotos que le
hizo el conservero Jesús Martínez al pulpo Raposo Bermello, ni siquiera su viuda, sería muy práctico que apa-
reciese el carrete, así se podría estudiar por los entendidos, sólo los pobres de espíritu cometen los asesinatos
de uno en uno, esa es la miseria de los débiles, Leonor
se suele acostar con los hermanos Quindimil los lunes,
primero uno y después otro, mandan a Ricardiño a hacer recados, cierran la tienda y se revuelcan con ella en
el almacén, ponen un hule en el suelo para defenderse
de la humedad, ella goza casi siempre, hay días que no
porque le escuece la cona y siente asco y ganas de llorar,
pero sonríe con gratitud cuando le dan sesenta duros y
unas chocolatinas, ¿usted sabe para qué sirve la palabra?, para poco, a mí me parece que la palabra sirve
para poco, ¿usted sabe que la palabra es el reflejo de la
vida, la sombra y la silueta de la vida?, no, nadie me lo

dijo, ¡vaya por Dios!, ¿usted sabe que debajo de cada palabra duerme una idea su sueño calenturiento?, no, tampoco, yo no sé nada si no me lo dicen antes, a Florinda se le aparece con frecuencia el fantasma de su marido, ella lo espanta quemando alcohol de romero, rezando un avemaría y meneándosela a Turco que se deja siempre porque es muy agradecido, Florinda vive sola pero no atranca la puerta porque Turco no sale más que para la necesidad y vuelve enseguida, el criminal no es el que degüella sino el que afila el cuchillo, la colección de sellos de mi difunto amigo Jesús Martínez no es tan buena como la de don Sebastián Cornanda pero también tiene su valor, la colección de sellos de Martínez fue malbaratada por su viuda que se dio mucha prisa por convertir en pesetas cualquier recuerdo de su marido, a las viudas les invade a veces un ansia demoníaca de luchar contra la memoria, esa fuente que no se seca jamás, ¿alguien se atrevería a poner una mano en el fuego y jurar que el perdonador no es el cómplice?, mi difunto amigo Jesús Martínez no se lo dijo nunca a nadie pero piensa que en el alma del pecador puede dormir el huevo de gorrión del santo, tanto en el alma del criminal como en la del santo late (o puede latir) la galladura del mismo sangriento sueño porque a la vida no se la ama con mayor vehemencia que a la muerte, a doña Dosinda le pegaron un ladillazo en La Coruña, fue un marinero noruego que se llamaba Olaf y que perdió el barco a resultas de una borrachera, doña Dosinda y mi primo Vitiño se las quitaron con ladillol y se morían de risa, el vaporcito portugués Felgueiras, que iba de

Leixoes a Gijón con carga general y una pasajera maltesa con un hijo casi recién nacido, se hundió en el petón
Cantarela que cubre y descubre y se ahogaron todos, los
cadáveres los fue devolviendo la mar a la playa del Rostro, en la *Biblia* se dice que sí y que no, un hermano ayudado por su hermano es una fortaleza y también un
hermano enemigo de su hermano es una fortaleza,
un hermano demasiado parecido o mata al hermano o
se suicida, es muy difícil soportar el desdoblamiento, la
paradoja de Caín y Abel no fue entendida casi por nadie, hubo un poeta que habló de la errante sombra de
Caín, la misma que a él lo mató, don Antonio pensaba
que fue la envidia de la virtud la que hizo criminal a
Caín, doña Dosinda le copiaba versos a Vitiño con su
hermosa letra picuda de colegio de monjas, la gente se
confunde sola porque cierra los ojos cada vez que tropieza, jamás me cansaré de repetir que puede ser alar-
mante el hecho de que tío Knut me invite a un vaso de
vermú rojo, tío Knut no es avaro pero tampoco gastador
y mide con mucha mesura todo lo que cuesta dinero, la
señora maltesa del Felgueiras también viajaba con un
perrito lulú, Dios hace que el hombre pueda confundir
la vida con la muerte y al revés y entonces el muerto
que van a enterrar está aún vivo y se revuelve en el
ataúd, deben cerrarse los ojos, rezar el credo y no respirar, el peón caminero Liduvino respiró y se tiró un pedo
mientras rezaba y Dios Nuestro Señor lo escarmentó
cegándolo, ahora canta romances y otras canciones por
las romerías, San Xulián da Luaña, feito de pau de sanguiño, ten máis forza no carallo que o meu porco no fo-

ciño, Dios castiga sin piedra y sin palo pero en ocasiones se excede en el castigo, esa destemplanza es propia de dioses, debe ser muy difícil medir la fragilidad del hombre y adecuar el justo castigo a su resistencia, la destemplanza no es un despropósito sino un propósito descomunal no sencillo de entender por el hombre y en ella habita la semilla de la fe, hay quien dice que Annelie y Vincent no se llevan bien del todo de un tiempo a esta parte, que riñen por pequeñas cuestiones y que Vincent ya no es tan respetuoso como era, lo más probable es que esto no sea cierto, bueno, lo más probable es que esto sea o no sea cierto, la gente habla por hablar y sin pensar demasiado lo que dice, no es más irrespirable el aire que envuelve al crimen, tampoco más liviano, lo peor del crimen es que busca la compañía de otro crimen, al lado de la salazonera de Fonte Raposo los carpinteros de ribera fisterráns le dan al escoplo para domeñar la madera, los vivos no deben guerrear con los muertos, basta con enterrarlos y decirles unas misas, hay hombres y mujeres sin historia como Farruco Roque el de Celanova o Rosa Bugairido la mujer del enfermero Roquiño Lousame y hombres y mujeres con mucha historia, tampoco voy a decir cuáles son porque nadie me lo pregunta, Farruco Roque no vio nunca la mar, ¿para qué si él ya tenía bastante con la tierra?, Rosa Bugairido se tiró desde el acantilado de cabo Vilán pero su cuerpo no cayó a la mar directamente, antes rebotó en los percebes, el que encuentre el tesoro de la Reina Lupa será más rico que todos los demás gallegos juntos, lo que pasa es que por ahora nadie lo encontró, el oro y

la plata no arden y el incendio de los carballos del
monte Pindo ni los ocultó más de lo que estaban ni tampoco los descubrió, los caballos salvajes del coído das
Negres tiran coces al aire para calentarlo y también para
quitarle la humedad, ahora ya casi no quedan lobos por
aquí, Chonchiña Casal dice que el día de difuntos vio
dos desde su casa de Fumiñeo, iban al trote camino de
Villastosa tampoco con mayor prisa, el oro es más caro
que la virtud pero el virtuoso no lo ama porque le tiene
miedo, Annelie no se da cuenta pero goza humillando a
Vincent, es peor una mirada sin caridad que hacerle
dormir a uno en el suelo, Annelie cena fruta, una noche
le metió cerezas por el culo a Vincent para que después
se las cagase en la boca, este es un episodio algo confuso
y yo tampoco quiero enredar a nadie, en la cabeza del
obediente germina a veces y sin avisar el huevecillo de
araña de la venganza, suele abortar antes de dar su
fruto pero si nace puede haber muertos y mucho desequilibrio, el instinto del asesinato es capaz de dibujarse
de un día para otro, no necesita un largo proceso de maduración porque nadie sabe que es asesino hasta que lo
adivina o el demonio se lo sopla a la oreja, el demonio a
la oreja te está diciendo, deja misa y rosario, sigue durmiendo, ¡viva María!, ¡viva el rosario!, ¡viva Santo Domingo, que lo ha fundado!, santiguándose con agua
bendita se alejan los malos pensamientos, a San Antonio
le tentó el diablo desnudándose como una mujer las-
civa, lo malo de algunos senderos es que no tienen marcha atrás, si Dorothy no tuviera miedo a la emoción hu-
biese asistido a los oficios religiosos como cualquier otra

mujer y no pocos hombres, no es sano ignorar las tumbas de los abuelos, de los padres, de los hijos, de los nietos y de los criados, las familias deben convertirse en tierra de la propia tierra para que los robles y los castaños crezcan más recios y solemnes, para que el boj respire más duro y más hondo, no es digno eso de que le entierren a uno en el extranjero y rodeado de muertos a los que no se les entiende, sobre la tierra que cubre los huesos de mi padre debe crecer un grosellero en el que cante el ruiseñor a la media noche su canción sin esperanza, la esperanza no debe confundirse con el deseo porque es más noble, conviene saber que no beneficia a nadie que las familias se muevan demasiado, las mujeres deben entender la lengua de los machos con los que fornican porque el pecado de bestialidad no es fecundo y se trata de parir, siempre de parir, para ir dominando, la carne de los hombres es como la tierra a la que dan sombra los castaños y también quiere su paciencia y su serenidad, Vincent no tiene papeles porque tampoco los necesita, Annelie piensa que a Vincent le haría falta tener los papeles en regla si ella muriese antes, Annelie es muy amante del peligro, ella no lo sabe pero es así, Annelie escribió de su puño y letra en un papel color de rosa con su inicial que si ella muriese antes le dejaba todo a Vincent, Annelie también piensa que su decisión es elegante pero no oportuna y ni siquiera razonable, Annelie no tiene parientes, el sobrino de su difunto no es más que contrapariente, se puede nombrar heredero a alguien por odio, por desprecio o por amor, también por misericordia o por distracción, se odia y también se

ama lo que se desprecia, se desprecia y también se odia
lo que se ama, se ama y también se menosprecia lo que
se odia, este es un juego muy irregular y de veriles muy
falsos, don Gabriel Iglesias quería dejar sin vigor la ley
de herencia, reglamentar el matrimonio según la pauta
del inquilinato, abolir la pena de muerte, disolver la
guardia civil, prohibir la prostitución, dar el voto a las
mujeres, crear una policía montada y convertir a España
en una república federal presidida por un triunvirato de
miembros vitalicios, en la olga do Vespereiro se fue a
pique la trainera Espiñeira, las algas tuvieron más fuerza
que los remos, a todos los marineros los ahorcaron las
algas, esta es una mala muerte, el algar del Vespereiro es
como un bosque de víboras ciegas, crueles y venenosas,
en la olga do Farelo se hundió el balandro francés
Grande Pèlegrine, las algas tuvieron más fuerza que el
viento en la vela, los siete raposos muertos de la parroquia de San Xurxo se asoman a cazar gallinas a las aldeas de Grixa, de Porcar y de Lagoa, seguramente llegan más lejos, los paisanos dicen que los perdigones e
incluso las postas les rebotan en la piel, sólo se les podría matar con cuchillo como al jabalí o con rifle como al
lobo, no hay nada más triste que un jabalí enfermo o
un lobo viejo, en algunas casas se guardan aún los fusi-
les de la guerra, el máuser y el mosquetón son armas de
confianza, está prohibido guardarlas, al acabar la guerra
hubo que devolverlas en los cuartelillos de la guardia
civil, las almas de los siete mozos que se cagaron en la
predicación arden ahora en el infierno o en el purgatorio, unos fueron más culpables que otros, a veces vagan

con la Santa Compaña por el río Maroñas, el demonio
no pastorea las almas por el pelaje como los incas apris-
caban al ganado, por aquí casi todas las almas son del
mismo pelo, en esto no hay mayor confusión, Vincent
no quiere pensar en Annelie, le basta con obedecerle
cada vez con menos entusiasmo y más resignación
(tampoco, con menos resignación), hay horas propicias
para el crimen y horas que lo ahuyentan como a un ave
tímida y delicada, Vincent hubiera escupido con ira e
incluso con soberbia en el corazón de ese ruin testigo
que Dios pone en cada crimen para escarmiento del último inocente, a nadie le importa ahorcar al último inocente, al noruego Luisiño Nannestad lo casaron in artículo mortis con la andaluza Catalina que heredó dos
impermeables casi nuevos, una pelliza de piel de reno,
dos pares de botas en buen estado, doce pipas de fuma-
dor, nueve de barro y tres de espuma de mar, y treinta
mil pesetas en duros de plata, ahora valían más, y cinco
peluconas, el noruego Luisiño era rico, en la cama de
piedra de San Guillerme quiebran todas las yermas es-
terilidades, es buena señal que en el instante de gozar
con el hombre encima, no con el hombre debajo, la mujer sueñe con un cachalote con cuerna de venado como
el que varó en la playa de Traba, dicen que hace años
varó otro en la playa de la Pedrosa, llegando a punta
Forcados, el sacristán Celso Tembura caza gaviotas con
anzuelo, sabe que es un crimen pero no le importa, la
cobardía se puede disfrazar con el ropaje de la crueldad,
Martiño Villartide es hereje y blasfemo pero adivinó a
tiempo que el crimen no es una vocación sino una cir-

cunstancia, esto él no lo discurrió con ideas ni lo dijo con palabras pero lo sintió en la garganta y en el latido de la sien, el sacristán Celso Tembura le da un vaso de vino al hombre que mata al lobo y se ensaña con el cadáver del lobo que mata al hombre, es costumbre ahorcarlo después de muerto y dejarlo colgado hasta que los gusanos lo desnudan en el esqueleto y las moscas ya ni se le posan encima más que para descansar, en la olga do Cuarteirón se ahogan los niños de los veraneantes, uno cada año, pero la noticia ya ni sale en el periódico, don Xerardiño fuma más de la cuenta, a veces hasta fuma mientras dice misa, don Xerardiño es tan mañoso que hace los milagros con una sola mano, esto lo sabe todo el mundo, don Xerardiño no hace milagros importantes pero sí útiles para la feligresía, no resucita a los muertos que ya cheiran pero ahuyenta al demonio, seca la pus, destupe al tupido y reconforta al melancólico, don Xerardiño es muy caritativo y misericordioso y en más de una ocasión le dio un arenque, una códea de pan de maíz y un vaso de vino al tonto de Xures, en el secano llaman yubarta al rorcual, la yubarta es la ballena jorobada, James E. Allen va a tener que dejar el tenis porque es un deporte que no se le da demasiado bien, los años tampoco pasan en balde y el corazón jadea, no falla pero jadea, mi padre le puso una fonda de estudiantes a Elisabetiña de Casiana porque se debe ser generoso con quien le da o le dio a uno gusto y porque todo el mundo tiene que vivir dignamente, Elisabetiña luce el pelo colorado, las tetas y los pies grandes y la voz opaca y con melodía, a Elisabetiña le gusta tocar el saxofón con la banda A Cebrisca, antes se llamó el conjunto Os Cachafellos, Elisabetiña estuvo casada con un uruguayo que se le escapó, don Sadurniño Losada dice que los uruguayos son muy propensos a escaparse, a saber cuánto hay de exageración en estas cosas que se dicen, después fue cuando Elisabetiña se lió con mi padre ya viejo, también tuvo amores con tío Knut y dicen que con el droguero Verduga, Elisabetiña fue siempre mujer de mucha valentía, era capaz de plantar cara a quien fuera, Florinda paga a los hombres con duros de plata, algunos de estos duros fueron a parar al cajón de Elisabetiña porque el dinero da muchas vueltas y a lo mejor hasta pasa siete veces por la misma mano, a mí me gustaría saber morir con dignidad y no espantado ni huyendo despavorido como un lagarto, al carguero inglés Scarborough lo hundió un submarino alemán frente a las piedras de las Quebrantas por la parte de afuera, se salvaron casi todos pero ninguno quiso hablar, nadie es capaz de leer una boca cerrada y los ojos pueden mentir con facilidad e incluso con descaro, la batalla contra la soledad está tan perdida como la batalla contra la muerte y la escaramuza contra el desamor, en este caso es costumbre no usar más que la caballería ligera, el hombre tiene casi todas las batallas perdidas de antemano, más de la mitad de los hombres no saben que se mueren ni cuando están en el lecho de muerte y en trance de muerte, un hombre a flote se agarra a la vida aunque el agua se le escurra entre las manos, Pepiño Tasaraño sabe mucho de sirenas y cuando está contento les interpreta la *Marcha Real* en la armónica, el sordomudo Cósmede vive muy feliz en su alpendre de la playa de Gures, los amores de Annelie y el chepa Vincent puede que estén pasando una crujía y puede que se estén apagando poco a poco, Annelie es muy exigente pero empieza a aburrirse de la monotonía, las sirenas aman los marineros fuertes y vigorosos, también valerosos, pero son tan decentes que no se dejan mirar más que por los débiles, las sirenas con cola de carioca no valen más que para echarlas en la sartén mordiéndose la cola, dan pena pero los estudiantes de derecho y de magisterio también tienen que comer, Elisabetiña da a sus pupilos pescadilla frita mordiéndose la cola, a las viudas les gusta estrangular el recuerdo y más de una se masturba silbando *La Madelón* y otras marchas revolucionarias, cuando se la menean a los sobrinitos pequeños para que se duerman les suelen silbar *Corazón santo*, Annelie va para muerta pero lo ignora, nadie sabe que va a morir ni siquiera cuando se muere, rezándole un padrenuestro a la Santa Compaña sirve de despertador, a mí me parece que es un poco exagerado eso de que los marineros de Fisterra y de Corcubión, dicen que también los de las Azores y las Shetland, conozcan a las ballenas por sus nombres, lo que sí queda es hermoso y sentimental, las crónicas se escriben siempre después de que hayan acontecido los hechos que se relatan, nadie conoce el dolor de nadie, los malos pensamientos de nadie, y en la mareada cabeza del criminal se atropellan las orgullosas disculpas, los tímidos y nerviosos argumentos, es fácil convertir a un hombre corriente y moliente en criminal, basta con ponerle un arma en la

mano y convencerle de que Dios está con él y él con los
serenos designios de Dios, los crímenes se dibujan con
mucha nitidez en la cabeza del criminal, lo malo es el
testimonio del cauto espía de Dios, del Serpent no se salvaron más que tres marineros a los que la mar escupió a
tierra, ellos ni hicieron nada ni pudieron haber hecho
nada, a veces un hombre ya con el pie en el sepulcro
nota que la vida lo sujeta, él no tiene que hacer nada
sino dejarse llevar.

—Insisto en decírselo a usted, ya me estoy hartan-
do de advertirle que esto va muy revuelto, demasiado
confuso.

—No, esto no va ni medio revuelto ni medio confuso, esto va a su ser y con un orden perfecto, com-
prenda que yo no tengo la culpa de que no se le alcance.

—De acuerdo, yo no le llevo la contraria a nadie
porque tampoco merecería la pena.

Dolorinhas, la portuguesa que era medio enfermera
y que sabía poner inyecciones y lavativas se vino con
nosotros a Santiago en el dodge de Carliños de Micaela,
a todos nos gustaría descifrar el misterio de la muerte
pero cuando empiezan a zumbar los oídos se arrumban
los buenos propósitos y se tiran por la borda no sólo los
deseos más confusos sino incluso las ilusiones, a tío
Knut le gusta hacer experimentos de física recreativa y
comer pajaritos fritos, también le gustan las morenas
gordas, tío Knut combate el reuma con un licor de dientes de ajo puestos a macerar en aguardiente, cinco gotas
en ayunas, se puede reforzar con una tisana de culantri-
llo y hojas de laurel, la puta más grande de la historia

desmerece mucho metida en un ataúd y con una venda
sujetándole la barbilla, no es lo mismo morir tísica que
apuñalada o asfixiada o estrangulada, cada disfraz de
muerte requiere su careta e incluso su peinado, los
muertos luchan contra la fosa común, huyen de la fosa
común aunque no siempre ganen esta guerra sin demasiado sentido, en este momento de la presente crónica se
puede producir un vacío en casi todas las cabezas, se sabe
que a Annelie la mataron porque estas líneas se escriben después de su muerte, también se sabe cómo y
quién, pero no por qué, a los jueces tampoco les importa y en eso yerran, su cadáver no apareció hasta los
varios días de la muerte, yo me tuve que conformar
con bailar el pasodoble y montar a caballo porque tío
Knut no me llevó a cazar el carnero de Marco Polo,
ahora ya soy viejo para semejante excursión a país tan
remoto, el peón Pauliños era un muerto de hambre al
que tío Knut pudo meter en vereda dándole dos latigazos en la cara, Antona fue a pedir una limosna por su
confidencia y tío Knut le dio un cartucho de arenques
ahumados, Antona anda siempre vestida de luto porque no quiere tomarse licencias, ella es muy respetuosa y procura estar siempre en su sitio, antes de que
Mínguez capara al dublinés Juanito Jorick se hundió el
pesquero Tarambollo en la piedra O Turdeiro, se ahogó
un hombre, desapareció otro y libraron los demás, Vincent se fue sin dejar rastro, los chepas son muy escurridizos, algunos dicen que se fue en el vapor francés
Noirmoutier que estuvo unas horas en Ponte do Porto
descargando electrodomésticos y baterías de cocina,

antes desenterró sus monedas de oro, también se llevó
las joyas de Annelie y la colección de sellos, lo dije ya
una vez y he de repetirlo aún otras tres más, por Cornualles, Bretaña y Galicia pasa un camino sembrado de
cruces y de pepitas de oro.

III

DOÑA ONOFRE LA ZURDA

(Cuando dejamos de pescar con artes prohibidas)

Entre las piedras de Turdeiro y O Petonciño y el bajo de A Parede, al sur del promontorio de Fisterra, se hundió el Ulster Duke, un mercante inglés que iba a remolque, velan los palos, murieron cinco tripulantes, también el velero francés Brignogan cargado de trigo argentino, velan los palos, murieron siete tripulantes, Celso Manselle asfixió a su mujer con la almohada pero no le remordió nunca la conciencia, con las putas no hay por qué tener mayores consideraciones porque la ley de Dios es muy justa y da a cada cual lo que se merece, Viruquiña le había sido infiel al marido con Salustiano García el del gas y con Respiciño Baldomero el yerno de Santibirión el Barafusteiro, que era algo cojo, Salustiano tenía el carallo descomunal y además salomónico como los porcos bravos, y Respiciño, que repartía telegramas en bicicleta, acertaba a dar gusto a las mujeres hipnotizándolas y dándoles un

bebedizo de barbas de millo, ¿tendrán noticia las ballenas de estas proporciones y habilidades?, en la ría de
Arosa chocaron dos planeadoras de los contrabandistas
y se mató Manueliño Durán, alias Kubala, el más famoso de los traficantes por su pericia en el manejo de
estas embarcaciones, quedó malherido Breixo Vázquez,
el hijo de Mermeladas Baamonde, santo San Breixo bendito, feito de pau de amieiro, primo curmán dos meus
zocos, irmán do meu tabaqueiro, James E. Allen canta a
veces en inglés, cuando olvidamos las artes prohibidas
volvemos a los orígenes y es como si nos dejasen desnudos y no nos dieran de comer ni de beber, las artes
prohibidas las dejamos porque nos obligaron, contra las
olas del mar luchan brazos varoniles, contra los guardiaciviles no hay manera de luchar, lo malo será el día
que nos prohíban cultivar patacas y enseñar la solfa a
los mirlos, los xílgaros y los reiseñores cantan de natural
y ya nacen aprendidos, James E. Allen jugó al rugby y al
tenis, y canta versos de Poe, siempre de Poe.

Thus, in discourse, the lovers whiled away
The night that waned and waned and brought no day.

En gallego a la centolla o centollo se le llama centola
y no centolo aunque esta manera de decir empiece a
abrirse camino por influencia de los veraneantes que
hablan castellano, doña Onofre Teresa de Todos los Santos Freire de Andrade y Reimúndez, viuda de Cela, don
Celso Camilo de Cela Sotomayor, oficial de notaría jubilado, escribió en su diario las palabras que más abajo se

copian, don Celso Camilo no era hombre de muchas luces aunque sí de familia rica, bueno, relativamente rica, además su abuelo, su padre y él fueron los de casa, los herederos que se quedan con la casa, don Celso Camilo tenía cierta afición a la lectura pero no era hombre de muchas luces, ahora corresponde decir que el bergantín portugués Carrapichana que iba servido por angoleños se puso a la capa frente al petón de Mañoto esperando a que el temporal amainase, la carga se le desestibó, el amo de a bordo por más que hizo no pudo evitar que la mar le ganara por la mano y se lo llevase del timón, el bergantín naufragó y se ahogaron todos sus hombres, a la virgen Locaia a Balagota los infieles le hicieron comer sus propias miserias maceradas en meo de raposo, el alpechín es el alma hedionda de las olivas y no se usa más que para humillar.

—¿Usted no cree que a los infieles debería condenárseles a muerte?

—Puede que tenga usted razón.

Doña Dosinda y mi primo Vitiño no se cansan jamás de beber ginebra en la cabaña de punta Calboa, doña Dosinda suele llevar chorizo, pan y pastillas de café con leche y cuece durante tres horas una lata de leche condensada, sale un dulce riquísimo que pega mucho con castañas mamotas, Cósmede piensa que en el fondo de la mar hay no sólo pavos reales de mil colores sino también aves del paraíso que saben tocar la lira con muy romántica inspiración, hace cosa de veinte años ardió a cuatro millas de Fisterra el mercante Anna de bandera griega, es otro que el Anna Leonard de bandera de

Singapur, lo vio envuelto en humo Antonio Martínez Cambeiro, el patrón del pesquero Arrogante que se acercó todo lo que pudo, los cinco o seis tripulantes estaban en cubierta y habían echado una balsa a la mar, su jefe de máquinas se tiró al agua y se mató, bueno, se murió ahogado, Cambeiro pudo cobrar el cabo que le echaron de a bordo y los hombres de la tripulación bajaron por él, Cambeiro los llevó a tierra y avisó a otros barcos de lo que estaba pasando, acudieron al rescate los pesqueros Cita en el Mar al mando de Manuel Sar Vilela alias Cachán, Santa Rosa al mando de Manuel Silva Castro alias Bolitas, María Teresa al mando de Gervasio Martínez alias Cachés, Gelkucho al mando de José Antonio Martínez alias Repoleiro Fillo, todos de Fisterra, y Cabo Noval, de Porto do Son, de su patrón no se recuerda el nombre, al Anna lo remolcaron hasta Fisterra donde acabó de arder, quedó a flote el casco que fue remolcado más tarde hasta Corcubión, escúchame ahora Cam, tú podrías hacer realidad el sueño de todos, construir una casa con vigas de madera de boj y grifería de oro, pero no eres constante y tampoco tienes mucha salud, también podrías cultivar la pimienta de Juan Fernández que es muy eficaz para expeler las ventosidades, recuerda, Cam, que lo malo de morir en el extranjero es que puedes acabar enterrado en la fosa común de un cementerio en el que no entiendas ni el habla ni las intenciones de los otros confundidos difuntos y eso produce muy zalamera tristeza, es mal veneno esto de la zalamera tristeza, tú todavía estás a tiempo de pedir que te tiren a la mar con una piedra en los pies, sería hermoso caer sobre los hierros del Blas de Lezo, ese pecio glorioso, Juanito Jorick pasó el tifus en el hospital, a lo mejor era una pleuresía vírica, a mí no me lo quisieron decir, no hay derecho a capar a nadie por una apuesta, los caprichosos deben responder de sus caprichos ante la justicia, Idalio Zamora el del matadero tenía fama de rácano, parecía francés, Paco dame tabaco, Ismael dame papel, Evaristo dame un misto que xa teño o pitillo listo, la dorna Manueliño y Simeón se fue a pique en la punta de Palleiro, Simeón se ahogó pero a Manueliño pudieron rescatarlo vivo, lo mandaron al hospital y a los pocos días ya estaba bueno, lo que escribió doña Onofre en su diario fue lo siguiente, las monjas de Saint-Joseph de Cluny me pegaban sopapos porque era zurda, me obligaban a escribir con la mano derecha y entonces me sacudían capones porque tenía mala letra, contra la traidora piedra de Socabo que con frecuencia ni rompe, tropezó el carguero español Carreño que iba en lastre a Gijón, murieron cuatro tripulantes y desaparecieron tres, nadie se acostumbró nunca a vivir sin comer y Dios perdona al que roba comida, los muertos no comen pero a los muertos se los comen los gusanos, a los muertos a los que se da tierra, a los muertos de la mar se los come el agua, los desbarata como si fueran de pan, el pan de la mar, hace cosa de algo más de veinte años el cadáver de José Velay Rivas apareció flotando con los pies enganchados a un aparejo, lo encontró Juan Traba el Monacho el patrón del Ulloa a la altura de las Lobeiras, avisó al patrón del Lorchiño y éste, por telefonía, llamó a Fisterra para dar la alarma, al motorista y a los cuatro marineros de la tripulación se los llevó la mar para no devolverlos más nunca, José era el mayor de diez hermanos, todos vivían de la mar, al Begoña salieron a buscarlo los pesqueros Santa Rosa, Hermanos Silva, Lorchiño, Beatriz y Hermanos Velay, del padre del patrón, su otro hijo, Juan de Tuno, llora al recordar al hermano muerto, tenía una herida en la frente, la familia era propietaria de otros dos barcos, el Hermanos Velay y el Vulcano, tío Knut sabe muchas cosas además de cazar ballenas pero no lo dice, las ballenas se acabarán algún día y entonces todos nosotros pasaremos hambre, las ballenas tienen mucha memoria y pueden vengarse de nosotros con crueldad, la gente sin conciencia ya empezó a prohibirnos pescar con nuestras artes de siempre, se conoce que quieren empujarnos a la calamidad, doña Onofre apuntaba sus cuitas en un cuaderno, en la clase de labores me pinchaba siempre los dedos porque no me dejaban bordar con la mano zoca, en el comedor me avergonzaban si me manchaba la chambra, que era casi siempre, y sor Julienne llegó a decirme un día, repórtese, señorita, y utilice las manos como todo el mundo, los buenos cristianos y en general la gente fina no usan la mano izquierda para nada porque es la del demonio, pídale todas las noches al Niño Jesús que le ayude a alejar los vicios que afean la urbanidad y que le facilite el uso de la mano derecha, rece un avemaría por esa especial intención, en Jesucristo hay dos naturalezas, dos voluntades y dos entendimientos, una sola persona divina, que es la segunda de la Santísima Trinidad, y una sola memoria humana, porque en cuanto Dios no tiene

memoria, mueren los cuatro tripulantes del pesquero
Planeta al irse a pique frente a Fisterra, no debe ser fácil
averiguar si Bourton, Gould y Lacsne tuvieron hijos y
nietos, pasaron ya muchos años y es probable que hayan vivido siempre mecidos por el miedo y con el ruido
de la mar dos Bois retumbándoles en la cabeza, la calavera es una buena caja de resonancia, tabaquito, tabaquito, así, dos veces, hubieran podido decirlo en gallego
pero lo decían en castellano, parece que quien empezó
con esta letanía fue Alejo Salmerón Estévez, el del
Banco Pastor, en su casa hablaban castellano porque
tanto él como su mujer eran de Valencia de Alcántara,
los hombres de la mar, algunos hombres de la mar, a lo
mejor casi ningún hombre de la mar porque esto también puede ser mentira, llaman tabaquito, tabaquito,
así, dos veces, a las lascas que se sacan rascando el lomo
de las ballenas muertas o moribundas, en la playa de
Mar de Fóra vararon una noche nueve ballenas que no
hubo modo de devolver a la mar, tardaron varios días
en morir, la gente les hacía fotos y les robaba la carne
del espinazo cortándosela con bayonetas y serruchos,
Damianciño Peito de Lobo se trajo un sable de caballería, en el naufragio de la bricbarca francesa Biscarrosse se
ahogó el tenor italiano Guido Valtelini, se lo llevó una
ola mientras cantaba el aria del primer acto de *Nabucco*,
es bello morir con dignidad teatral, en las cartas náuticas se llama Centolo al islote que queda casi siempre envuelto en niebla, en pegajosa y honda y poética niebla,
al N.W. del farallón de Fisterra frente a la punta de los
Oidos y a media distancia del petón de Mañoto, para mí

y para don Benjamín es error por Centulo, la deforma-
ción es fácil y me imagino que fue pasando de unos a
otros sin que nadie se parase a pensarlo ya que no es razonable admitir un topónimo en castrapo, centolo no es
el centollo aunque pudiera fingirlo, centolo no es nada y
centulo puede ser la máscara del demonio en gallego,
de él (y de centolas, jamás centolos) habla ya el P. Sarmiento en su *Coloquio de veinticuatro gallegos rústicos*, en
el Centulo se hundieron muchos barcos, algunos histó-
ricos como el Blas de Lezo, en el Centulo anidan los mascatos, pájaros duros, en el monasterio de San Xiao de
Moraime los caballeros juraban lealtad a los reyes suevos y se columpiaban en las ponlas de los carballos para
orearse el pecho y las partes, el aire es bueno para espantar la miseria, el ganado del coído de Touriñán debe
pasar hambre porque está flaco y sin presencia, puede
que por aquí ande el demonio robándole la leche a las
vacas y comiéndose los huevos de las codornices, en el
coído apareció una mañana un cadáver con el reloj todavía en marcha, se conoce que el muerto llevaba poco
tiempo muerto, estaba tieso y frío pero no había empe-
zado a pudrirse, no tenía golpes ni pinchazos y la gente
se olvidó enseguida, alguien le robó el reloj, ¿para qué
lo quería?, poco antes de que Viruquiña muriese asfixiada por el marido, el desconsiderado Celso Manselle
aprendió a decir la frase del logaritmo de pi y la repetía
a cada momento, los rorcuales navegan describiendo
unas órbitas regulares que pueden estudiarse en fun-
ción del logaritmo de pi, esto no lo decía Viruquiña, sor
Julienne no porque es francesa, pero sor María que es de

Corcubión les dice manechos a los zurdos, sor María
tuvo un novio marino mercante al que mató la mar, entonces se fue monja, la conversación que sigue se pudo
haber mantenido a las mismas puertas del infierno o
quizá del limbo, la precisión no estorba.

—¿Usted cree que es malo ser zurdo?

—¿Por qué va a serlo?

En el cabo La Nave, la punta más occidental de Galicia, aún más que Fisterra, y entre las playas de Mar de
Fóra y Mar de Rostro, se hundió el carguero chipriota
Troghodhos en la Nochebuena de 1940, se rescataron con
vida cinco de sus catorce tripulantes, los tojos hace más
años que son gallegos que las hortensias o las camelias,
desde el principio hasta el fin del mundo el ruido de la
mar viene siempre, zas, zás, zas, zás, zas, zás, Floro Cedeira piensa que la mar va y viene pero está equivocado, el mugido de las vacas viene también siempre y
jamás se va, la mar muge como un coro de mil vacas pariendo, Pencho Ventoso cuenta cuentos de aparecidos
que hablan por señas y se alimentan del aceite del candil del Santísimo como las lechuzas, Pencho empieza a
contar y cuando para, para, para después seguir a otro
ritmo e incluso con otra intención, los moros y los cristianos de la aldea de Trez, que está en cuesta, a los carros hay que atarlos para que no escapen solos, se pelean el día del Apóstol, ganan siempre los cristianos, al
cabo de La Nave le llaman así por su parecido con una
nave griega, según la leyenda en ella embarcan para la
eternidad todos los héroes del mundo y está mandada
por Hermes, no lejos de este paraje están las aldeas de

Hermedesuxo de Enriba y Hermedesuxo de Embaixo, en los dos Hermedesuxos entierran en cal viva a los lobos para matarles el alma, el mundo nació al mismo tiempo que el tiempo pero el mundo envejece y el tiempo no, al norte, en la ensenada de Miñones que queda a la mano de Cormes, se hundió el Nueva Elvira, no se salvó nadie, hubo dos desaparecidos y un muerto.

—¿Usted cree que es malo ser bizco?

—Hay cosas peores.

En el Berrón Chico se hundió el patache portugués Filipinha Nova, murieron dos tripulantes y se salvaron los demás, hoy es melancólico refugio de sirenas viejas y de pulpos de costumbres licenciosas, los pulpos suelen ser honestos de jóvenes y viciosos de viejos.

—¿Usted cree que es malo ser chosco?

—Esos tienen que dar gracias a Dios porque quedan al cincuenta por ciento.

También en la misma piedra naufragaron dos pataches más, el pontevedrés Roquiño con tres muertos y el betanceiro San Mamede sin muertos, es muy gracioso ver a los pulpos del Berrón Chico hablando en latín macarrónico, el otro es más difícil.

—¿Y tatelo?, ¿usted cree que es malo ser tatelo?

—¡Y a mí que me caen simpáticos!

En A Muñiza se hundió el carbonero Cabo Machichaco sin muertos, no pudo ser remolcado porque rompió amarras, los saramagos nacen en las escombreras y con su flor amarilla alumbran la pobreza.

—¿Y chiclán?

—Algunos aseguran que es peor tener tres.

—¡No sé lo que decirle!, yo pienso que más vale tener que desear.

En el placer Casteláns Norte un rayo mató al patrón y a todos los remeros de la trainera Forcaredo.

—¿Y maricón?

—Eso va en gustos, eso es como ser cojo.

A doce o quince millas de Fisterra un mercante de bandera surcoreana abordó y hundió al pesquero hispano-marroquí Bnou I Shark, murieron sus ocho tripulantes, cuatro moros y cuatro chinos, bueno, coreanos, en el placer Casteláns Sur naufragó el carguero francés Saint-Cyprien, sin muertos.

—¿Y tener los pies planos?

—Eso es lo más doloroso de todo porque desorienta, un hombre con los pies planos no tiene la obligación de amar al prójimo ni de honrar padre y madre, un hombre con los pies planos hasta puede ser marica sin que nadie le pida cuentas.

En el bajo Sambrea se hundió hace no muchos años un vapor del que ni se sabe el nombre, se dio tanta prisa que no pudo ni ser visto a flote por nadie, se ahogaron todos los tripulantes, al baile de los estados intermedios lo alumbran con blandones de cera virgen los enanos que mantienen el orden en el escenario de los siete pecados mortales, entonces uno de ellos alzó la voz y dijo, la vida, no, pero el cuento del remate de la vida es como una noria que jamás se cansa de girar sobre su eje, cuando a un burro se le unce al yugo de la noria y se le vendan los ojos empieza a caminar y a dar vueltas, Fiz o Alorceiro tonteó al ver al demonio haciendo las cochinadas con Cirís de Fadibón pero el cura de San Xurxo dos Sete Raposos Mortos sigue disimulando que es un cadáver bendecido por los tres santos patronos, o noso señor San Xoán, San Pedro e San Antón non queren ver triste a xente, en Muros había un americano que tenía un pavo real, Cósmede piensa que el fondo de la mar está lleno de pavos reales ciegos y muy discretos, de doña Onofre tampoco se van a contar más intimidades que las precisas, la última vez que hablé con ella fue en la cafetería del Mariquito, me pidió mil pesetas para ir a hacerse las mechas a la peluquería de Cora, en Santiago, después me enteré que los cuartos eran para comprar unas medicinas, hay gente a la que da vergüenza tomar medicinas, otras presumen de hacerlo y se lo cuentan a todo el mundo, James E. Allen dejó de ser winger del equipo de rugby Hunslet Boys cuando cumplió los veinticinco años, Mariquito era hijo de Mariquita y a su bar le llamaron siempre el Mariquito, cuando murió, su heredera hizo algunas reformas y le puso Cafetería Mariquito, el primer verano colocó en la puerta un letrero que decía, este Mariquito nunca fue maricón, doña Onofre solía desayunar en la cafetería Mariquito porque la casa se le caía encima, a Dosindiña empezaron a llamarle doña Dosinda cuando cumplió los treinta años, ¿usted sabe si Nuestro Señor el Apóstol Santiago podría perdonar a un hombre que vende el despertador que heredó de su padre?, para mí tengo que sí puede porque su poder es de mucha consideración, el patache pontevedrés Penique que viajaba en lastre se hundió en el placer Baralla, le bastó darse dos pantocazos contra las olas para quedar partido por la mitad, murieron todos sus tripulantes, la virgen Locaia a Balagota ya no cuida de los navegantes, se conoce que se hartó de tanta indiferencia, antes había más solidaridad, más complicidad, y se dejaba dormir una noche al náufrago casi resucitado con una mujer de la casa, a Rosalía de Castro no le perdonaron que lo dijese, hay quien piensa que la Costa de la Muerte va desde La Coruña hasta la playa Fedorento en A Guarda, donde a los navegantes se les mete el cheirume por la nariz, desde la piedra de A Marola, o que pasa A Marola pasa a mar toda, y la Torre de Hércules y la ensenada del Orzán hasta el río Miño y la playa de Camposancos con Portugal enfrente, esto quizá sea exagerado aunque la mar es fiera tanto en lo que ya va dicho como en lo que falta por decir, la ensenada del Orzán pierde arrestos en la playa de Riazor, por San Cristovo veñen a Riazor os paifocos e por Santa Rufina as catalinas, desde punta Carreiro y punta Burro la mar olvida cierta bravura pero tampoco se debe entender que se amansa, en las Rías Baixas la mar pierde respeto en las bateas de los mejillones que ahora empiezan a estar ordenadas, entre la niebla y una avería en el timón el Nil varó en Xan Ferreiro, en la playa de Arou, el Nil llevaba un cargamento de lujo, automóviles franceses, Citroën, Renault, Peugeot, sedas de Damasco, productos farmacéuticos y champán, mucho champán, a sus diecinueve tripulantes y a los pasajeros los llevaron a Camelle y después a Corcubión, el capitán aguantó lo que pudo, como no tenía agua se hacía el café con champán, cuando vio que no era posible sacar al barco de la res-

tinga en la que estaba encallado se instaló en Camelle, el
Nil acabó desvalijado, en la aldea de Valdemiñán murió
el año pasado la bruja Estreliña de Rouca que hacía vomitar el demonio a los posesos matando a pinchazos un
gato negro, animal en el que suele esconderse el enemigo malo en forma de basilisco, en la laxe Chedeiro se
dio el vapor italiano Giulianova cargado de vajillas de
loza, murieron dos tripulantes y desapareció uno, vela-
ron los palos hasta no hace mucho, según el uso de Estreliña lo primero es crucificar al gato con clavos de hierro en un leño de olivo, entonces el endemoniado debe
decir en voz alta y con los ojos bien abiertos, espíritu
perverso, no nome de Xesucristo mándoche que te reti-
res de min e non me atormentes mais, al poseso se le
puede azotar con una vara en las piernas y en las espaldas para que arranque a hablar, mientras tanto la santa
reza el credo y hace la señal de la cruz todas las veces
que se precisen y va matando al gato con una aguja de
hacer calceta, el sacristán Cornecho es muy mentiroso
pero cuando cuenta mentiras tuerce la boca y eso avisa
a la gente, también sonríe como un lagarto, el poeta
gaucho Hilario Ascasubi tuvo mucha afición a las guerras civiles y cultivó la nostalgia, el portacontenedores
de la armada española Delfín del Mediterráneo naufragó
frente a las costas de Portugal azotado por la galerna,
sus catorce tripulantes abandonaron el barco en tres botes salvavidas, se ahogó un hombre y los otros fueron
rescatados a los dos días por los equipos de salvamento,
María Flora el ama de don Socorro hace las cochinadas
con el perro pero antes apaga la luz, en la restinga Fura-

toxos naufragó el vapor yugoslavo Rijeka con carga general, se salvó un tripulante con su perro y desaparecieron todos los otros, es raro ver delfines de color de rosa
con una franja esmeralda cruzándoles el lomo, el ama
del cura de Morquintiáns jura que vio tres saltando por
encima de las piedras de punta Robaleira, las gaviotas
los sobrevolaban con mucha curiosidad, el pesquero Vi-
kingo se hundió algo lejos, a la altura de cabo Vilán, se
salvaron sus trece tripulantes, también se salvaron los
catorce del pesquero inglés Osako, santo de lonxe é mais
milagreiro, esto no es verdad y es malsano creerlo, el
pesquero Gondiez I embarrancó en la Torre de Hércules, tres muertos y cuatro desaparecidos, los pinchazos
de la aguja de hacer calceta deben ser lentos para que se
note más la muerte, para que el gato negro note más la
muerte, santo do pé da porta non fai milagres, esto tampoco es verdad y es malsano repetirlo, tampoco se debe
apuntar al corazón porque no se ha de ser caritativo con
el enemigo cruel, en la olga Roibal se fue a pique el patache portugués Murtosa, se ahogó toda la tripulación,
nadie pudo desatarse las algas, cuando el gato muere se
le sacan los ojos, se mete el cadáver en un saco en compañía de una víbora, cinco escorpiones, un feto de soltera forastera, no importa que el padre sea del país, se
ata el saco con una cuerda de guitarra y se tira a la mar,
para las maniobras militares la escuadra se dividió en
dos bandos, el rojo, encargado de forzar la ría de Corcubión, y el azul, al que se le encomendó su defensa, el
Blas de Lezo era la nao capitana del bando rojo, el 11 de
junio de 1932 a las tres y media de la tarde, con la mar

llena y algo de niebla el Blas de Lezo tocó en la piedra que dicen Os Meixidos, entre el Centulo y el cantil de Fisterra, se conoce que quiso pasar por donde no cabía, esta piedra no figura en las cartas náuticas españolas, sí en las inglesas, la saben los pescadores, aquí naufragó el carguero francés Pierre Lavandoise, murieron cinco tripulantes, y hace ya algún tiempo se hundió el crucero Cardenal Cisneros, al Blas de Lezo se le abrió una vía de agua y escoró mucho, de La Coruña vino reventando calderas el remolcador Argos a prestarle ayuda pero no llegó a tiempo, primero pasaron los destructores Sánchez Barcáiztegui y Lepanto, después el crucero Méndez Núñez que rozó el fondo y después el Blas de Lezo que iba a buena marcha, embistió de proa y la piedra le desgarró el casco, toda la tripulación pudo ponerse a salvo, el Blas de Lezo fue a la deriva y medio hundido hasta la entrada de la ría de Muros, donde se vino a perder hace años el Cardenal Cisneros, parece como si los barcos eligieran sus tumbas unos al lado de los otros, mi tío Knut va camino de quedarse ciego, el ojo azul celeste lo tiene cada vez más blanco y el ojo verde está perdiendo brillo de día en día, en la ballenera de Caneliñas se oye algunas noches tocar el acordeón y recitar poesías de Poe siempre en gallego, no en inglés, nueve muertos y ocho desaparecidos tuvo el pesquero Os Tonechos naufragado al norte de la playa de Baldaio, al Blas de Lezo se le quiso varar en la playa de Fisterra pero rompió amarras y se fue todo al carajo, en este desgraciado accidente también se habló de fenómenos magnéticos que hacen loquear la brújula, el Blas de Lezo era el buque más veloz

de la armada española y fue el que convoyó al hidroa-
vión de Ramón Franco, el Plus Ultra, hasta la isla de
Fernando Noronha, el Blas de Lezo está hundido frente
a la ría de Muros entre los bajos Lugo y Pordela que no
registran las cartas náuticas españolas, sí las inglesas,
los saben los pescadores, la musa popular condenó al
Blas de Lezo, quien tuvo la culpa fue la capitana, sesenta
millones, mi vida, los que perdió España, al Serpent lo
hundió la galerna y se murieron todos menos tres, al
Blas de Lezo lo desbarató la inepcia, es un dolor, y se
salvaron todos gracias a Dios, algún añorante de los viejos usos quizá se duela de que no haya habido ningún
tiro en la sien de nadie, desde la playa de Gures el
sordomudo Cósmede Pedrouzos y sus dos bestias asis-
tieron atónitos a esta amarga representación de la historia, a Cósmede Pedrouzos ya no le asusta nada porque
está acostumbrado a perder, ¿de qué le valió a Feliberto
Urdilde llevarle el pulso a mi primo Vitiño si al final le
dieron con un caneco de ginebra y le partieron la cabeza
en dos?, doña Onofre Freire tuvo amores con un canónigo de Santiago que se llamaba don Sebastián Caramés
Trillo, este es un secreto muy bien guardado, casi nadie
lo sabe y nadie, absolutamente nadie, lo comenta, mi
parienta y don Sebastián se veían en Ponte Nafonso, en
casa de Purita Magariños, que había sido compañera de
colegio de doña Onofre, don Sebastián tenía un quiste
del tamaño de un pexego en el cogote, hasta le hacía
gracia, un día se vieron en el hotel Araguaney y tuvieron que salir corriendo porque a poco más los descubren, hay quien asegura que esto es mentira, por lo me-

nos nadie podría jurar que fuera cierto, dicen que los
dos entraron por la cochera, uno primero y otro después, él vestido de mujer y ella de hombre, pero que tuvieron que salir huyendo porque los miraban demasiado, las mujeres son muy valientes, parecen cobardes
pero son muy valientes, su valor puede rozar la temeri-
dad y a veces ni reparan siquiera en el peligro, hasta parece como si lo buscasen, doña Onofre, con su pinta de
beata a la antigua y su asomo de bigote vergonzosa y
misteriosamente lascivo, no midió nunca los terrenos
y libró del escándalo que suelen acarrear los trances lu-
juriosos porque Dios es grande y discreto, la gran barri-
cada de la honra es la discreción, es su más firme para-
peto, aún más que la oscuridad o el vendaval, dos
tripulantes murieron y otros dos desaparecieron al nau-
fragar el yate Choliñas que había salido de Sanxenxo,
doña Onofre es zurda y eso es algo que desorienta mucho a los hombres porque no las ven venir por donde
las esperan, doña Onofre jode (perdón por la palabra),
bueno, ama, más manso que doña Dosinda, más a estilo
familiar y doméstico, también es cierto que don Sebastián enguila (perdón por la palabra), bueno, penetra menos a la brava que mi primo Vitiño, sobre esto no se
puede generalizar ni obtener consecuencias porque
cada cual es cada cual y nadie aprende nunca de nadie,
a doña Dosinda, sobre todo en la luna llena, le gustan
las cochinadas y las fantasías y que le zurren por donde
no es, y a doña Onofre, en cambio, no, doña Onofre prefiere la incansable y libidinosa monotonía, según don
Eudaldo Vilarvello el rey José Bonaparte era buen

amigo del general Cabanellas y se vieron al comienzo
de la guerra civil del 36, lo más probable es que para
tratar asuntos de Estado, unos dicen que en la Sisarga Chica, donde las sirenas, y otros que en la Lobeira
Chica, donde las gaviotas, lo malo es que esto no se va a
poder aclarar jamás, los mozos cuyas almas se fueron
a arder al purgatorio porque se cagaron en la predicación
no pueden abandonar la Santa Compaña porque nadie
reza por ellos, les está bien empleado, los muertos con
un diente de oro son muy buscados por los merodeado-
res de las playas, los escandinavos y los ingleses, también los alemanes, los holandeses y la mitad de los franceses gastan dientes de oro de muy buena calidad, en
cambio las tripulaciones que navegan bajo bandera de
conveniencia suelen llevar la boca podrida, al poco
tiempo de enterrar a Annelie ya nadie hablaba de su
muerte, de Vincent nada volvió a saberse, nadie ignora
que los chepas son muy escurridizos porque tienen el
alma untada con baba de caracol, don Sadurniño Losada apuntaba sus sabidurías con tinta verde, el cabo de
Fisterra queda al S.E. del Centulo y rodeado de piedras
y peligros, este es un rincón poco estudiado, a la gente
le da miedo mirarlo, en la boca de la ría de Pontevedra
están las islas Ons y Onza y entre las dos y en marea
alta se deja ver un islote que también se llama el Centulo, ni yo ni nadie podría jurar que el cachalote cornudo que varó en la playa de Traba fuese el demonio, el
espíritu del demonio está siempre alerta y es desconfiado por instinto, don Ireneo Serafín, el cura de Portela
de Caldebarcos, pensaba con el corazón, no quiero dar

cabida en mi corazón a los malos pensamientos y me callo lo que pienso porque lo que no se dice muere dentro de nosotros, don Ireneo Serafín se metió a cura cuando enviudó, Serafín da burra branca ten un galo que lle canta, a muller que lle asubía, Serafín, ¿que máis querías?, de vuelta a Fisterra nos damos con la punta Puntela donde el demonio lava a los difuntos muertos en pecado mortal antes de llevárselos al infierno, aquí se hundió el patache Chafalleiro, murieron sus cinco tripulantes, velan los palos, que Dios me perdone pero para mí que a Dorothy le gustan las mujeres, a lo mejor no puede evitarlo, el demonio lava los ojos de los muertos pecadentos con aguarrás y la lengua con zotal y permanganato a partes iguales, las laxes del Almirante en las que se ahogó la moza Rosalía Silleiro cuando la dejó el novio, la cambió por una de Zamora que se le escapó al marido, la punta y el petón de los Oidos donde los peixes saltan a tierra a descansar y tomar el sol, el coído y el petón Xastosa que suenan como el ronquido de la gaita de Garabiel el de San Sebastián que pouco pode dar que aínda nin cirolas ten o de Santo Estevo de Malvares que é un santo tan putañeiro que lle foi facer un neno á Saleta de Aniveiro, la punta Regala repleta de torpes y gustosos santiaguiños, las piedras del Paxariño de Fóra con sus aguas medio calientes, el Turdeiro que está todavía por amaestrar, el traidor Socabo del que huyen los delfines porque da calambres como la luz eléctrica, a los parvos sólo puede librarles del reuma la caridad, por aquí por el nunca arrepentido Socabo pasa algunas noches la Santa Compaña de los marineros muertos en la mar, todos llevan muy mala cara, van tosiendo, tienen los ojos abiertos y no pestañean, la Parede que separa el limbo del purgatorio, la frontera llega hasta el río Bidasoa y aún más allá, hasta el río Garona, el Petonciño que acierta a criar las nécoras más hermosas y mejor dibujadas de toda la Cristiandad, la Centolleira donde dobla la costa y se distraen las robalizas saltando a la comba y haciendo volar el diábolo, el Porto das Moscas donde van ya para tres los poetas que se suicidan abriéndose las venas para que la mar les chupe la sangre, el rey don Amadeo de Saboya reencarnó en el gaiteiro Lambertiño Lestrove que estaba siempre de mal humor porque le escocía y hasta le dolía el carallo, Lambertiño arrastraba un cáncer de carallo que le causaba muchas iniquidades y contratiempos, Lambertiño era medio pariente del cura don Ireneo pero presumía de republicano y ateo, a lo mejor Dios mandó que don Amadeo reencarnase en él para escarmentarlo.

—¿Y bajarle los humos?

—Bueno, de una manera muy relativa.

Las ballenas son criaturas muy solidarias, les pasa lo que a las sabinas en el reino vegetal, lo que parece una ballena o una sabina es a veces no más que el fleco de una ballena o una sabina, un bosquecillo de sabinas a lo mejor es una sola sabina y un rebaño de ballenas a lo mejor es una sola ballena, esto no es fácil de entender, el misterio de la Santísima Trinidad tampoco, a la naturaleza le gusta disfrazarse para confundir y la divinidad le va marcando los pasos, María Flora el ama de don

Socorro, envuelta en su mantón de Manila, tampoco le queda fuera la cabeza, se pone a llorar por la desvergüenza de los pecadores, una de cada tres viudas es muy desvergonzada y se pasa las noches tomando café y fumando celtas, Manuel Blanco Romasanta el hombre lobo de Rebordechao en las montañas de Allariz era pariente de don Socorro, decía a las mozas que las llevaba a servir a Castilla en buenas casas y después las mataba a mordiscos, entre Paraisás y Pena Folenche, a un lado y al otro de Pobla de Trives, una joven muy ávida de carne fue maldita por su madre, ¡inda te volvas lobo pra que te fartes!, y se convirtió en lobo, le llamaban o lobo da xente.

—¿Y no la loba?

—No, porque nadie sabía que era mujer.

A la doncella la salvó un galán que guardaba un sequeiro de castañas, le quemó la piel de lobo y después se casó con ella, las mujeres no suelen convertirse en lobo, don Sadurniño Losada no sabía de ninguna más, pero todo esto tiene poca relación con lo que aquí se dice, un buen mantón de Manila vale mucho dinero.

—¿Usted piensa que Dios Nuestro Señor puede manejar los rorcuales como si fueran pixotas?

—Pues, sí, Dios Nuestro Señor puede hacer siempre lo que quiere, para eso es Dios Nuestro Señor, por encima no tiene a nadie.

El viento esculpió en la piedra de la punta Bufadoiro un pescador de caña pensativo, una mujer preñada resbaló, se fue a la mar y se ahogó en la punta Inquieiro donde desemboca el río del mismo nombre, a la anguila

los gallegos finos le llaman anguía pero en pesco se le
dice inquía, el río Inquieiro desemboca en la playa de
Cabanas, donde está la piedra del Vino, sobre ella se ve
una mancha de vino tinto que no se borra jamás, los
pescadores franceses le regalaron un barril de vino al
ermitaño de San Guillén, a lo mejor era don Gaiferos,
otros dicen que fue un noble húngaro que se portó con
crueldad en la guerra de Nápoles, o también don Guillermo de Aquitania o don Guillermo de Orange, nadie
lo sabe fijo, el demonio se brindó a ayudarles pero a mitad del camino empujó a traición al ermitaño y al barril
que cayeron rodando por la cuesta abajo, la mancha no
hay quien la quite porque por voluntad de Dios es el
símbolo de la eucaristía, hasta esta piedra iban en roga-
tiva los fisterráns a oír misa, a medio andar hay un can-
cho de piedra que figura una rana con la boca abierta,
dicen que esta rana se bebió toda el agua de la tierra, los
hombres y los animales al ver que se iban a morir de sed
le pidieron que la devolviese pero la rana sólo lo hizo
cuando vio pasar una anguila y le dio semejante risa
que no pudo contenerse, este fue el origen del Diluvio
Universal, en la carretera del Faro está el lavadero de
Cabanas, en Fisterra hay otros dos, el de Xuruxano y el
de Mixirica, al lado de la playa de Cabanas está la cueva
do Encanto que termina al oeste del promontorio,
mismo debajo de las gaviotas, y que fue en tiempos almacén y escondite de contrabandistas, Caín mató a su
hermano Abel porque no leyó el *Libro de los Proverbios* ni
supo medir el alcance de los pactos, sabe a hiel amarga
la farsa de las familias envenenándose con la efímera

espuma de las pompas y vanidades de las almonedas, el drama tiene un fin ignorado y un desenlace oculto, la tragedia en cambio tiene un fin conocido, se trata de saber cómo se alcanza, el animal es dramático, más el animal doméstico que el salvaje, y el hombre y el animal cimarrón son trágicos, en un dolmen en lo más alto del monte de San Guillén y excavada en la roca viva está la tumba de Orcavella, una bruja de más de trescientos años que mandó hacérsela cuando vio que le llegaba la hora de la muerte, esa campanada que ni se retrasa ni se anticipa jamás ni un solo instante, la bruja enterró un pastor vivo para descansar sobre su cuerpo, los otros pastores quisieron rescatarlo pero no pudieron porque cien lobos rabiosos y más de mil víboras enfurecidas les presentaron batalla.

—¿Por qué no quiere reconocer que esto va demasiado revuelto y sin equilibrio?

—Porque no es verdad, esto no va más que algo revuelto y yo creo que es mejor y más prudente ni decirlo siquiera.

Las Piedras Santas están en lo más alto del promontorio, son dos y de mucho peso y se pueden mover con un solo dedo, se usan para saber si una moza es virgen o no, a esto se le llama pasarla por la piedra, frase que también tiene otro significado diferente.

—¿Y confuso?

—Bueno, quizá un poco confuso.

El alma en pena del teniente de navío Jack Essex canta muy bien baladas sentimentales y otras canciones para enamorar viudas jóvenes o solteras viejas, las mu-

latas ofrecen menos resistencias y disculpas, Jack Essex
fue el oficial de derrota del Captain, el buque de guerra
inglés que naufragó en el Centulo, ya nadie se acuerda,
su melodiosa voz de ultratumba todavía se puede oír
con una radio de galena o una caracola lavada con alcohol de romero y untada de miel de avispa de Castromi-
ñán pasada pola fonte de San Xes de Paderne, patrón de
los sordos, el general portugués Paiva Couceiro, que vivía en España, quiso derribar la república y restaurar la
monarquía en su país y organizó la batalla de Chaves,
anunció a los cuatro vientos la invasión de Portugal y
avisó que atacaría por Chaves, frente a Verín, al otro
lado de la raya seca, mi abuelo y mi tío Amaro el Lemo-
sín que era sastre en Puebla de Sanabria, más allá de la
sierra del Marabón, mi abuelo y mi tío Amaro encarga-
ron unas empanadas de raxo y se fueron con unos amigos y unas cómicas a ver la batalla y pasar un día de
campo, llevaron un fonógrafo de Edison para bailar un
poco en los descansos, o tío Amaro era xastre pero des-
pois foi ladrón, non hubo xastre no mundo que non rou-
base un calzón, cuando Fideliño o Porcallán se pegó un
tiro en la boca todos los pájaros marinos se callaron de
repente y con mucho respeto para no ofender al Espíritu
Santo con complicidades ni calumnias, tú no tienes por
qué saber ni recordar con qué furia mata el invierno a
los pobres de espíritu, a los pescadores miopes y a los
marineros negros, todos escupen sangre, nadie debe revolcarse en su propia desgracia, deleitarse sumisamente
con su propia desgracia, los artículos de la fe son catorce, los siete primeros pertenecen a la divinidad y los

otros siete a la santa humanidad, los hombres se llevan
como pueden y toman unas tazas juntos o se tunden a
palos, según, eso se ve en las romerías, el anarquista Lu-
cheni se convirtió en caracol de cementerio después de
apuñalar a la emperatriz Sisí, nadie quiso reconocerle el
derecho al olvido y hasta sus más fieles compañeros le
retiraron el saludo, entonces él pensó que había llegado
el momento de recapitular las frustraciones y se convirtió en caracol de cementerio, en el túnel de Corme según se va a las cruces de piedra de los percebeiros, también hay muy buenos caracoles gordos y blancos, los
hombres se llevan como pueden, los de Fisterra y los de
Cee siempre se llevaron mal, los de Fisterra son marineros y los de Cee señoritos, los de Corcubión son neutra-
les, no quieren meterse en pleitos con nadie, Cee y Corcubión están hoy unidas por La Seca, una marisma que
acabó urbanizándose con muy moderno estilo, entre la
punta Inquieiro y la cala de Cabanas, adonde bajaban
las mujeres de los pescadores a hacerles una caldeirada
caliente cuando volvían de la mar, están la piedra Sau-
rade y el petón Cercado en el que se escucha el espíritu
de un fraile redentorista que toca la zanfoña con las
cuerdas del aire, también la fonte Xuncal con el agua
que quita el cansancio y el ardor de estómago y dicen que
también la tristeza, el lastre de la soledad es la inteligencia, también la independencia y la soberbia, yo sé
lo que quiero decir y lo que quiero callar, cuando notas
que la gente no te mira a la cara duerme con la escopeta
a mano, el traidor es fácil de espantar, mi primo Vitiño
forró la cabaña de punta Calboa de troncos de pino por

el exterior y de barro con una mano de cal por el interior,
ahora no hay miedo de que se la lleve el viento ni de que
la hunda la lluvia, allí se está caliente porque no hay ren-
dijas y porque la lareira está casi siempre encendida, mi
primo puso un baño de cinc que hay que llenar y vaciar a
brazo pero eso importa poco, lo que no tiene es retrete, en
la cabaña nos reunimos una vez a pasar la tarde doña
Dosinda, Antucha la Garela, Carmelina de Claudia, Vitiño, Moncho Bergondo y yo, nos reuníamos todos los
años por carnaval, primero las mujeres nos bañaron a
los hombres con jabón de olor y muertas de risa, después
comimos lo que nos habían preparado, pulpo con patatas,
zorza con huevos fritos, lacón y filloas, y bebimos lo que
quisieron darnos que fue bastante, primero vino y después augardente, y a continuación nos revolcamos un
poco para estar más ágiles y divertidos, cada cual con la
pareja que le tocó porque no era hora de promiscuidades
carnales sino de adiestramientos espirituales, y por último escuchamos lo que doña Dosinda quiso decirnos,
los hombres en calzoncillos y boina y las mujeres desnu-
das, no eran ningunas niñas pero estaban todavía buenas
y aparentes con sus tetas gordas y duras y su melena
suelta, la basura que se hizo, los restos de comida y las in-
mundicias del cuerpo fueron a la lareira que lo devoró
todo, esto que ahora se dice y lo que vino luego duró bastante porque nadie nos metía prisa, doña Dosinda nos
avisó que iba a pronunciar una pieza a la que llamaba el
sermón de las tres palabras y después habló lo que sigue,
    —Primera palabra, la soledad. Estoy harta de tanta
travesía del desierto, llevo ya muchos años atravesando

el desierto en soledad y me avergüenza tener que pregonarlo, quisiera compartir con alguien los mismos temores pero todo el mundo me vuelve la espalda como si fuera una apestada, quiero salir del desierto porque tampoco merece la pena la soledad, declaro que estaría dispuesta a darle a mi hombre o a mis dos hombres o a mis tres hombres el desayuno a la boca, en la cama y a la boca, hasta que se murieran de viejos.

En la playa de Corveiro, debajo de la iglesia de Santa María de las Arenas, se encuentran los enamorados muy a gusto, doña Dosinda siguió con su parlamento,

—Segunda palabra, la servidumbre. Ya sé que la mujer es sierva del hombre como debe ser porque Dios así lo manda, por ahí digo lo contrario pero no me cree nadie, un hombre con el carajo tieso es tan hermoso como un águila volando o un caballo trotando, la mujer debe tener tres hombres a quienes servir, el marido, el amante y el suplente, la mujer debe entregar su alma a Dios cuando no tiene un hombre al que servir, el purgatorio está lleno de almas de mujeres que no quisieron servir a nadie ni para nada.

El temporal hundió al pesquero Baitín frente a la ría de Muros, la mar se llevó a cuatro marineros, doña Dosinda terminó su discurso,

—Tercera palabra, la voluntad. Cada cual debe poner su voluntad al servicio de su propio interés aunque parezca caprichoso, y la mujer todavía más que el hombre, por ejemplo Moncho se tira unos pedos descomunales y Antucha le ríe la gracia pero es porque le conviene, a ella no la empuja nadie y su voluntad es complacer a

Moncho, cada vez tiras mejor los pedos, Moncho, cada día que pasa te vas perfeccionando, eres un verdadero campeón, Moncho, da gusto oírte.

El Cristo de Fisterra apareció en la playa de Cabanas donde lo dejó la mar con mucha mansedumbre y cuando puede y se lo piden con devoción ayuda a los marineros en su pelea contra las olas y otros peligros, Santo Cristo de Fisterra, santo da barba dourada, axúdame a remontar a laxe de Touriñana, su barba dorada es ahora negra, se conoce que el tiempo la ennegreció, el tiempo y los disgustos ennegrecen todo lo que tocan, el Cristo metió en cintura a los moros cuando se le sublevaron y lo quisieron ofender, los piratas berberiscos en una descubierta que hicieron por aquí en la segunda mitad del siglo XVII, se mofaron de él, uno quiso derribarlo de un golpe de cimitarra pero el Cristo lo miró fijo, lo dejó inmóvil como una estatua y le puso una amariconada y humillante voz de flauta, los moriscos se arrepintieron de su actitud y el Cristo los dejó marchar, dice la tradición que se convirtieron al cristianismo y se bautizaron en la villa de Cee, desde entonces a los fisterráns les llaman mouros por el contorno, os de Noia son borrachos, os de Muros aloqueiros, os de Fisterra son mouros e os de O Son son bucheiros, el Cristo de Fisterra tiene fama de peleón, no se sabe si justa o injusta, y de andar a tiros cuando se tercia, ten o Cristo de Fisterra unha pistola de ouro, e xa pode ser de ouro tendo en conta que ós de Muros os mata no monte Louro, doña Onofre puede que cometa sus pecados como todo el mundo, sus pecados de la carne, para eso hizo Dios la

carne pecadora y el dolor de corazón y el propósito de
la enmienda, etc., Dios inventó el pecado y el perdón
del pecado, el demonio no es más que un siervo de Dios
que puede quedar paralítico de repente, hasta para pe-
car hay que saber guardar las distancias y mantener las
formas, doña Onofre no tiene nada que ver con doña
Dosinda, con Antucha la Garela, con Carmelina de
Claudia ni con nadie, el hecho de que se hayan podido
acostar con el mismo hombre sabiéndolo o sin saberlo
no es razón bastante porque ni la fidelidad es obliga-
toria cuando aprieta la necesidad ni el carácter ni los modales se contagian como las enfermedades y las ladillas,
la buena educación tampoco tiene parentesco con la lujuria, ni a favor ni en contra, no es eso lo que se quiere
decir, el rijo une las voluntades, pregona las inclinaciones y desnuda los temperamentos pero no iguala los
principios, el palangrero Velasco II naufragó debido al
mal estado de la mar y desaparecieron sus once tripulantes, las empanadas, como las tortillas y las croquetas,
se pueden hacer de todo y están siempre buenas si se
acierta con el punto debido, en la pedra dos Bofetóns y
el Xan de Palleiros, que quedan al pie del monte de San
Guillén y antes de llegar a la peña dos Corvos y a la
playa Corveiro según se viene costeando desde alta mar
hasta el puerto de Fisterra, se pueden pescar unos pulpos hermosos y sabrosos, su cocina encierra muy misteriosa sabiduría y dicen que gana apartándolo algo de la
costa, tienen fama las pulpeiras de Melide que instalan
sus grandes bidones de lata a lo largo de la carretera, los
gallegos llamamos polbo al pulpo cuando está vivo, al

carguero rumano Topolovani lo hundió un golpe de mar
frente a La Coruña, murieron la mitad de sus veintiocho
tripulantes, esto fue el día de Navidad de hace diez
años, cuando Xan de Labaña o Fumacento le pidió a vo-
ces a Fideliño o Porcallán que lo enterrara en sagrado se
estremecieron todos los gusanos de la muerte que con-
taban una por una las horas de la desgracia y el dolor, es
lástima que no haya relojes de galernas como hay relojes de arena y relojes de sol, serían de muy complicado
funcionamiento pero de muy curioso mecanismo y el
rumbo de los rorcuales señalaría las dos temperaturas,
la del aire y la del agua, la intensidad del viento, la pre-
sión atmosférica y la danza de los tres últimos esbirros
de la muerte desbocada o que se va a desbocar, las mujeres creen que la vida y la felicidad o la desgracia sólo
las gobierna el hombre con sus resortes y luchan por
destruir la careta de la conformidad, el antifaz de la
paciencia, en la punta Bardullas, a la mano ya el puerto
de Fisterra, se ahogó fray Ceferino de Tanantíns, un
obispo de la Amazonia que andaba vestido de blanco,
se llegó a mirar para la mar y a rezar un avemaría y se lo
llevó el viento volando como si fuera un fraile bretón,
lo recogieron ya cadáver los marineros de la trainera Bo-
liche que volvían de faenar, el petrolero noruego Polyco-
mander se dio contra la punta del Cabalo, en la isla del
Norte o de Monte Agudo en el archipiélago de las Cíes
y vertió al mar más de cincuenta mil toneladas de
crudo, la marea negra mató los pájaros y los peces y el
marisco y las algas del contorno y sembró la soledad y
la muerte, en el castillo fisterrán de San Carlos vivió

preso durante más de trescientos años el moro Salem
ben Tarhit a quien algunos llamaban Solimanciño, su esqueleto duerme el sueño eterno en una mazmorra sin
ventilación y su fantasma todavía se presenta a veces, es
inofensivo y de bondadoso temperamento y hace recados a los veraneantes, no se trata de contar la historia del
moro porque probablemente todo lo que de él se dice
es mentira, El Porto es una pequeña cala al norte del
castillo de San Carlos entre la punta Bardullas y la
de Cala Figuera, el pesco es el pescador y el pescadero,
el redero, el salazonero y el carpintero de ribera, el hombre que pesca o vive de la pesca, y también la lengua
que habla la gente de mar de Fisterra y de Muxía, no
creo que llegue a dialecto, el pesquero La Xana se dio
contra los bajos de Moador, a la entrada de Muxía, murieron cuatro tripulantes, uno desapareció y tres se salvaron porque un golpe de mar los puso en tierra, un
golpe seco y partido en dos como las calabazas que
adornan el depósito de cadáveres, donde las autopsias,
los marineros van a veces por el aire y son empujados
por las olas y el viento hacia adentro o hacia afuera, según, hacia la vida o hacia la muerte, hacia oriente con
sus alacranes o hacia occidente con sus cachalotes y sus
siete culebras de mar, en la playa de Cala Figuera apareció una vez el cuerpo incorrupto de una sirena jovencita
y bellísima que dicen que se llamaba Mafalda, tenía los
labios y los ojos pintados y sonreía con un encanto especial, el patrón Camilo de Androve la puso sobre el chi-
nero de su comedor y allí la tuvo hasta que empezó a
apolillarse, el patrón quemó el cadáver en la lareira por-

que no sabía si enterrarlo o devolverlo a la mar, en el
aire y convertida en humo la sirena quedaba más cerca
de Nuestro Señor el Apóstol Santiago, entre la punta
Bardullas y la playa de Langosteira o Lagosteira se
asienta el caserío de Fisterra que queda al sur de la
punta Porcallón, la playa de la Riveira cabe dentro del
caserío y las del Cabalo y del Raposo aparecen debajo
del cantil de la Cruz de Baixar, en Fisterra se come bien
y barato en todas partes, Manuel el del restorán Cabo
Finisterre sirve con tanto esmero como fundamento,
ahora abrieron un figón nuevo, Tira do Cordel, en el que
manejan la parrilla de mano maestra, este trozo de costa
es accidentado y confuso y en él queda la punta Conserva y la olga del Porcallón, a medio monte se ve la aldea de Insua en la ladera del monte y mirando a levante
y a poniente, con casas muy antiguas, sus leiras de
maíz, sus campos de coles y patatas, sus vacas marelas
y sus ovejas recias y lanudas, si no fuese por los lagartos
de esmeralda y oro, se diría que estamos en Nueva Ze-
landa, la ensenada de Langosteira va desde Fisterra
hasta punta Sardiñeiro, la playa tiene más de una milla
de extensión y llega hasta la punta Canto de Area, es
limpia salvo el arranque en el arrecife de As Pardas que
descubre en la bajamar, en la playa de Langosteira
desemboca el río Blanquiño, que viene de las aldeas de
San Martín y de Duio, esta no es la capital de los nerios
a la que se llevó el viento y la sepultó en la mar, esta es
otra, poco más allá sale a la mar el río Grande, que viene
de Escaselas y de los dos Hermedesuxos, también recoge las aguas de Mallo y de Vigo, algunos llaman Lla-

gosteira a este paraje en recuerdo de los catalanes que instalaron las primeras conserveras, el P. Sarmiento dice que ya en los instrumentos antiguos se llama *mare locustarum* a la espaciosa concha de mar que va a rendir su curva en Corcubión, al inmenso arenal correspondiente llaman aún hoy el arenal de Langosteiras o Lagosteiras con ene o sin ene y en singular o en plural que eso va en gustos, en el verano de 1943 cayó en la punta de San Roque un avión norteamericano que había combatido con otro alemán sobre la peninsulilla de Fisterra, murió uno de los aviadores y lo enterraron unas mozas valientes y decididas, unas hermanas que se enfrentaban con la vida a cuerpo limpio, a cuerpo descubierto, que es como hay que plantarle cara a las circunstancias y a lo que los siete dioses, uno por cada serpiente marina, se sirven mandarnos sin preguntar a nadie, en Fisterra es costumbre llamar la Chacarita al camposanto, ese nombre se lo trajeron los fisterráns que volvían de Buenos Aires, la mujer fisterrá es de mucho temperamento y presencia de ánimo, es ágil y valiente y tiene serenidad, tiene aplomo, a la fuerza ahorcan, a la mujer fisterrá hay que darle de comer aparte, a los aviadores supervivientes los albergaron en su casa, uno de ellos empezó a tragarse los papeles de la documentación y Palmira, la mayor de las hermanas, le dijo que podía quemarlos en la lareira, el vicecónsul de los EE. UU. en Vigo, Mr. Cowles, le escribió una carta dándole las gracias, la lista de los naufragios no se acaba nunca, esto es el cuento de nunca acabar, es como las fases de la luna y el flujo y reflujo de las mareas, las cartas náuticas oficiales marca-

ban a veintinueve metros la aguja contra la que tropezó
el petrolero Urquiola, estaba a once y se fueron al agua
las cien mil toneladas de crudo que transportaba, la marea negra tuvo amarrada tres meses a la flota pesquera,
el carguero italiano Marina di Acqua se hundió al norte
de La Coruña, desaparecieron sus treinta tripulantes,
otro mercante italiano, el Tita Campanella, naufragó también a la vista de La Coruña, desaparecieron los veinticuatro hombres que llevaba a bordo, hay tiempos en los
que la mar sacude con mayor desconsideración y rabia,
el pesquero coruñés Aldebarán desapareció con cuarenta
hombres y el mercante con bandera de Singapur Anna
Leonard se fue a pique al norte de la Estaca de Bares lle-
vándose consigo a sus quince tripulantes, las hermanas
de las que se viene hablando son cuatro, fueron cuatro y
ya fallecieron, Palmira era la mayor, después viene María, que escribía versos y guisaba una cocina de mucha
responsabilidad, cuando me dieron el Nobel hizo un cocido memorable del que guardo un hueso de recuerdo,
el alimenticio olor le duró al hueso varios años, seis o
siete años, Celia fue la primera mujer de España que
tuvo carné de conducir camiones y ómnibus, se lo dieron el 19 de abril de 1932, su padre reconstruyó un ca-
mión que habían abandonado como chatarra después
de un accidente y con él convertido en ómnibus de viajeros empezaron a trabajar sus hijas, en el 36, al empezar
la guerra civil, los militares se lo requisaron y Celia y
María, para no perderlo de vista y cuidarlo mejor, se
ofrecieron voluntarias para conducirlo hasta el frente de
Oviedo, dos viajes a la semana, a cambio disponían

de él los demás días, al acabar la guerra volvieron con el
ómnibus con neumáticos nuevos, ni María ni Celia usa-
ron nunca pantalones, cuando un loco lleva encerrado
un siglo en el manicomio ya no sabe por qué las monjas
le escupen y los loqueros lo atan a la cama, al principio
creía que era para reírse de él e irlo amaestrando poco a
poco pero a los diez o doce años se da cuenta de que no,
de que esto no es así aunque lo parezca, los mirlos silban con muy poética desmesura y no duermen en los
árboles del manicomio, los tilos del manicomio, los sau-
ces del manicomio, las araucarias del manicomio más
que cuando quieren, nadie les obliga a dormir aquí o
allá, con los ruiseñores y los petirrojos pasa lo mismo,
sólo duermen encerrados los canarios, los reclamos de
perdiz y algunos jilgueros, los pájaros de la mar tampoco aguantan la cárcel, la cuarta hermana fue Julita
que era de mi misma quinta, el día de San Xoán de 1987
y para homenajear a unos parientes de cierto cumplido
Julita nos preparó una sardiñada memorable, a sardiña
por San Xoán unta o pan, ¿y pide vino?, también, Diego
Bernal el de la Agencia Efe, Cristovo Herbosa el de las
apuestas mutuas, Evaristo Artigas el de la funeraria y
mi primo Vitiño se comieron treinta cada uno más bien
grandes, sardinas del amanecer, yo no pude, cuando iba
por la dieciocho se me descompuso el vientre y tuve
que vomitar, se conoce que ya me rondaba la diverticu-
litis, me puse bien enseguida, empezamos a la una del
sol y terminamos de noche, yo no tanto, claro, pero los
demás lo pasaron muy bien y estuvieron toda la tarde
cantando, comiendo, bebiendo y tirándose unos pedos

restallantes y solemnes, mis primos ingleses andaban
medio asustados pero al final entraron en razón, el peón
caminero Liduvino Villadavil el ciego de los romances
no se tiró jamás tamaños pedos, la playa Langosteira
termina en la punta Canto de Area, detrás tiene Julita
un chalé que se llama Xeitosiña, aquí pasé algún tiempo
buscándole la clave al país, ahora pusieron una placa de
cerámica que dice, en esta casa de Finisterre en la playa
de Langosteira, veraneó el escritor D. Camilo J. Cela
desde el año 1984 hasta 1989, a mí me parece que fue hasta el año 1988, quizá esté equivocado, desde la playa
hasta la carretera sube la corredoira de Don Camilo que
nace en el mirador que me dedicaron y que lleva de
adorno una cabeza mía en piedra obra de Miguel Ángel
Calleja, este es el escultor al que el ayuntamiento de Madrid suele encargar el arreglo de los desperfectos causa-
dos por los gamberros, la mano de un rey godo, la cola
del caballo de un general, la corona de la Cibeles o de
Neptuno, etc., Calleja tiene mucha habilidad y acierta
siempre con su cometido, antes trabajaba al aire libre, en
lo que ahora es el Barrio Blanco entre Arturo Soria y la
M-30, pero la ciudad crece y el arte al aire libre se bate
en retirada, este mirador lleva una frase mía, Finis Te-
rrae es la última sonrisa del caos del hombre asomán-
dose al infinito, que está muy bien, me ayudó a hacerla
mi prima Irene que es una poetisa muy comprometida,
y una inscripción en la que se lee, o luns, oito de xuño
de mil novecentos oitenta e oito, día de San Salustiano,
sendo alcalde de Fisterra D. Ernesto Insua Olveira, foi
inaugurado este monumento a Camilo José Cela, pri-

meiro galego laureado co Premio Novel *(sic)* en lembranza das suas longas estadías na fin da terra, por esta umbría pinada de la corredoira y los montes de más allá de la carretera viven los esquíos y también los visones nietos de los escapados de las granjas, los paisanos los persiguen sin darles respiro porque les devoran las cosechas, son muy prolíficos y voraces, la historia de doña Onofre la Zurda, de mote le llaman la Zurda, siempre en castellano, porque es completamente zurda, más zurda que nadie, su vida no resultó ni entretenida ni emocionante, fue monótona aunque llevadera, la gracia de tener amores con un canónigo se enquista enseguida y ser zurdo tampoco tiene más mérito que ser bizco o tartamudo, doña Onofre se aburrió siempre mucho, leer al P. Coloma no reconforta lo bastante, y el adulterio no distrae más que al principio, el mercante Diana María llevaba dos mil toneladas de chatarra del Reino Unido a Ferrol y embarrancó en la bahía de La Coruña, toda la tripulación pudo ser salvada, doña Onofre se encontró en el hall del hotel Atlántico con alguien del Diana María, se conocieron entonces pero las cosas rodaron deprisa y se pasaron toda la tarde en la cama, no conviene distraerse ni dejar pasar nunca la ocasión porque en cada pecho puede arder una enamorada box-spark, no es posible que estos amores a bote pronto estén previstos en el *Libro de los Designios*, doña Onofre se lo preguntó un día a don Sebastián pero éste sonrió y guardó silencio, tú no te metas en honduras y toma las cosas como son o como vienen, que es lo mismo, si doña Onofre hubiera tenido estudios quizá habría destacado, el pes-

quero Cabo Noval se hundió en la ría de Muros, sin víctimas, no se puede ser fanfarrón, Manueliño de Xesusa
presumía de que su hija era muy decente, á miña Xonxa
non hai quen a tombe, cuando Xonxa apareció preñada
Manueliño de Xesusa decía, á miña Xonxa non a tumbou o noivo, que a tumbou a gana, no se puede ser
nunca presumido, el pesquero Segundo Costa se hunde
en los bajos de Lobeira frente a Corcubión, los amarres y
los cabos de los helicópteros no siempre funcionan, además de los dos marineros del Rey Álvarez II también se
mató por causa parecida un tripulante del yate alemán
Baltic Mile naufragado al oeste de La Coruña, se cayó a
la mar cuando iba ya por el aire, en la punta Canto de
Area se puede uno bañar con cierta soledad porque las
piedras lo defienden, cuando la mar bate más vale ni
arrimarse pero cuando la mar se amansa da gusto darse
un chapuzón en cueros, en la punta y la furna Pombeira
se crían unos cangrejos reverenciosos, en la playa de Talón no me acompañó la suerte porque me la encontré
llena de condones, desaparecen los hermanos Juan y
Amado Gómez cuando pescaban en punta Sardiñeiro
que queda cerca, poco más allá de punta Gaboteira y
del rego de la Muiña, se salvaron los otros dos tripulantes de la embarcación, tanto Julita como su hermana
María eran consumadas cocineras, Julita va más por el
pescado, además de las sardinas asadas borda el robalo
encebollado, el rodaballo al horno, el bacalao con pimientos y la pescada, claro, lo que no guisa es la lamprea, por aquí no hay lampreas y a los fisterráns tampoco les gusta demasiado, la lamprea es un manjar de

dioses pero tiene mala prensa porque come muertos, María va más por la carne, su cocido es digno de un paladín, con su falda de ternera, su tocino, su cachucha, a mi tía Gerarda siempre le oí decir cacheira, su jamón, su hueso de caña, sus chorizos, sus garbanzos, sus madas de grelos y sus patatas, a María también se le da bien el lacón con grelos y chorizos, los callos a la gallega con garbanzos, un poco de harina de maíz, una mano de ternera, chorizo, cebolla, ajo, pimentón, unos cominos y unto de cerdo, un kilo de callos da para cuatro o cinco comensales, y la zorza con huevos fritos y el doble de pimentón dulce que de pimentón picante, se pueden acompañar de patatas cocidas o fritas en otra sartén, no se deben tomar más de cinco porque pueden ser un poco indigestos, antes, cuando había que llevar a alguien al monte para que se muriera de viejo, ¡señorías pobres e bestas vellas, ao monte con elas!, ahora ya no se estilan estas costumbres, se le daban tres huevos fritos con zorza para que se consolase, a miña muller é vella, de vella non pode andar, heina de levar ao monte e heina de deixar quedar, entonces el fantasma del cura Fungairiño se paró en seco y habló con una voz muy opaca.

—Llevo mucho tiempo oyendo lo contrario, estoy harto, para mí que la gente ya no sabe lo que discurrir. ¿No cree usted que esto va demasiado ordenado?

—No, a mí me parece que esto no va más que algo ordenado.

—¿Como la vida misma?

—Sí, pero esto procuro no decirlo para evitar desgracias y desplantes, la vida es muy vengativa y rencorosa.

En Fisterra, lo que se dice ahí mismo, se hunde el pesquero Virxe de Pastoriza tras chocar contra unos maderos que iban a la deriva, se salvan sus cuatro tripulantes, Respiciño repartía telegramas en bicicleta y gastaba muy buen ojo para medir los muertos y acertar con el tamaño del ataúd a la primera, Respiciño hipnotizaba a las mujeres y las rendía sin que se le resistiese ni una, también hipnotizaba gallinas que no volvían a poner huevos nunca más, se conoce que los efluvios les desbarataban las madres, Viruquiña pagó con la vida el hipnotismo, Celso Manselle era un hombre que nunca supo lo que era el comedimiento, el juez lo mandó a presidio pero estuvo al borde de condenarlo a morir en garrote, no le faltó nada, hubo una vez un condenado a muerte que pidió natillas con nueces para postre de su última cena, no sólo no le hizo caso nadie sino que se rieron de él, entonces pidió leche frita, se comió cuatro raciones que le pagó el señor juez, se conoce que quería tranquilizar la conciencia, a la mar se pueden echar restos de comida porque sirven de alimento a los peces y a las nécoras, lo que no se puede tirar es hule ni plástico ni papel de plata porque matan la vida o la dejan moribunda, que es peor, el pesquero Teté zozobra frente a Muxía y desaparecen dos hombres, padre e hijo, la ensenada de Sardiñeiro es cuadrada y tiene mucho equilibrio, es muy regular, el abra mide una milla por cada uno de sus cuatro lados, y va desde la punta de Sardiñeiro, a poniente, hasta la de Mosgenta, a levante, o hasta la laxe do Corno o la pedra Cabalo según como se quiera mirar, estas dos costas son altas y escarpadas y se dibujan casi paralelas, la del fondo, con el caserío y las playas de Sardiñeiro y de Estordi, está partida por las puntas Arnela y Restelos, aquí en la ensenada de Sardiñeiro es donde ensayó su submarino el guardia municipal retirado, guardia municipal de Corcubión, Casto Verdines, alias Chocolateiro, el submarino se hundía bien pero un día no volvió a la superficie y murieron asfixiados sus dos tripulantes, Casto y su ayudante Alfonsito, cuando pudieron poner a flote el artilugio encontraron los cadáveres abrazados, nadie ha visto jamás una casa con las vigas de boj, la madera de boj se suele usar para otros menesteres más acostumbrados y además la naturaleza no admite caprichos, la naturaleza es muy poco errabunda y maniática, muy monótona en su conducta, no es raro que un hombre peque con una cabra o una mujer con un perro, incluso puede ser costumbre, y un hombre con una gallina o una mujer con un carnero embestidor y emocionante, pero sí lo es que un hombre o una mujer tengan trato carnal con un mero o una anguila porque son escurridizos, están muy fríos y mueren cuando se les saca del agua, los gatos no se dejan y los animales salvajes no cuentan, poco atrás de la ensenada de Sardiñeiro quedó la furna da Vella que es como un corral de robalizas, da gusto verlas brincar, aquí fue donde se quitó la vida la señorita Trinidad Besada la del notario, se tomó un tubo entero de pastillas para dormir y se dejó llevar por la resaca, antes se desnudó, dobló su ropa con esmero y le puso una piedra encima para que no volase, lo único que no se quitó fue el sostén, su cadáver fue a aparecer a los dos días en el costado de Furadiño, antes de llegar a la fábrica Sedeira, costó trabajo despegarle una nécora que le estaba comiendo los ojos, casi todas las piedras de esta mar llevan ahí muchos años, miles de años, criando arolas y cornechos, zamburiñas y croques, pero el ruido de la mar es el mismo, a veces suena como la gaita de Anxo Canido, que no sabe tocar la gaita, o como la armónica de Chinto Sevil, eu teño un canciño e vostede cinco, ó mais pequeniño chámanlle Xacinto, que tampoco sabe tocar la armónica, la mar suena por encima de los silbidos de Floro Cedeira y por debajo de las adivinaciones de Telmo Tembura el cojo del petón do Demo, el que no llora no mama y tú, Cam, tampoco acabarás levantando una casa con las vigas de boj, a ti te faltan merecimientos y sabes que no saldrás jamás de pobre, lo sabes muy bien sabido pese a que la pobreza puede arruinar la virtud, en la boleira de Pomariños se ahogó un seminarista que iba de excursión, dicen que se descolgó del grupo para meneársela, se conoce que le apretó el rijo de repente, eso es la tentación del demonio, a veces pasa, resbaló, se golpeó la cabeza contra una piedra, se fue al agua y se ahogó, la gente muere cuando le llega la hora y no precisa ni de las armas blancas ni de las de fuego, ni siquiera de los microbios, aquí ni se avisa ni se engaña a nadie, en estas aguas de la ensenada de Langosteira, que es el mejor fondeadero después del de Corcubión para los vientos del noroeste al nordeste, se calan las artes de jábega, para evitar averías se pusieron unas marcas señalando las enfilaciones prohibidas, esta jábega es la red, no el barco, al oeste de la punta Porcallón hay una pirámide de piedra de cinco metros de altura pintada de blanco y en la fachada del este de la fábrica Vitro hay una J de la misma altura pintada de negro, en punta Sardiñeiro, o sea al otro lado, hay una pirámide de piedra de seis metros pintada de blanco y otra de cuatro metros algo al sur, estas señales suelen ser respetadas, a Tobiño Méndez le pegaron una puñalada por ser cojo, se cruzó con Xácome das Mortes que era muy farfallán, tenía antecedentes penales, Xácome se le quedó mirando y le dijo, aparta, aparta, que delante de mí no cojea ni Dios, y entonces le pegó una puñalada en el vacío y lo mandó al hospital, nadie se lo esperaba, Tobiño tardó algo en sanar pero quedó bien, la gente de Sardiñeiro es muy abierta y da conversación al forastero, en Sardiñeiro se puede comer marisco variado y echar un baile por el verano a la caída de la tarde, las mozas de Sardiñeiro tienen fama de guapas y bien plantadas, el amor no se puede medir ni pesar pero la belleza sí, aquí en este caserío murió un poeta inglés muy famoso que se llamaba Oliver Lovell y que había sido marino en la guerra del 14, Oliver tocaba la gaita y a veces se subía a una piedra de punta Arnela o punta Restelos, según le diese por caminar, y recitaba versos de Richard Brathwaite, yo vi a un puritano que ahorcó a su gato un lunes por haber matado una rata el domingo, en el coído de Carballeira pacen algunas cabras color café, cornalonas, barbudas y con cara de pocos amigos, el cabro del hatajo tiene un aire solemne y amenazador, se ve que está muy en su papel y que lo representa a gusto, el frontón de punta do Corno cierra la calita de Abeleira donde fue a rendir

viaje el patache portugués Cristinhade, sin muertos, antes se dio en la laxe do Corno que le abrió una vía de
agua, la furna de Redonda, la boleira dos Muiños y la
Anguieira, no son cómodas de navegar, el cabo Nasa
despide restinga hacia el sur y desde aquí hasta el cabo
Cee, frente a la isla de Carrumeiro Chico, no debe uno
arrimarse cuando sopla viento sur porque la mar rompe
con violencia, un periodista de *El Ideal Gallego* escribió
que en la furna das Grallas, no as Carallas como puso
por error, entre punta Pía y punta Piñeiro acamparon
unos naturistas alemanes y que el joven corcubionense
Manuel Rubén, alias Manueliño de Moncha, y unos
amigos les quemaron la ropa, entonces la guardia civil
los detuvo por andar en cueros y al día siguiente se
marcharon sin rechistar, tampoco les quedaba otra, el
cónsul se hizo cargo de ellos, esto es mentira porque por
aquí no anduvieron nunca los desnudistas alemanes,
hace cosa de un par de años hubo unos holandeses pero
la verdad es que marearon poco, son rescatados ilesos
los quince tripulantes del pesquero guipuzcoano Eze-
quiel naufragado en la Estaca de Bares, en el extremo
norte del reino de Galicia, enfrente ya sólo queda Ingla-
terra, Tina Coribio vivió varios años en Ceuta y volvió a
la península con una fortunita, cuando le preguntaban
cómo había hecho el dinero ella cambiaba la conversación porque no tenía por qué dar explicaciones a nadie,
la gente es indiscreta y de poca confianza, habla más de
la cuenta y es aficionada a mentir y a levantar falsos testimonios, Tina Coribio había sido muy guapa y todavía
conservaba cierta aparatosa hermosura, hay mujeres

que aguantan los años con mucha dignidad, otras se de-
rrumban enseguida y entonces engordan y se vuelven
murmuradoras y caritativas, Tina Coribio es despre-
ciada por alguien, tampoco por muchos, pero lo sabe,
eso es preferible a verse rebozado en el almíbar de la
adulación, el adulador se alimenta de carroña y es como
la hiena o como el gusano de los apestados, y el adulado
es igual que el marido cabrón, que puede consentir y
eso acarrea infamia, contra el mal no se puede luchar
con la prudencia y el reverso de la belleza es la miseria,
no es lo mismo fumar mataquintos de macillo que cha-
rutos de Vuelta Abajo, cada cual debe conformarse con
lo que tiene porque el tiempo pasa para todos y todavía
no se inventó el barómetro que avise de las dichas y las
infelicidades, el mercante de matrícula alicantina Benita-
chell con su cargamento de dátiles se hundió frente a la
punta del Diñeiro, algunos le llaman punta do Salto, al
oeste queda el pequeño entrante de Porto Mariña, no
se salvó nadie, soplaba la ruin surada y se ahogó toda
la tripulación, el coído da Vaca llega hasta la punta da
Vaca, frente a la piedra Baleira, el enemigo es siempre
el desconocido y no se debe saludar a nadie con quien se
puede acabar a palos o a navajazos, el cabo Cee cierra
por el oeste la ría de Corcubión, es duro y escarpado y
despide restinga hasta la laxe de Fóra, la punta Sama-
ruxa le queda un poco a poniente, aquí se hundió el vapor de bandera francesa Salingres con su cargamento de
briquetas, se ahogaron sus cinco tripulantes y la mulata
del patrón que tenía trece años, desde la costa se les vio
zarandeados por la mar pero no se les pudo socorrer,

cuando el agua de la mar toma sabor a meo de caballo y
color de azafrán es señal de que el demonio anda repartiendo miseria entre los hijos de los marineros, antes
que el mal fuese visto nació Cristo, muera el mal y viva
Cristo, la bocana de la ría de Corcubión tiene nueve cables de ancho y cierra al este en punta Galera, donde encalló hace unos días el mercante de bandera chipriota
Frihav que iba al muelle de Brens, en Cee, a cargar ferro-
manganeso, sus tripulantes, todos de nacionalidad po-
laca, fueron rescatados con vida pero el barco no pudo
ser reflotado pese a los esfuerzos del remolcador Ría de
Vigo, por aquí se estrellaron muchos barcos y de sus
naufragios ya se dio cumplida noticia, de otros se habló
menos, eso pasa siempre, la bricbarca italiana Margarita
que iba de Cardiff a Trieste cargada de carbón, venía ca-
peando mura babor el temporal cuando se le abrió una
vía de agua, la piedra es más dura que el hierro y gana
siempre, el barco se fue a dar contra el arrecife de As
Pardas en la ensenada de Langosteira pero los fisterráns
estuvieron diligentes y pudieron salvar a todos los tripulantes, uno de ellos quedó en esta tierra hasta su
muerte y fundó el linaje de los Mouchos que tienen
muy justa fama como fogueteiros y jugadores de dominó, también son buenos cazadores de conejos, el mercante inglés John Tenat se quedó sin timón y su capitán
lo varó en el coído de Cabanas, el Cristo de Fisterra apareció en la playa de Cabanas, sus fondos quedaron muy
lastimados y al barco no se le pudo reflotar, el mercante
también inglés Makaria buscó refugio en Langosteira a
las pocas horas del lance del Ildefonso Fierro porque se le

movió la carga y quedó con una escora peligrosa, doña
Dosinda tiene mucho discernimiento y lleva ya lo menos dos años tratando de explicarle a mi primo Vitiño
que no se debe proponer jamás al demonio que le cambie lo que tiene por lo que quisiera tener porque se
puede quedar uno sin nada, el demonio es muy astuto y
difícil de engañar y a veces la ambición no es más que
un fantasma vestido con el sudario de los sueños frus-
trados, cuando el consignatario del John Tenat vio que
no se podía salvar el casco probó a guardar la carga del
rateo lo que no consiguió del todo porque el demonio,
siempre el demonio, por aquí el que más anda es Lucifer, es ducho en las artes sigilosas, la artera paciencia
tiene más reciedumbre que la descarada fuerza, el que la
sigue la mata, esto lo sabe todo el mundo, pero el que
resiste gana porque la perfección es la meta de la constancia y la suerte del valeroso es aprender a tiempo que
el amor no crece en las almas temerosas, a Respiciño le
hubiera gustado ser masón pero no sabía dónde había
que apuntarse, después, cuando vino lo de la guerra
civil, no volvió a hablar de este asunto, la prudencia
nunca sobra, Salustiano el del gas le sacaba mucho partido a las dimensiones de su carallo que él atribuía al
alimento, el más adecuado a estos propósitos quizá sea
el atún al horno con jamón y chorizo, no hay nada mejor
ni que lo haga más engaioleiro, las mujeres pierden el
norte y a algunas hasta les late el pulso con mayor descaro y les sube la fiebre, doña Onofre tuvo más suerte
que Viruquiña, don Celso Camilo leía a Galdós y a
Valle-Inclán pero no se distinguió nunca por los destellos,

a la virgen Locaia a Balagota ya no le da asco nada, la costumbre la fue domando poco a poco y ahora es muy resignada y consentidora, el barco Charles Lewis de bandera de Singapur ardió frente a punta Pombeira, el fuego empezó en la sala de máquinas y no pudieron apagarlo, la mar estaba muy dura y murió ahogada toda la tripulación al tirarse por la borda para no acabar achicharrada, el Charles Lewis iba a Southampton cargado de delicadas joyas filipinas cada una envuelta en su saquito de medriñaque, la mercancía se fue al fondo de la mar, seguramente ardieron antes todas las perlas, las perlas negras gustan mucho a las damas elegantes, San Xoán tiene costumbres muy de este mundo, San Xoán e a Madalena foron ós limóns, debaixo do limoeiro perderon os calzóns, Xoán de Outel cría el cinamomo para sanar la rabia y tiene amores con Madalena Domínguez la del ferreiro Saturio, Xoán de Outel también escuchó la voz del espíritu en pena del cura Fungairiño, cada vez más ronca y lastimera.

—Le pido a usted por todas las ánimas del purgatorio que me jure que esto no va demasiado ordenado, no tema que le vaya a hacer daño alguno y dígame la verdad, recuerde que la defensa del pellejo desvía al hombre del camino del triunfo, se lo pido por todas las ánimas del purgatorio juntas y sin dejar ni una fuera, ¿puede usted jurarme que aquí sobra el orden?

—No, yo creo que no.

—¿Me admite usted que me está respondiendo en conciencia, esa herramienta que puede fabricar cobardes y tramposos?

—A lo primero, no, yo jamás respondo en conciencia; a lo segundo, tampoco, los cobardes no salen de la conciencia sino de la tierra.

—¿Como la herba dos amores y la herba dourada?

—Sí, eso es una necedad que sabe todo el mundo.

—También sale de la tierra la herba urxabán que remedia o mal do aire, ¿esto lo sabía usted?

—¡Claro!

En la playa de Talón, donde los condones, naufragó el mercante de bandera liberiana Demetrius, se ahogaron dos tripulantes y todos los demás huyeron dicen que en el portacontenedores inglés Barnaby que zarpó al día siguiente de Corcubión, a don Celso Camilo le hubiera gustado escribir *La dama de las camelias,* eso no es de maricones, lo parece a una primera vista pero no es de maricones, a mí lo que me importa es adiestrar el espíritu, no es mía la culpa de tenerlo poco cultivado, yo no tuve ni salud ni condescendencia para cultivarlo como hubiera sido mi deseo, mi esposa tiene más propensión a estos menesteres que yo, frente a la desembocadura del río Blanquiño encalló el patache camariñán Barileza, se saltó todas las señales, venía navegando de bolina y barloventeando pero se le fue la mano al patrón y cuando quiso enmendar el rumbo ya era tarde, se mató un tripulante pero libraron todos los demás, el Sunrise embarrancó en el bajo Duio, los fisterráns salvaron uno a uno a todos los náufragos que estaban tan asustados que ni siquiera quisieron aguardiente, el Sunrise se hundió con mucha violencia, el carguero francés Lionne naufragó en el Centulo como el inglés Rousseul, los dos sin muertos, al Bitten en cambio se le mataron diez hombres, se dio contra el cabo Fisterra, antes tropezó con la laxe Paxariño de Fóra, en el bajo Bimbio más allá de la olga Porcallón encalló el carbonero alemán Forstect, la mar estaba apacible pero la niebla era muy cerrada y el buque que venía a toda máquina se dio tal golpe que viró en redondo y se le abrió una vía de agua, se salvó la tripulación pero se perdió el casco que duró muy poco a flote, en la cala Boca do Sapo, entre punta Subiante y punta do Seixo ya en la ría de Corcubión, se ahogaron mientras se bañaban la sabia Margarida a Roiba y el carabinero Bastián Severiñón que tenía una bicicleta de piñón fijo, Margarida a Roiba aconsejaba a las mujeres preñadas que no comieran conejo ni liebre para evitar que el niño naciera fachado, esta costa es más alta que la de enfrente y las dos corren paralelas, hacia la mitad queda la punta del Cardenal con el misterioso y ruinoso castillo habitado por el fantasma del capitán pirata Andresiño Bocanegra, que enseñaba seis dedos en cada mano y las orejas con mucha carne y en forma de alcachofa, a quien mató el cardenal Luciano Donociello, un sardo que se hizo muy famoso porque veía a través de los cuerpos opacos, ese puchero está lleno de peluconas, detrás de ese muro hay tres espingardas moras, esa caja guarda un cepo lobero y un saquito con cubiertos de oro, el cardenal mató al pirata con un cuchillo cabritero al que envenenó con aguarrás untado con bosta de vaca tísica, esta es una historia muy confusa de la que nadie quiere hablar, el cardenal descubría tesoros sin más que estudiar la huella de su propia meada sobre la tierra, la sabia y el carabinero se estaban bañando desnudos y se conoce que Dios quiso escarmentarlos y los castigó por indecentes y desaprensivos, algunos hasta le cambian el nombre a los personajes del drama del castillo para evitar maldiciones y venganzas, el recado de las ánimas tiene sus servidumbres a las que no conviene despreciar ni hacer de menos, lo oí muchas veces pero jamás me pareció que fuese cierto, lo malo, Cam, lo oí lo menos cien veces, es morir lejos de donde se nace, recuérdalo siempre, es digno arder al mismo tiempo que las vigas de la propia casa, nadie tuvo nunca una casa con las vigas de madera de boj, tú pudiste tenerla pero te faltaron arrestos, a ti se te fue la fuerza en dejarte querer por las mujeres y en recitar a Poe en gallego, contra la punta del Cardenal embarrancó el mercante de bandera inglesa Hedwig con cargamento de maquinaria, dicen que también llevaba tabaco y whisky de contrabando, drogas no, que había transbordado en alta mar de la gabarra Margot Perth, se ahogó toda la tripulación del Hedwig y dos pasajeros portugueses, padre e hijo, que venían de Liverpool e iban a Leixoes, entre las puntas S. y N. de Quenxe queda la playa del mismo nombre con sus edificios de industrias marítimas y su antiguo depósito de carbón, aquí en la playa de Quenxe nos reuníamos todos los años los de correos a comer una sardiñada de confraternidad, nuestro jefe se llamaba don Cándido, en el coído del Castillo y en el Ollo de Cuiro brincan los esquíos y en la punta do Cabalo hacen gimnasia las nécoras y se agazapa el pulpo, mi amiga Pepita Lestón, Pepita del Secretario, q.e.p.d., fue una mujer gorda y

generosa, de fino espíritu y correctas maneras que a veces me invitaba a unas zamburiñas en su bar del cám-
ping Las Hortensias que está al lado del cementerio y
con una terraza muy bonita y espaciosa sobre la mar, a
Corcubión le llaman la villa de las hortensias, el chiringuito de Macías de Lourenza en el que trabajaba mi hijo
Paulo se fue al garete a raíz del matrimonio de su patrón y amigo con Lucila, la nieta de don Eudaldo, sobre
el rodal de piedras Sartaña que queda más o menos enfrente y a cable y medio de la costa no es prudente que
pasen los barcos grandecitos porque pueden tocar
fondo, Corcubión se levanta al pie del monte Estordi cuyas estribaciones llegan hasta la punta de la Cárcel, a
poco trecho de donde doblan la mar y la carretera empieza el municipio de Cee con su alquiler de helicópteros y a la otra mano el hostal Galicia, el dueño me dejaba hablar por teléfono y no me cobraba el café, podía
tomar dos o los que quisiera, Corcubión es grande y rico
y tiene todos los adelantos, notario, registrador de la
propiedad, juzgado de primera instancia e instrucción,
administración de correos y telégrafos, comandancia de
marina, etc., en Cee hay industria y comercio, en la
playa de Brens se deja ver a veces una inmensa serpiente marina de color verde esmeralda que se llama
Leopoldina, tiene lo menos once o doce varas de largo y
es gorda como un niño bien comido, la serpiente no
molesta a nadie y tampoco nadie la hostiga, dicen que
duerme en la desembocadura del río Ameixenda algo al
sur de punta Pion donde se cría una raza de cangrejos
ciegos, ni siquiera tienen ojos, que enseñan la cáscara

blanda y son muy ricos al paladar, en punta Pion se hundió el bergantín Fornelos y se ahogaron sus seis tripulantes, velan los palos, la moza Miliña Valcarce tiene los ojos más hondos y bellos del mundo, son de color violeta, las tetas más turgentes y veladamente misteriosas y las piernas mejor puestas y torneadas de todo el occidente europeo, esto no lo sabe casi nadie porque apenas sale de Fadibón, hay días en los que a la gente se oye decir Fadibán, por encima de Berroxe, Miliña es lavandera y planchadora y también sabe de corte y confección y de abrir ostras y cocer nécoras y centollas, ahora en Nueva York triunfan las negras con cuello de jirafa, Miliña hubiera cabido mejor en Baden-Baden con sus sombrillas, sus pamelas y sus rododendros, entre Berroxe y Raso la guardia civil descubrió un prostíbulo en el que tenían secuestradas a tres mulatas dominicanas a las que habían quemado el pasaporte para que no pudieran escapar, las chuleaba un peruano muy sonriente que se llamaba Nestor, él no decía Néstor, las trataba a latigazos y no les daba de comer más que pescado crudo y patatas, ni pan de maíz siquiera, a veces algo de fruta, en Ameixenda se dan bien las vocaciones sacerdotales y los jugadores de dominó, también tienen justa fama las gaviotas que son muy corpulentas y bravas y el viento, tódolos santos teñen a porta pro o mar, Santiaguiño de Ameixenda tena para o vendaval, a finales de los años 40 el castillo de Ameixenda era de la Asociación de la Prensa de Madrid, los huérfanos de periodistas del Colegio de San Isidoro venían a veranear al castillo, hacían gimnasia y daban clases de religión y de

espíritu nacional, el director era un canónigo de Madrid
que un día organizó una excursión a la isla Lobeira que
queda a cerca de tres millas de distancia y se llevó a la
mitad de los chicos en una barcaza de difícil manejo, in-
tentó volver a tierra para recoger al resto de los muchachos pero se levantó viento del nordeste y la corriente se
la empezó a llevar mar afuera, hubo que ir a buscar un
barco a Corcubión y cuando los encontraron estaban ya
muy lejos y sin fuerzas ni para remar, uno de los excursionistas era Carlos Luis Álvarez, Cándido, fue suerte
que no se echara la noche encima porque cuando sopla
el nordeste esta mar se pone incómoda para los remeros, James E. Allen ya no juega al rugby ni al tenis, el
calendario puede ser muy fingidor pero no perdona a
nadie y menos a quienes no llegan ni a subcampeones,
doña Onofre era zurda pero jamás dio un escándalo, su
marido se fue para el otro mundo sin que nadie le lla-
mara cornudo, lo del canónigo don Sebastián no llegó
a trascender, Purita Magariños era la imagen misma de
la discreción, doña Onofre probaba suerte en el tiro al
blanco, tres perdigones un real, apoyando la carabina
en el hombro izquierdo, al pimpampum tiraba también
con la mano izquierda, tenía muy buena puntería y
cuando le atinaba de lleno a un muñeco soltaba una car-
cajada, doña Onofre era muy alegre, las marionetas del
guiñol le gustaban mucho, pierrot, arlequín, polichi-
nela, si un hombre obedece a lo mandado y abandona
las artes prohibidas es señal de que está dispuesto a morirse en cualquier momento porque ya nada le importa
nada, esto de abolir la pena de muerte está bien pero no

para los infieles, a Juanito Jorick lo caparon por una
apuesta, es vergonzoso pero también da risa, Juanito Jorick pasó una pleuresía vírica en el hospital, a lo mejor
fue una peritonitis pero a mí no me lo quisieron decir,
en los hospitales son muy suyos y misteriosos, no está
permitido capar a nadie y menos por una apuesta, el có-
digo penal no lo autoriza, el tenor italiano Guido Valtelini terminó el aria del primer acto de *Nabucco* en el
fondo de la mar, a todos nos pareció una actitud muy
digna y decorosa, en el Testón del Castillo vive un búho
real que no sale más que de noche y silba con mucha solemnidad, muy serena y gravemente, en los Aguillones
de Sagrelo se hundió el mercante portugués Castro Labo-
reiro que vino rebotado del Ferranchín, murieron cinco
de sus seis tripulantes, el que salvó fue a aparecer medio muerto pero también medio vivo en la piedra Caga-
dora al sur de punta Galera y el Petón de Trigo mismo
en la boca de la ensenada de Caneliñas, donde la ballenera, a estas trochas es más fácil arribar nadando que
andando, los arponeros dieron su flor hace tres cuartos
de siglo, después todo empezó a rodar por la cuesta
abajo del sentimiento, la corriente del Gulf Stream marcha a una velocidad de tres nudos y llega a las cien millas en su mayor anchura, siempre a contracorriente nadan miles y miles de ballenas, esto parece exagerado
pero no lo es, Caneliñas no fue nunca un peligro para su
extinción, el sordomudo Cósmede se vino de la aldea
de Cospindo cuando finaron sus padres, anduvo día y
noche, parecía que le habían dado cuerda, y no paró en
todo el camino, eso de estar acostumbrado a perder da

mucha fuerza, en la playa de Gures vive con su lobo y
su oso, en el alpendre tiene siempre el fuego encendido
y se está bien, un día se le presentó un naceiro moribundo, casi ni hablaba, ¿podo morrer neste curruncho?,
Cósmede no oyó pero entendió y le dijo que sí con la cabeza, el lobo y el oso lo olieron y lo lamieron, no le mor-
dieron, la miseria y la caridad luchan con las mismas armas en todo el mundo y no suelen usar los dientes para
agredir mordiendo, estos desafíos no cuentan entre
quienes marchan por la vida con el motor desvencijado,
recuérdese que hay gente asustadiza que pide al cielo lo
que tiene a su alcance, las siete últimas traíñas se hundieron en siete traiciones de la mar, en siete maldiciones
del demonio, en siete cansancios, los negros huelen espeso y dulce como el mazapán y a las negras se les mul-
tiplica el aroma por el verano, las traíñas se suelen llamar como las mujeres, Rita carrapita, carapau, sardiña
frita, naufragó en punta Robaleira, se ahogaron sus diecisiete tripulantes y sus dos traineras de ayuda no pudieron socorrerlos, a la mar de leva no le siguió el viento
pero tampoco fue necesario, en las mareas de difuntos
cambian los usos de la mar y los rorcuales navegan más
sumergidos, el barrunto de la galerna se anticipa uno o
dos días pero no es obligado que reviente, la mar sorda
retumba al estrellarse el viento S.W. contra los arrecifes,
los marineros prueban a ahuyentarla tocando el acordeón porque la miseria busca complicidades muy misteriosas, los chinos huelen a pescado crudo, Neniña Vi-
centa se hundió en La Carraca, al N.W. del Centulo, se
ahogaron tres marineros y desaparecieron otros tres,

cada cual recala donde puede, en Fisterra y en el cabo
Vilán, mejor en el cabo Vilán, se meten los buques que
vienen del norte de Europa, de los canales de San Jorge
y de la Mancha, y van a las rías, los indochinos y los fili-
pinos huelen a caballo viejo, a Miña Maruxa no se sabe
lo que le pasó porque la barrió la mar en el Turdeiro, al
rapaz Lourenciño Reira, que vivía de rascar percebes en
el Roncudo, le picó una gallina en las partes y desde
entonces anda por ahí cacareando y poniendo huevos,
nadie se lo cree pero él lo jura por lo más sagrado, peor
sería que se sintiese lobishome y hubiera que matarlo con
postas loberas, si la escopeta no estuviese endemoniada
y acertase a disparar, también es malo convertirse en
carnero y andar llamando a todas las puertas a cornadas
o en lagarto que reza el credo llevando el compás con el
rabo, frente al cabo Fisterra apareció un yate francés a la
deriva, su único tripulante era un niño de meses que estaba aterido de frío, a sus padres se los llevó la mar, la
fama barre a la soledad pero también la alimenta, Lourenciño Reira no dejará de cacarear y de poner huevos
hasta que le saquen el demonio del cuerpo, es norma
general que se aproveche la marea vaciante que es
cuando la sicigia ayuda a conseguir barlovento, los indios huelen a canela y a gallina, Hilaria II, esta fue a morir más lejos, sus restos fueron a darse en Porto de Baixo
en la Lobeira Grande, a media milla de punta Deseada
está el casco del mercante inglés Clovelly que en pleamar
queda bajo el agua, los pieles rojas huelen a mineral,
Gloria Pita tropezó en el cabezo de la cala Boca de Sapo,
sus tripulantes pudieron salvar la vida, Dominguiño o

Xurelo quedó cojo pero quedó vivo, más vale una rata
viva que un león muerto, el alma de la vida, ese tuétano
misterioso que es capaz de sonreír y llorar, hace volar al
tiempo de los relojes más alto que las águilas, los blancos olemos a muerto, el pesquero Nuevo Marqués de Pola
naufragó más allá de La Coruña, murió un marinero y
desaparecieron tres, la ermita de San Andrés de Teixido
se ve desde la parte sur de las islas Gabeiras, esto no
quiere decir que los hombres no podamos mudarnos en
animales, lagartos, murciélagos, sapos o lo que sea, Lau-
riña y Margarida naufragó en punta Xoramelo al pie del
monte de Caldebarcos, en esto de los olores hay mucha
variedad, los sabores no siempre coinciden con los olores ni con los colores, al color de la piel lo confunde el
olor a misericordia y el sabor de la saliva, a la mañana
siguiente el afilador estaba muerto, el cheiro le viró a
podre muy deprisa, Cósmede se quedó con las siete mil
pesetas que el difunto llevaba encima, nunca había visto
tanto dinero junto, y también con la rueda y la piedra de
amolar, los cuartos se los tuvo que gastar muy despacio
para no levantar sospechas, la ropa la quemó y el cadáver lo dejó en la orilla para que se lo comieran los cangrejos y las gaviotas y acabara arrastrándolo la resaca,
todo esto da mucho frío, es como ver agonizar a un niño
que se muere de hambre, y Cósmede se arrimó al fuego
para coger calor, del muerto no volvió a saberse, Dios
dispone que los ángeles se aparten a toda prisa de las
singladuras de los muertos, los ángeles de la guarda huyen confundiéndose con la misma vida del guardado
porque se asustan, no esperan ni un solo minuto para

irse, lo más probable es que la mar haya roto a este muerto contra los petones de cualquiera de las dos islas Lobeiras, la cuenta de los vivos y los muertos jamás se lleva como Dios manda, el cabezo de A Caralleira, frente al bajo de A Carballosa, cubre y descubre, sobre la piedra Raposo sigue embarrancado el vapor griego María L., la traíña es embarcación que ya no navega más que en el recuerdo, las últimas siete traíñas se hundieron en siete descuidos de la Virgen del Carmen, en punta Malva se esconde un loro que se quedó sin dueño, Cósmede quiso ayudarle a vivir pero el loro no se dejó, se conoce que tiene miedo, Cósmede volverá a intentarlo cuando arrecie el frío, hasta punta Malva también se acerca la raposa que merodea por los gallineros de las aldeas, en el Covadoiro y en toda la ensenada de Ézaro y sus playas se crían unos robalos gimnásticos y de delicado sabor, Cósmede los pesca cuando puede, y los asa sobre una lata a la que rocía con agua de mar medio evaporada para que se le refuerce la sal, en cada uno de los dos palos del trincado Chirlateiro, el que heredó la peeira dos lobos Susiña Taboadela de su tío Colás Fernández, vigila un desgarbado avechucho de color azul ceniciento con el pico amarillo y un penacho verde y blanco en la cresta que es poco frecuente por esta mar, Ceferino Erbosa el de la fábrica de muebles de cocina, que es muy sabio en aves marineras y misteriosas, ignora cómo se llama, puede que sea un petaiño que es un pájaro que casi ha desaparecido, viene a ser como una especie de esmerejón algo más ruin, a veces se le ve en la piedra que dicen el Meixón de Penou-

xel frente a la Atalaia de Malpica, el petaiño quizá no
sea un animal de carne y hueso sino una figuración, un
espejismo, nadie puede jurar que los animales críen fantasmas, unos dicen que sí y otros que no, los fantasmas
salen del alma y cuando un alma se hiela su fantasma
huye volando despavorido, los sacerdotes suelen decir
que los animales no tienen alma, a lo mejor están equivocados, Claudina Xeda, la santa de Ancoradoiro, dice
que tienen alma no sólo los animales sino también los
árboles y las plantas y algunas piedras, sobre todo si están cristalizadas, el bidueiro espanta la desgracia, los recién casados plantan un bidueiro a la puerta de su casa
para protegerse contra las adversidades, el palo de las
escobas de las brujas es de bidueiro, sería más noble y
lujoso si fuera de boj pero es de bidueiro, Claudina tiene
un primo cura, don Xiao o Merengueiro, que dice que
en su última batalla contra el demonio que le quiere robar el alma el hombre se ve siempre acorralado por un
batallón de penas y dolores del cuerpo y del espíritu, los
cinco últimos minutos del derrotado pueden ser muy
alborotadores, muy confusos, el casco de los trincados es
de tingladillo, las tablas se ensamblan como las lajas de
pizarra de los tejados, ahora ya casi no quedan estas
embarcaciones, ahora es un barco que no navega más
que por la memoria, los náufragos del mercante chipriota Miriam al que se le abrió una vía de agua frente a
La Coruña son salvados por diversos efectivos de la marina, la reventazón de las olas avisa de los petones y los
bajos de arena y previene la maniobra para no quedar
aconchado y a merced de la marea, el engaño no debe

dar cabida a la duda, los sabios dicen que es preferible ser totalmente engañado que sólo confundido a medias porque la cobardía nace en la conciencia y se esconde como una lagartija debajo del corazón, en la playita de Sartaxens hace gimnasia sueca cada mañana una alemana gorda que no habla con nadie, vive en Porto do Pindo y haga el tiempo que haga ella practica sus ejercicios respiratorios y después se esconde hasta el día siguiente, dicen que se alimenta de cerveza, nécoras y castañas asadas, en la arena de Sartaxens apareció una mañana el cadáver de Marcos Samil Carril, el patrón del barco de pesca Gran Solero naufragado en el cabo Touriñán, navegó muchas millas muerto sin que lo viera nadie, en los bajos Tarracidos, en la restinga de las islas Gabeiras, encalló el mercante portugués Portamieiro que iba a Liverpool cargado de nueces y naranjas, también llevaba tres pasajeros belgas y seis perritos malteses cada uno en su jaula y con su documento, se procedió con orden y se salvó todo, el pasaje, la tripulación, los animalitos y la mercancía, el barco pudo ser reflotado y siguió la navegación, lo desencalló el remolcador Hércules IV que vino de Ferrol, en Mesones do Reino un hombre volvió a su casa de madrugada y se la encontró abierta, calentándose en la lareira había un lobo, el hombre hizo la señal de la cruz, le tiró un cuchillo y le hizo un chirlo en la cara, al lobishome no se le suele acertar y menos herir pero a veces pasa, es mejor que lo hiera un desconocido pero esto no es una regla general, entonces al lobo, al notar la sangre rodándole por la mejilla, se le cayó la piel peluda y casi negra y se echó a llo-

rar, el lobo era un hijo maldito por su padre que andaba
penando por la fraga, Mesones do Reino queda muy lejos de Porto do Pindo pero esto no importa porque para
el demonio no hay distancias, en la desembocadura del
río Xallas, en la banda del Covadoiro, pesca algunas
noches el ánima del torrero Simeón Siguelos, Atutaleiro,
que murió hace cosa de un par de años de una borrachera de anís, como la pesca no se la puede llevar consigo la devuelve otra vez a la mar, ¿para qué la quiere?,
en el purgatorio está prohibido meter alimentos, al
torrero Siguelos le debe quedar ya poca pena que cumplir
porque con frecuencia se desengancha de la Santa Compaña y camina solo, una vez Siguelos se encontró un
mendigo que le dijo, la dicha no se puede contemplar
con ojos ajenos, procura mirar con avaricia tanto la vida
como la muerte y así te será más llevadero el sufri-
miento, al torrero Siguelos le llamaban Atutaleiro porque cuando se emborrachaba con anís la mitad seco y la
mitad dulce mugía como un cabestro, el torrero Siguelos era tuerto, su cuñado Moisés le había saltado un ojo
de un cintarazo, le dio con la hebilla y se lo reventó, el
torrero Siguelos no le guardaba rencor porque la mesura alumbra más que una antorcha y él se las arreglaba
perfectamente con el ojo que le quedaba, el torrero Simeón había sido muy vicioso, de vivo se la meneaba todas las noches casi siempre dos veces, los mirlos no se
acercan demasiado a la mar, no suelen pasar de los pe-
núltimos árboles, los mirlos tienen un silbar muy armonioso pero no les gusta que los distraigan, en esto son
como monjes cistercienses o como los camelios en una

corredoira en sombra, Atutaleiro decía siempre que la felicidad es un privilegio que no se puede comprar ni vender como si fuera un cartucho de higos secos.

—¿Usted sabe si la esperanza es medicina tan amarga como el acíbar?

—Tanto o más, según como se mire, pero a veces puede ser aún más amarga la resignación, ese remedio de la desgracia del pobre.

Al torrero Siguelos le gustaban las rosquillas y el anís, es verdad, pero también los freixós de cabaza con aguardiente de yerbas o las filloas con ginebra de barril, Judas Iscariote se ahorcó del árbol del amor que da muy bellas y tupidas flores, la traición se paga cara y quien vende al amigo acaba ardiendo en el infierno para siempre y sin que nada ni nadie lo pueda redimir porque las misas resbalan sobre el alma de los ruines traidores, la alemana de la gimnasia sueca duerme algunas noches con Cósmede y le prepara una sopa de remolacha con minchas, a veces le guisa un conejo con castañas, él pone el conejo y ella trae todo lo demás, las castañas, el coñac, el ajo, la cebolla y el azafrán en rama, Cósmede y la alemana se encuentran y duermen juntos pero no se hablan, Cósmede es sordomudo y además no tienen nada que decirse, los gallegos nos vimos obligados a echar dos veces a los moros de nuestro territorio, tienen usos muy diferentes y costumbres supersticiosas, primero nos ayudó Nuestro Señor el Apóstol Santiago Matamoros que cabalgaba un caballo tordo y después Carlomagno y los Doce Pares de Francia, el rey de los moros era el Almirante Balán, en algunos libros de historia se dice dónde la mourindá enterró sus haberes, hay quien jura que los moros siguen viviendo debajo de la tierra que abren y cierran diciendo unas palabras mágicas, Respiciño, el hipnotizador de mujeres, regaló a doña Onofre una copia del Ciprianillo escrita mojando la pluma en sangre de paloma mensajera, doña Onofre guarda el manuscrito envuelto en papel de plata para que no se le vaya la fuerza, el original está en la catedral de Santiago atado con cadenas para que nadie pueda leerlo, Respiciño es muy respetuoso y sabe guardar las distancias, en el petón dos Turcos se hundió el patache pontevedrés Jeremías, llevaba todo el velamen arriado pero no pudo echar el ancla ni hacerse afuera, lo arrastró el viento y murieron sus cinco tripulantes, la mar devolvió los cadáveres a la mañana siguiente, Salustiano el del gas decía que perder un barco era lo más fácil que hay, eso es como tirarse un pedo, en la piedra O Carallete que cubre y descubre naufragó otro patache, el arousán Cedeira, murió el patrón pero pudo salvarse la marinería, Cósmede piensa que el fondo de la mar está lleno de aves ciegas pero de vistosos colores que sólo asoman a la superficie en las noches de luna llena, los sordomudos viven de la imaginación y dan mucho gusto a las alemanas, el oso y el lobo duermen fuera de la choza cuando se queda la alemana, Galicia fue siempre muy rica en oro y metales preciosos, los escritores de la Antigüedad hablan de los aluviones y minas de Galicia que fue el Eldorado de los romanos, en el Mons Sacer había tanto oro que las ovejas lo descubrían con sus pezuñas, la reja del arado lo levantaba del suelo

pero sólo estaba permitido aprovechar el que sacaba el
rayo de la tierra con la fuerza de su chispa, los irlandeses también venían a buscar oro, los moros escondieron
sus haberes antes de irse, muchos de esos tesoros están
encantados y son muy difíciles de desencantar, en el
Libro Magno de San Cipriano se da la lista de los tesoros,
salen ciento cuarenta y seis, el primero en la encrucillada de Lobios y el último en la bajada de Valiña, también se explica todo lo que hay que hacer para desen-
cantarlos, la sabia de Albán, en el municipio de Rairiz
de Veiga, en la Limia, dice que no se podrá dar con el tesoro de Castro Morgadán hasta que se acierte a desencantar una mora tuerta y coja que allí vive, tiene lo menos quinientos años y habla de Almanzor con mucha
confianza, Filomena la sabia de Torbeo dice que lo primero es desencantar la culebra que lo protege, hay que
llevar un cura que sepa los perfumes mágicos de cada
día de la semana y eche los exorcismos con buena voz y
mucho fundamento y después hay que sachar hasta encontrar la sierpe, cuando se da con ella se intenta be-
sarla en la cabeza y si se consigue desaparecerá el encanto, durante la guerra civil Filomena profetizó que
habían de ganarla los rojos y las autoridades militares
no se atrevieron a fusilarla para no provocar a los espíritus de los moros guardianes pero le prohibieron el ejer-
cicio de su industria, en la punta Barra de Brens se hundió la lancha Inés de Toxosoutos, al marinero Cosme
Fernández se le clavó un tolete en el vacío y no se pudo
soltar, los demás libraron vivos, Señor San Cosme do
Monte feito de pau de amieiro, irmán das miñas taman-

cas, tírame deste aloqueiro, el arte de la magia se puede
dar en hombres o en mujeres porque esto no va en sexos
sino en lástimas y condescendencias, gana el que queda
encima, o sea el que manda en la cama, el mago debe tener deseos de triunfar incluso con descaro y no ha de
pactar con las potencias malhechoras, antes la muerte,
también debe gobernar con energía y sin mayores es-
crúpulos y debe tener siempre dispuesta la docena de
ferramentas, contra el Aguillón de Sagrelos, el menor
de los dos, que cubre y descubre, tropezó el patache catoi-
rán Rey Melchor que llevaba mulos para el Regimiento
de Artillería 16 Ligero de guarnición en La Coruña, se
salvó la tripulación y los artilleros y algunos mulos pero
se ahogó el sargento que mandaba la tropa, iba muy
mareado, la potestad angélica del domingo es Miguel y
el perfume el azafrán, el sándalo rojo y el incienso macho, las plantas mágicas son el heliotropo y el laurel, los
viejos todavía se saben de memoria las aventuras de
Oliveros, de Fierabrás, de Guy de Borgoña, de la princesa Floripes y del gigante Galafre, los jóvenes sienten
menos curiosidad por el cultivo del espíritu, esto viene
de no tirar la barra ni beber licor café ni fumar tabaco de
picadura, en la piedra del Furrenchín que cubre y descubre naufragó el mercante portugués Montelavar con
cargamento de maquinaria y siete pasajeros, un matrimonio, tres hijos y dos criados, el temporal zurraba sin
clemencia y nadie pudo salvar la vida, la mar devolvió
los cadáveres con muy cicatera parsimonia, con muy
avariciosa y lenta solemnidad, la primera ferramenta es
la espada con puño redondo de marfil, es la bola del

mundo, terminado en un pomo de hierro de imán, es la fuerza del amor, se rociará con el agua de las aspiraciones y se dirán sobre ella tres misas, se guardará en una camisa de seda blanca, la potestad angélica del lunes es Gabriel y el perfume el sándalo blanco, el alcanfor y el áloe, las plantas mágicas son el ranúnculo amarillo y la artemisa, dende Lobeira a Monte Cabalos hai unha mina de sete reinados, sete de ouro, sete de prata, sete de veleno que mata, en punta Caneliñas, por aquí va todo muy revuelto, bueno, por todas partes, una noche anduvieron a tiros las tripulaciones de dos barcos chipriotas, cuando amaneció ya se habían ido, hay quien dice que no eran chipriotas sino malteses, quedaron flotando cinco cadáveres desnudos y sin documentación, la mar acaricia el misterio y lo duerme en su regazo, la segunda ferramenta es el cuchillo de mango blanco con puño de marfil, se consagrará y guardará igual que la espada, la potestad angélica del martes es Rafael y el perfume la pez y el azufre, las plantas mágicas son el ajenjo y la ruda, en el cuaderno de doña Onofre hay líneas muy confusas medio borradas con saliva, todo el mundo sabe que Dios grita pero nadie se atreve a recordar el ímpetu ni el ritmo de su palabra, tampoco nadie sería capaz de hacerlo porque imitar a Dios es muy difícil, por querer copiar a Dios, que es una forma de burlarse de Dios, se han ido al infierno muchos soñadores que creían que la buena intención alimentaba, la tercera ferramenta es el cuchillo de acero empavonado y mango de ébano, se purifica con el agua de las aspersiones y se mata con él un gato negro cuyo cuerpo debe

arder en las llamas de una hoguera de leña de salgueiro,
alcipreste y aciñeira, se guarda en una camisa de cuero
negro, la potestad angélica del miércoles es Amael y el
perfume el benjuí y el estoraque, las plantas mágicas
son el narciso y el almoraduj, en el río Ulla hay un pozo
muy hondo que a media altura tiene una reja de hierro
de la que cuelga una campana de bronce de cañón,
cuando es la media noche da doce campanadas y entonces aparece un fantasma y una gallina blanca como la
nieve con doce pollos de oro, eso es señal de riqueza y
de que hay un tesoro escondido, en la punta del Limo, a
medio andar entre la garita de la Herbeira y la caldera
de Pedro Botero, se ahoga todos los años un veraneante
leonés que se llama Matías Pereje Carracedelo, que estuvo mucho tiempo, más de media vida, buscando oro
en Castroquilame, por debajo de Las Médulas, lo que
nadie se explica es que sea siempre el mismo, la cuarta
ferramenta es el puñal que debe ser nuevo, pequeño,
bien afilado y con una anilla por la que pasarás un cordón rojo en el que harás siete nudos mientras dices sé
mi defensa contra mis enemigos, el puñal lo colgarás
de tu cuello tras haberlo consagrado clavándolo en la
puerta de un cementerio una noche de sábado al dar
la primera campanada de las doce, la oración es un desa-
fío a Lucifer, la potestad angélica del jueves es Samael y
el perfume el incienso, el ámbar y la balsamina, las
plantas mágicas son el granado, el álamo y la encina, el
xardón aleja la desgracia y adorna con sus bolitas rojas
la gorra de los enamorados peleones, ¿es verdad que
tiene usted una novia en Portela de Caldelas?, no, ya no,

me dejó la semana pasada, la quinta ferramenta es la
lanceta, se consagra igual que la espada y el cuchillo de
mango blanco y se usa para que el mago se saque sangre cuando se precise, la potestad angélica del viernes
es Zacariel y el perfume el almizcle, las plantas mágicas
son la violeta, la rosa, el mirto y el olivo, eran muy saludables para el aseo del alma las historias de piratas,
también las de contrabandistas de tabaco, whisky y
plumas estilográficas, Peter el Pelirrojo arengó a la
marinería, ¡muchachos!, ¡al abordaje!, Lauro Reinante,
Furabolos, no llegó a cantar misa, lo echaron antes del
seminario, y aunque era descarado y ponía buena voluntad no acertaba a desencantar tesoros con suficiente
eficacia, al sur de la ensenada de Carnota y frente al
rueiro de Sasebe se enseña la restinga Mexillueiras que
abre a menos de tres cables y la de la Paz que arranca de
Porto Cobelo y abre a unos cinco cables, en la primera
se partió por la mitad el patache Simeón García, sin
muertos, iba cargado de bacalao, el perrillo Chuchín
salvó con el último marinero, y con la segunda se hundió otro patache, el Pilarín Sestelo, murieron todos, también iba cargado de bacalao, se ahogó el perrillo Gara-
ballo, a veces la muerte corre a cien por hora y sin dar
tiempo a nadie de escapar, la sexta ferramenta es la
aguja mágica que no es necesario consagrar, basta con
que sea nueva y esté limpia, se usa para coser lo que se
requiera, la potestad angélica del sábado es Orifiel y el
perfume la escamonea y la asafétida, las plantas mágicas son el fresno y el ciprés, al pasar el arroyo de Santa
Clara se me cayó el anillo dentro del agua, al coger el

anillo cogí un tesoro con la Virgen de plata y el Cristo de
oro, a cuatro millas al S.W. de punta Remedios abren las
piedras de Os Miñarzos en las que se estrelló el patache
Volvoreta que cargaba mineral para Gijón, salvaron todos, a los pataches se les dan bien las mares ventoleiras,
se conoce que tienen la obra muerta justa, pero a pesar
de todo alguno se estrella, lo patroneaba una mujer,
Etelvina a Frouma, que se recogía el pelo con un pañuelo de colores y gastaba látigo, lo usaba poco pero no
lo soltaba, en el Pico Sagro hay un ídolo con el muslo de
oro, le dicen el Zancarrón y lo adoran los mahometanos,
ahora ya no quedan mahometanos, en el monte dos
Castros en Ponteareas hay una roca que se llama Pe-
neda da Fenda y que dentro tiene un gran palacio lleno
de riquezas, Etelvina a Frouma es de Gándara, una aldea del monte Larayo que se ve bien desde la mar si se
acierta con ella, al padre de Etelvina, el patrón Salustio
el Pichel, lo mató la guardia civil en un ajuste de cuentas
que nunca estuvo del todo claro, un primo de Etelvina
se echó al monte y al final pudo pasar a Francia, Etelvina tiene cuarenta o cuarenta y dos años y es viuda
pero muy alegre, su finado era un peregrino belga que
se quedó en el país, era buen cocinero y también sabía
de contabilidad e incluso de mitología, lo que no recuerdo es cómo se llamaba, a Etelvina la vida no le había dejado lacras ni resquemores y a ella lo que más le
gustaba era navegar, el domingo y el jueves son los días
mejores para invocar las fuerzas del bien, el martes y el
sábado son los óptimos para llamar a las potestades in-
fernales y malignas, el viernes es adecuado al amor y el

miércoles vale para bucear la región del misterio, los tesoros son muchos pero duros de desencantar, a los de-
sencantadores suele rendirles el miedo, los tesoros sumergidos son tantos como los encantados y también
muy difíciles de conseguir, en punta Salomba naufragó
el bergantín Marechal Deodoro que venía de Recife cargado de miseria y de agapones, unos loritos verdes y
colorados, traía a bordo mucha hambre y más de dos
mil agapones, el patrón Feliciano Itapetinga cuando vio
que se le hundía el barco sin remisión mandó soltar los
pájaros que salieron volando camino del monte y huyendo de la mar y del viento, parecía que iban vestidos
de seda, Nosa Señora de Grela ten un vestido de seda
quen llo deu quen llo daría San Xurxo de Codeseda,
hasta el barranco de los Muiños llegaron muchos pájaros en busca de acougo, alborotaban mucho nadie sabe
si de alegría o de miedo, Casto Verruga, el mago de
Agrafoxo, murió rebozado en esmegma, parecía una ca-
ñita de crema podre, en la confitería de Latorre costaban
un patacón, Casto Verruga se pudrió enseguida y hubo
que tapar la caja aprisa y corriendo para que no se le
escaparan los gusanos, Casto Verruga me dejó dicho en
el lecho de muerte que las otras seis ferramentas eran
la varita mágica, conviene ponerla a remojo durante
nueve días en leche de mujer con unas astillitas de canela, el cordón de siete nudos (mejor de franciscano leonés), la pluma consagrada (mejor del ala derecha de una
gallina blanca harta ya de poner huevos de dos yemas),
la copa de las libaciones, es preferible que sea de plata,
el braserillo de los perfumes para aromar el vino de las

meriendas de los santos, San Xoán e San Martiño foron
merendar ó camiño, San Xoán levara o pan e San Martiño o viño, y por último el yeso mágico machacado con
huesos de ave rapaz muerta de vieja, es preferible no
insistir porque el demonio no sabe nadar pero ahoga,
¡vaya si ahoga!, a los tripulantes del bergantín Inés Bó-
dalo hundido frente a la punta Chirlateira los ahogó a
todos para llevárselos al infierno, se conoce que estaban
en pecado mortal, pecado de soberbia y de avaricia,
doña Onofre se distraía mucho mandándole decir misas
a su difunto, recuerdo, don Celso Camilo de Cela Sotomayor, oficial de notaría jubilado, duró bastante, a la
chita callando doña Onofre le puso los cuernos al marido durante toda la vida, después no porque con los
muertos ya no rige la fidelidad, los santos se hacen regalos entre sí y al final llueve, San Martiño de Salcedo
ten un anel na man, que llo mandou de regalo San Andrés de Lourizán, el petón Libureiro siempre vela y no
es difícil de evitar, las gaviotas son pájaros voraces y valerosos que no escapan de la mar más que cuando se
anuncia la muerte y se alerta el desequilibrio, Nosa Señora de Darbo ten o Darbo de mantilla, que llo mandou
de regalo Nosa Señora da Guía, el petón Seixo también
vela y no es difícil de evitar, si se piensa serenamente se
ve que tampoco es difícil de evitar, basta con mirarlo fi-
jamente y sin distracción, los pulpos valen para alimen-
tar al pobre y deleitar al rico, si se pudieran cruzar pulpos con sirenas podrían criarse putas de piscifactoría
todas teñidas de rubio, no encontré a nadie que pudiera decirlo más claro pero Santa Eulalia de Abegondo

guarda un exvoto que pudiera tener parentesco con lo
que ahora se supone, la batalla de Chaves, frente a Verín, no fue ni entretenida siquiera, la tropa del general
Paiva Couceiro tenía ladillas y casi no sabía la instrucción, así no hay quien gane batallas, don Saturnino Fi-
gueiro, el cura de Zacoteiras, decía que el vivero de las
ladillas era la casa de lenocinio de Angustias Tomeiro
en Xinzo de Limia, la tropa del general Paiva Couceiro
no pudo derribar la república portuguesa y restaurar
la monarquía y las cómicas de mi abuelo y de mi tío
Amaro, en cuanto se comieron la empanada y se bebieron el vino y el anís, se pusieron a bailar con la oficialidad, ¡qué restriegue descarado, Santa María da Esclavitude, qué refregón, qué sobo!, en Galicia el vientre del
planeta es de oro macizo y los topos se mueren porque
se les atora el sifón de respirar, dicen que el oro desni-
vela la brújula y debe ser cierto porque los piratas, incluso los que son muy ricos, los holandeses y algunos
ingleses, no usan garfio de oro más que cuando dejan
de navegar, la playa de Area Maior separa la mar de la
laguna de Louro en la que sube y baja la marea sin que
se vea por dónde, en la laguna de Louro se baña por los
veranos un raro animal marino que parece un camello
con ocho patas y que silba fuerte y agudo, por el invierno se queda aletargado en el fondo y ni respira siquiera, si respirase se le llenarían los pulmones de limo,
Suso Golpellás, el santero de Valdoviño, tenía un cárabo
amaestrado que le pescaba anguilas, las del encoro das
Forcadas tienen mucha substancia y fríen sin ningún
resquemor, en las laxes del cerro de A Ruña embarrancó

el mercante portugués San Bento que iba cargado de bacalao, pudieron salvarse los tripulantes pero el capitán
se pegó un tiro en la boca, no todos los muertos sirven
para jugar al buzkashi, los hay que no resisten, la costumbre prohíbe jugar al buzkashi con cadáveres humanos aunque sean de enemigos que hablasen otra lengua,
a los muertos les pasa como a las olas de la mar que son
todas diferentes y todas respetables, los despojos de los
muertos son de espuma y los barre la más alegre vento-
lina, los espíritus pueden acostumbrarse a navegar bajíos desdibujados, escollos de braceaje confuso, placeres
caprichosos y petones que velan en la marea vaciante,
piense lo que piense el que lo quiera pensar esto va perfectamente ordenado, es un modelo de orden, parece el
triquitraque de la Santa Compaña, el islote Camouco se
enseña amogotado y cubierto de vegetación, se aparta
poco de la costa y no se debe bordear más que con embarcaciones pequeñas, algunos le llaman A Coelleira
porque está lleno de conejos y también islote Mourón,
nunca se sabe pero en general más vale repetir las cosas
que olvidarlas, el arrecife de A Roncadoira cubre y descubre, el arrecife de Ardeleiro cubre y descubre, el arrecife de Baixa Cativa cubre y descubre y así hasta el fin
del mundo, Maruxa Mórdemo anunció con dos sema-
nas de anticipación la catástrofe del vapor Numide que
chocó frente al cabo Tiñoso con una mina alemana a la
deriva y ardió y se fue a hundir en el bajo Frei Pérez sin
que pudiera salvarse nadie, el Numide iba cargado de
fuegos de artificio, dicen quienes estuvieron allí que
daba gusto verlo volar por los aires tan limpiamente,

Maruxa Mórdemo había tenido amores con don Arturo Catasol, los dos eran dos cochinos, el capitán de cargo que al final se le escapó, lo vieron en Montevideo muy pinche, con corbata de lacito y jipijapa, Vincent como todos los chepas padece de las vías urinarias, lo más probable es que se fuera del país a bordo del Noirmoutier con sus monedas de oro, las joyas de Annelie y la colección de sellos, a Vincent también lo vieron en Montevideo, se conoce que es costumbre huir a Montevideo, Florinda Carreira paga a los hombres con duros de plata, da mucha alegría oírlos sonar sobre el mármol de la mesa de la cocina, a Florinda no se le acaban nunca los duros de plata, la riqueza llama a la riqueza y hace plácido y provechoso el sueño del rico, el vientre de estos horizontes es de oro, todo el mundo lo sabe, no encierra oro, lobos de oro, osos de oro, culebras de oro, sino que está encerrado por el oro que no deja sitio para los lobos, los osos y las culebras, por Cornualles, Bretaña y Galicia pasa un camino sembrado de cruces y de pepitas de oro.

IV

LAS LLAVES DE CÍBOLA
(Cuando dejamos de jugar al cricket)

El parvo de Prouso Louro empezó a aullar como un lobezno antes de cumplir los quince años, su madre lo dejó en la playa de recién nacido para que se lo comieran las toupas y más los cangrejos pero lo salvó una sirena que suspiraba con mucha dulzura, una sirena de las islas Shetland a la que decían Dumfries Whalsay, a mi primo Vitiño no le preocupan las fintas del amor y el desamor, de los celos y las avaricias, a él le complacen los sucesos más inmediatos y resbaladizos, el asubío de un mirlo amaestrado, las tetas de una mujer recién parida, los robalos de la ría de Lires y así, al mirlo Chirlirenciño hubo que matarlo porque asubiaba el himno de Riego y no se iba del sabugueiro de la puerta del norte, los mirlos y los malvises buscan miñocas entre los helechos, se alimentan de miñocas, al sudeste del petón Chungo y a seis u ocho cables de distancia aparece la escabrosa punta Cela y la mínima cala del mismo nombre y de tan ruin y confusa navegación, aquí venía a rascar percebes hasta que se lo llevó la mar el moro Xiliño Terzón, que a veces se quedaba mirando para el monte de San Cristovo, onde apunta o mouro aí está o tesouro, al moro Xiliño casi no le salía el pelo del bigote, por San Xil aparella o candil pra velar que non pra durmir.

—¿Usted entiende las viciosas preocupaciones y las pecadentas complacencias de su primo Vitiño?

—No mucho, ¿y usted?

Jeremías Arceiro miró a los ojos a su interlocutor, que los tenía irritados por la conjuntivitis y casi sin pestañas.

—Serénese y escúcheme bien y con atención lo que voy a decirle, eso de que yo las entienda o no las entienda es algo que no importa a nadie. ¿Usted piensa que lo saben mejor que yo su primo Vitiño y doña Dosinda?

—Podría jurarle por lo más sagrado que eso no se lo podrían contestar ni ellos.

A Carmeliña Barbén, la hija del limosnero de San Bieito da Cova do Lobo, señor San Bieito meu fillo che traio, doente cho deixo, devólvemo san, le gusta tomar el sol desnuda sobre el casco del vapor inglés Clovelly naufragado frente a la playa de Fornos, se enseña en la bajamar, cuando no hace sol Carmeliña toma el viento que es aún más sano y no hiere la piel, Celso Tembura no se atreve a disecar doniñas porque pierden el pelo, la doniña es bestezuela presumida a la que conviene halagar, donicela, bonitiña, garridiña, lo que no le gusta es

que la insulten, borrallenta, serralleira, cazoleira, entonces se vuelve venenosa y hay que esperar a que rebuz-
nen siete burros enteros y tañan siete campanas de camposanto para que amanse, una doniña brava es muy
peligrosa, la navegación a vela más dura que cruza por
estas costas es la de sur a norte con tiempo del nordeste
por el verano y en años de nortes, los veleros que navegan con vendaval deben cuidar de no propasarse porque podrían no recuperar el barlovento perdido, es pecado matar las mariquitas porque son de San Antonio,
pitasol, pitasol, ensíname os panos e vaite ó sol, la
sirena Dumfries era tuerta, el ojo se lo saltó un delfín jugando, los delfines lloran cuando los atrapan las redes y
adivinan que ya no podrán seguir brincando en libertad,
el inocente de Prouso Louro no es de carne y hueso sino
de papel de periódico y serrín, el pelo lo tiene pegado
con goma arábiga, Charles E. Allen, el hermano de
James, dejó de jugar al cricket y se volvió a la India a
recordar sus ya lejanos tiempos de teniente de lanceros
bengalíes y lector de Kipling, en el desfiladero de Tez-
pur le pegaron un tiro en el pecho, la bala la mandó en-
marcar en oro y se la regaló a su abuela, él le tuvo siempre mucho cariño, toda su niñez se la pasó en casa de la
abuela, Charles E. Allen no estuvo jamás en España
aunque sí en Portugal, en Figueira da Foz y en Carna-
xide, la imaginación es una querida demasiado domés-
tica, los poetas pobres no tienen más que imaginación y
se dan muy buena maña para encuadernar sus versos
en terciopelo y poner los títulos en letra redondilla, hay
algunos que usan purpurina para las capitulares, las

dudas de Pilarín Zamboanga Gonsales la hicieron digna de la condescendencia del juez y de las obtusas dudas del verdugo y así pudo salvar de morir en la horca, ese desaire, Pilarín era la sosegada amante filipina de Charles, he oído decir que se meaba en la cama pero esto debe ponerse en cuarentena porque conviene vivir escudados siempre contra la maledicencia, a un hombre murmurador se le debe escarmentar cortándole la lengua y metiéndosela por el culo, la mayoría se ponen furiosos y gruñen como jabalíes, hay partidos de cricket que duran varios días, entre los consejos de los veteranos del Marylebone Cricket Club no hay ninguno que trate de consolar a los cricketers animándoles a jugar al croquet, cuando dejamos de jugar al cricket no nos queda el consuelo de jugar al croquet, son cosas muy diferentes, la esperanza es el viático del pobre y del derrotado, el condón pinchado del perdedor, ese miserable que al final no salva ni el alma, al cerdo recién comprado hay que restregarlo con ajo y meterlo en la corte a reculones, la hiel del cerdo ablanda los forúnculos, el agua de cocer las pezuñas quita el dolor de muelas, el unto con vino caliente cura los catarros, en sopas con pan de millo sana la furriqueira y en cataplasmas con ajenjo espanta las lombrices, desde la isla de San Clemente a punta Morcellos comprendiendo las islas de Ons y Onza se extiende el distrito marítimo de Bueu, un torpedo flotando debe remolcarse tomándolo por el cáncamo de la cabeza, la celajería suelta anuncia el vendaval, lo prudente es arriar velas y alejarse de la costa, una bengala azul que se enciende en la noche avisa de barco embarrancado y pide auxilio, si la bengala es roja avisa de fuego a bordo o vía de agua, Cristinita Sanlouzáns tuvo amores con un futbolista del Celta de Vigo que se llamaba Isidoro Celeiros y que después se fue a las misiones a convertir negros al cristianismo, Isidoro era sobrino del Manso de Tomeza que aprendió la práctica del pasteco de su vecino Xanciño el Pisco, un enanito de mala leche que le iba a hacer recados al Escorrentadiño de Cosoirado, estos misteriosos lances de los pastequeiros son propios de pontevedreses, el Escorrentadiño vive en el rueiro de Santa María de Pombal, en la parroquia de San Pedro de Tomeza, pax tecum, párate que te ponga la estola y más la cruz de Caravaca, párate que te eche la bendición y te espante al moucho que venta a morte, si eres de mal hechizo libérame dómine, si eres tocado de gente ediversa libérame dómine, si eres soplado de Satanás requiem en pax, ahora comamos pan y bebamos vino, la parte del meigallento va para las ánimas del purgatorio, antes conviene orinar contra una silveira procurando no mear las luciérnagas, la tos ferina se cura con caldo de moucho, hay que cocerlo durante toda la noche y sin quitarle las plumas, comiendo mierda de moucho se llena uno de sabiduría, eu ben vin viribín, estar o moucho laroucho asomado larado ó corredor como un señor, o que vai a Santa Comba e non vai a San Cibrán fai o viaxe en van, conviene ir a los dos sitios para evitar peleas y otros despechos, el Manso de Tomeza está siempre bebido y es de temple alborotador y bronquista, el Manso de Tomeza sólo va a San Cibrán y no a Santa Comba, cada cual cree

en lo que quiere porque la fe no obliga más que al cre-
yente, con este pan y con este vino corto la plaga de
muerto y la plaga de vivo, contra la piedra Estaquín tropezó y se hundió muy deprisa el vapor polaco Ustka
con carga general, murió toda la tripulación, al casco del
buque lo empujó la mar hasta el islote Siguelo que es de
color negruzco y muy alto y puntiagudo, parece como si
estuviera lleno de torpísimos murciélagos sin ojos, Hilario Ascasubi adivinó la ciudad donde crece haciendo
garabatos el árbol que dicen palo de hierro en el desierto de Sonora más allá de los tres grandes reinos
de Marata, Acus y Totonteac que quedan en el país de las
siete famosas ciudades, los indios saben dónde están
pero son muy mentirosos y confunden al viajero, lo confunden a propósito para que se muera de hambre y de
sed, a la ciudad de Cíbola se la tragó la arena del
desierto, se la llevó el viento volando por los aires y la enterró más allá de Pexatlán, se conoce que la sepultó muy
hondo porque no aparece por lado alguno, cuenta la
tradición que las meigas indias fabricaron la mágica
llave de la ciudad de Cíbola de oro y miel y la pusieron
a secar al sol del Polo Norte, obedeciendo órdenes de
Burillón Tapoc el dios de la riqueza y la guerra la cosieron al pellejo de una ballena a la que después, en el viaje
de vuelta, mataron a palos para que no pudiera contár-
selo a nadie, a la ciudad de Dugium Duio también la barrió el viento y la hundió en la mar entre el petón de
Mañoto y el Centulo, dice el consignatario don Damián
Taboada, efectos navales, víveres en conserva, servicio
de telegramas y telefonemas, que la vida es una aven-

tura que no puede terminar sino en el previsto fracaso de la muerte, según esta regla lo más sabio es el
egoísmo de acabar cuanto antes, el purgatorio no se
mueve de lugar y está según Lutero entre Dinamarca y
el Schleswig-Holstein, el limbo es de más difícil localiza-
ción, dicen que queda en el borde de la Anatolia, el infierno está en el centro de la Tierra alimentando el fuego
de los volcanes y el cielo se sitúa más allá de los plane-
tas y de la Vía Láctea, don Damián se pregunta, si la vida
está abocada al fracaso y a la última renunciación, la de
la voluntad, ¿por qué no aceleramos trámites y nos pega-
mos un tiro en la sien?, don Damián se quedó dormido con la boca abierta y el demonio le disparó un ciempiés
con una cerbatana, le acertó de pleno y se lo hizo tragar,
don Xerardiño Aldemunde cree que el demonio se baña
en la playa de Seiside donde el parvo de Prouso Louro
fue abandonado por su madre para que se lo comieran
los animales irracionales que no distinguen el bien del
mal, el demonio no se baña desnudo sino de camisón y
boina, en el infierno no arden más que las almas de
quienes declaran la guerra al demonio y la pierden, estas batallas se pierden casi siempre porque el demonio
es muy habilidoso y fuerte, es un guerrero pertrechado
de instinto, los infieles faltaron al respeto a la virgen Locaia a Balagota, la escarnecieron pintándole los más ínti-
mos recovecos con pan de oro, hay que volver a la pena
de muerte para los infieles, los terroristas y los violado-
res, sobre todo para los infieles, muerte en horca con
los niños de la escuela municipal columpiándose de los
pies del ahorcado, Juanito Jorick no tuvo suerte, que lo

capen a uno por una apuesta en una romería no es señal
de suerte, si las ánimas del purgatorio fuesen capaces de
aprender las artes de las palilleiras de Camariñas todas las casas gallegas y aun leonesas y portuguesas es-
tarían adornadas con puntillas de encaje, todo el mundo
sabe que las primeras palilleiras fueron las sirenas pero
de las ánimas de la Santa Compaña y de su habilidad
para este oficio nunca se dijo nada, conviene ser cauto
con las suposiciones porque no se puede jugar con la
fama de nadie, con los necios debe ser uno muy correcto
para que no se adornen con guirnaldas de papeles de
colores, la falsedad no es maña propia de hombres justos y respetuosos, las alas de los ángeles son siempre
blancas pero la costumbre admite que las banderillas de
lujo sean luminosas como banderas, no es saludable
para el alma perseguir la soledad, lo malo de buscar afa-
nosamente la soledad es acabar encontrándola vacía
mientras los demás hombres olvidan y viven, también
aman y odian y se distraen, tampoco basta con querer
perseguir el bien, ese rorcual que navega atravesado,
hay que acertar a clavarle el arpón, en la punta de Castro da Moura avanza la ancha restinga que llaman Mon-
terón de Terra, las piedras velan con las mareas, la más
peligrosa es la Xoana, o Xan e maila Xoana foron ós ga-
rabulliños, a Xoana caeu de cu e o Xanciño de fociños,
mi tío Knut Skien canta versos de Poe en gallego acompañándose del acordeón, los deportes hay que irlos dejando que mueran solos, todos caen por su peso, les
pasa como a las amistades y a la mitad de los odios cró-
nicos, la otra mitad se enquista, mi tío Knut Skien se

llevó a James E. Allen a cazar el carnero de Marco Polo y a mí me dejó en Caneliñas mirando para la mar, entonces todavía no soñaba con hacerme una casa con las vigas de madera de boj, esta era una ilusión contagiosa como las paperas pero no tan innoble, aparte de salvar el alma la única ilusión noble que le puede quedar a un paisano es la de cazar un oso con cuchillo y ahora ya no hay osos, el último que anduvo por aquí lo mató Cirís de Fadibón antes de su aventura con el demonio en el alto de Cabernalde, el oso del sordomudo Cósmede no cuenta porque está amaestrado, un oso bravo come grosellas y arandos pero no cangrejos muertos ni fanecas, en mi familia no hemos sido capaces de levantar una casa con las vigas de madera de boj y ahora nos da vergüenza y lo achacamos al desarraigo, esto es una disculpa aunque a lo mejor ni lo sabemos, mi tío Knut me invitó a una copa de vermú rojo, había que echarse a temblar, y me dijo, nuestros huesos se quedarán ciscados por un lado y por otro y de nada nos habrá de valer que hayamos dedicado nuestra vida entera a la caza del rorcual, esto nos lo pueden desmantelar cuatro desgraciados, cuatro muertos de hambre vegetarianos y pacifistas, la decoración ya está puesta y ahora sólo nos falta aprendernos los papeles de memoria, de los apuntadores no te puedes fiar porque suelen estar borrachos, mi tío Knut y yo hablamos en inglés, en gallego o en castellano, según el momento, yo no sé noruego, un querubín confundido puede caer en el pecado y mancharse las alas con el grasiento hollín de la chimenea del alma, nadie olvide que Niceto el sicario es capaz de las más abyectas obediencias por unas monedas de cobre, lo difícil es evitar que las familias se dispersen y los hombres se vayan muriendo lejos de donde vinieron al mundo, una mujer encinta no debe comer percebes, ni lenguado, ni raya, tampoco fresas, para que el niño no nazca con manchas, el hedor a misericordia puede confundir a quien va de camino y sin rumbo cierto, en la playa de Gures apareció una mañana un ataúd de roble con herrajes de bronce lleno de pipas de fumar nuevas envueltas de una en una en papel de plata y todas metidas en una bolsa de plástico, las pipas eran de brezo y de raíz de rosal, Cósmede puso la mercancía en su alpendre y regaló tres pipas, una al comandante de marina de Corcubión que jugaba con mucha maestría con la dentadura postiza, hacía verdaderas filigranas, otra al cura de Carnota que cantaba misa llevando el compás con el pie y otra a don Marcelo el de la galería de productos ultramarinos Breogán que tenía una pata de palo, las demás las guardó, le quedaron tres docenas largas, el ataúd lo usaba de asiento y a veces de cama, al lobo también le gustaba dormir en el ataúd, mi bisabuelo materno se gastó una fortuna en vicios y cuando se quedó sin un ochavo se dejaba invitar a vino y a tabaco por todos y sin la menor vergüenza, ¿hasta por los pobres?, sí, hasta por los mendigos de las romerías, los cojos, los mancos, los ciegos, los leprosos y los sordomudos que eran como piedras de cuarzo, Cósmede también era sordomudo, no basta ahorrar toda la vida para tener un buen entierro y una plaza de preferencia a la diestra del Padre, la vida es tan cara como la muerte y

al revés y en la Santa Compaña no quedan al final sino
las ánimas huérfanas y sin socorredoras caridades, mi
bisabuelo Cam contaba cuentos a las niñas pequeñas de
la catequesis, érase una vez hace ya muchos años una
doncella de Abeleiroas que salía a pasear por el bosque
a comer morodos, oler violetas y acariciar camelias, se
llamaba Maruxiña Cerdedo la del Tísico y se peinaba
con una trenza que le llegaba a la cintura, Maruxiña
dame un bico que che hei de dar un pataco, non quero
bicos dos homes que me cheiran a tabaco, Maruxiña sabía el cerezo donde mejor cantaba el xílgaro y la xunqueira que escondía al más armonioso y enamorado reiseñor, Maruxiña Cerdedo se encontró una mañana con
un raposo que estaba bebiendo agua en un regato y que
le dijo en latín, Maruxiña no tengas miedo porque yo no
hago daño a las doncellas, aquí entre los ojos tengo un
alfiler de cabeza gorda rematado en una esmeralda
verde como la mar, si me lo quitas y lo clavas en el marmelo más alto del marmeleiro Nuestro Señor el Apóstol
Santiago me desencantará y la Virgen María soplará un
verso para que yo recobre mi forma verdadera, mi armadura de plata, mi escudo de oro con la flor de lis de
nieve y mi caballo isabelo con las crines peinadas por el
hada Mafalda la Terca, yo soy el príncipe Xacobiño de
Lebouzán y le pediré permiso a mi padre el rey Moisés
de Mesopotamia para casarme contigo, mi bisabuelo
Cam no terminó nunca de contar con el detalle debido
el parlamento del raposo, se dormía antes y nadie pudo
averiguar si Maruxiña la del Tísico le desclavó el alfiler
y llegó o no llegó a ser princesa, mi bisabuelo Cam mu-

rió de frío y de aburrimiento, dicen que también de sífilis, en un rincón de la ballenera, nadie le cerró los ojos, la
verdad es que la familia ya estaba muy harta de él, era
simpático pero no servía para nada, cuando no sirves
para nada la familia te arrumba incluso sin emoción,
a algunos ni los entierran siquiera, frente a la fábrica
de salazón y mismo en la playa de Gures ardió el patache Serrapio Pequeno, se pudieron salvar todos los
tripulantes con sus pertenencias porque la mar no estaba demasiado atacada, Cósmede permitió a los marineros que se secaran a la lumbre de su chamizo y los
marineros le regalaron pan de higo y una botella de ron,
también un traje de aguas y dos camisas de franela,
Cósmede tapó al lobo y al oso con una lona y se estuvieron quietos y obedientes, a los niños recién nacidos conviene darles chocolate crudo y una cucharadita de vino
generoso, a las niñas lo que les va bien es una pizca de
chocolate hecho y un par de gotas de anís dulce, estos
consejos sobre la alimentación de las criaturas sólo sirven para los que nacen a orillas de la mar y no rigen con
los de tierra adentro, la madera de boj tarda en arder, es
como el hierro, pero cuando arde devora todo lo que
toca, es lo mismo que el temporal, a los señoritos da
merda chiquirrichi no les gusta que sus hijas se casen
antes de los dieciséis años porque piensan que no están
maduras, todos los oficios son buenos, zapatero, a Virxe
de Gundián ten uns zapatiños brancos pra se pasear no
adro domingos e días santos, churrero, San Mamede te
levede, San Vicente te acrecente, navegante, pasei por
San Xes cantando pra me ver saíches á porta, fixécheste

a distraída, nena da cara de troita, boticario, San Cosme
e San Damián, con doutor o sen doutor os teus males sa-
narán, todos los oficios son buenos para xenros, el caso
es que salgan machos trabajadores y no beban gaseosa,
para hacer una casa con las vigas de madera de boj falta
siempre tiempo y arraigo, nadie se cansa jamás de repetirlo, no se recuerda haber visto nunca alegres a las ánimas de la Santa Compaña, ni bailan muiñeiras, ni tocan
el pandero, ni se refocilan los morros unas contra otras,
ni se soban las carnes buscando placentero consuelo, se
conoce que esto es así porque los espíritus no tienen
carne, contra el pecado de la carne lo mejor es ver cómo
se escapa el alma mientras que al cuerpo se lo comen los
afanosos gusanos que ni siquiera respiran, la ciudad de
Cíbola encerraba todos los tesoros que el hombre pueda
imaginar, los adoquines de las calles eran de oro y de las
fuentes manaba vino espumoso, la llave de la ciudad
de Cíbola, algunos le llaman Nueva Cananea o el Cáliz de
la Cruz Truncada, la escondió el cabro Cifontes al pie
de un bosquecillo de saguaros defendido por una tropa de
serpientes de cascabel gobernadas por un demonio se-
gundón, nadie supo decirme el nombre, a la laxe Galluda algunos navegantes le llaman Farelo, aquí fue
donde naufragó el vapor Gumersindo Junquera que
está partido en dos y habitado por pulpos sin conciencia
y medusas gigantes y desaprensivas, en el Gran Sol se
crían unas medusas descomunales y sin conciencia que
los años bisiestos bajan hasta el golfo de Cádiz a espantar moros y portugueses, algunos buscan refugio en el
Peñón, el Espíritu Santo me dijo la otra noche que el de-

corado ya está puesto y ahora sólo nos falta discurrir las palabras de las abnegadas requisitorias, es una manera de hablar, Isidoro Celeiro jugaba de delantero centro, tenía mucha fuerza con las dos piernas, chutaba con energía y puntería y remataba muy bien de cabeza, en la parroquia de San Pedro todavía se acuerdan de la patada que le pegó al enano Xanciño, lo mandó por el aire, los meigallentos estaban muertos de risa y los vagalumes se apagaron todos a una de semejante susto, en el Carallete sólo se bañan las francesas cuarentonas que suelen ser muy putas y descaradas, ponte de rodillas para que te bese la frente y después párate y cierra los ojos para que te bendiga casi con desprecio, de nada vale que quieras disimular e intentes distraerme porque Belcebú no te perdonará jamás, en la mirada del moucho Bieito Montemarelo se esconde el lugar exacto en el que está enterrada la llave de la ciudad de Cíbola, a lo mejor es un juego entero de llaves, el cura don Tristán Diz, alias Tapioca, que era larpeiro y presumido pero también justo, le daba de comer al moucho para que no se fuese de la lengua y echase todo a perder, los secretos no se pueden compartir con nadie y menos con los veraneantes, todos nos vamos dejando la piel por el camino, todos nos vamos oxidando poco a poco de hastío y de monotonía, esa terquedad, todos nos vamos borrando del recuerdo de todos, la memoria es como la rémora que se pega al casco del patache, la gente olvida que para seguir viviendo con holgura no basta con fingir la razón, hay que poseerla, devorarla y digerirla, en un campo de cricket cabrían cerca de diez de croquet, a veces el puerco planta cara al lobo y no siempre pierde la batalla, el puerco es bestia brava y peleona, muy constante y fuerte, resiste mucho y empuja sin mirar para los lados, en San Mamede obligan a pagar treinta ducados de multa por cada puerco al que prenden comiendo castañas pese a que a castaña que está no camiño é do veciño, ahora ya no se usan los ducados, es una moneda que murió de vieja, la mitad es para el aceite del Santísimo Sacramento y la otra mitad para las costas de la justicia, con preito perdido ou gañado ten ó escribán do teu lado, al amo del puerco le salen ocho días de cárcel a pan y agua, le pueden llevar la comida de casa, chorizo, lacón, morcela, pan de millo, la matalota es un crimen a cara descubierta y a sangre fría, un alegre y malsano asesinato en cuadrilla que sazona los temples de la entrepierna y reconforta el paladar y el estómago, apuñalar puercos el hombre y matar gallinas la mujer sujetándolas entre los muslos es como revolcarse los mozos y las mozas en el pajar a carallo testalán e cona latexa, no habría en el mundo juez capaz de decidir sobre tanta sutil confusión, todo está emparentado y revuelto, meu porquiño, meu pasar, tres festiñas has de dar, a matanza, a desfeita e o entroidiño para entroidar, todos están jubilosos menos el puerco, ó matar os porcos, praceres e xogos, ó comer morcillas, praceres e risas, es una monótona tristeza ver que ahora en vez de hachones para chamuscar la piel del puerco se usan lámparas de soldador, los matarifes respetan menos al puerco que los arponeros al rorcual, se conoce que al convivir con él le pierden el respeto, a lo mejor lo respetan lo mismo pero de otra manera más revuelta y misteriosa, na casa de Xan Pelexón todos reñen e todos teñen razón e na marisma de Xan Meixoeiro todos móllanse o cu e el o primeiro, en el infierno tienen una caldera especial, una caldera en forma de huevo y pintada de verde para secar a los náufragos el agua de los pulmones del alma que es la última y más rebelde y esquiva, de nada vale incinerar los cuerpos porque las almas no arden si no se las barniza con un engrudo de fósforo y azufre respirado por la nariz del demonio, hay que tener mucha precaución porque quen come fiado caga mazarocas y después es peor, desde el cerro de Outeiriño Gordo que se alza por encima de punta Ostreira la costa baja en escarpado y recurva hacia levante formando la playita de Avilleira donde aparecieron centenares de latas de leche condensada empujadas por la mar, Cósmede se llevó muchas, las enterró en la arena para irlas carretando poco a poco, en el arrecife que llaman Cubierto de Bolteiro anidan unas nécoras amaestradas que son difíciles de atrapar, dicen que son las más listas de toda la costa y que se deben cocer con fuego de argazo bravo, aún mejor es el carrumeiro, por aquí desemboca el río Bornalle que cría anguilas que se pueden freír pero que también se dejan comer crudas, las dos Carracas cubren y descubren y la Foradiña, la pedra das Moscas y la laxe Galiñeceiro también, son todas de navegación peligrosa, una nube de bolboretas de color lila casi tapó el sol sobre la punta Sorrego da Braña el martes de carnaval del año pasado, debió ser cosa del demonio disfrazado de tiburón, unos pescadores lo vieron pasar

cortando el agua por el petón dos Turcos, porque el
tiempo no era todavía el propio, las bolboretas dibuja-
ron en el cielo la hoz y el martillo, se conoce que eran
comunistas y después se fueron yendo poco a poco, el
tiburón nada pintando líneas curvas cuando está ham-
briento y triste y líneas quebradas cuando está satisfe-
cho y alegre, en A Rosa dos Ventos, la taberna de Farruquiño o Curuxo, se despacha cascarilla y café de pota y
tiene no sólo vino y aguardiente sino también refrescos,
cerveza, vermú, ginebra, coñac y otras bebidas espirituosas, o Curuxo quiere prosperar y salir de pobre y
mira por sus intereses, o que non se pode é pasa-la tarde
diante dunha taza de café baleira á que nin van as moscas, Noé Rebouta o Maceiro, Chelipiño Pérez Peito de
Lobo, Doado Orbellido o Roxón, su hermano Froitoso
Cara de Pau, Lucas Abuín o Mexariqueiro, Martiño Villartide o Laión y Renato Fabeiro o Comediante, que no
escarmentaban y seguían cagándose en la predicación y
faltándole al respeto a los sacerdotes, salen de vez en
cuando del purgatorio y enseñan a las mariposas a pin-
tar insignias revolucionarias en el cielo, después se
vuelven como si tal cosa a seguir ardiendo, Farruquiño
se acercó a Santiago a comprar una cafetera italiana
pero perdió los cuartos en el bingo, no pudo ni pasarse
por el Pombal a estar con una portuguesa, las hay morriñentas, glotonas y cantarinas, de las tres clases, Farruquiño es ahorrador y prefiere las morriñentas, Farruquiño se tuvo que volver a la aldea más corrido que una
mona, no se lo contó a nadie para que no se rieran de él,
la piedra Montalvo de Fóra da poco más de un metro de

sonda en bajamar escorada, Montalvo de Terra y el Cha-
note están algo más hondas pero siguen siendo traicio-
neras, el viento del sudeste empujó al vapor Mourelos
con carga general contra estas piedras, traía el timón
roto, se ahogaron el capitán y tres marineros y se salvaron los demás, el ama de don Socorro el cura de Morquintiáns me contó el día de San Bernabeu, cando está o
sol no máis alto do ceo, que la mayor parte de los santos
son parientes y se reúnen en familia para luchar contra
el demonio e impedirle que haga el mal a los fieles cristianos, María Flora gobierna el mundo desde su mecedora de mimbre y hace mermelada y aguardiente de
arandos, de morodos y de grosellas, la provisión le dura
todo el año, también teje bufandas y guantes de punto
y se entretiene haciendo solitarios con la baraja, hay
tiempo para todo, hasta para salvar el alma y ayudar al
prójimo a salvar la suya, mi tío Knut Skien tiene un ojo
de un color y otro de otro, esto pasa, a mi difunta novia
Xertrudiñas y a Agostiño Taborda el del títere les pasaba igual, el dodge de Carliños de Micaela guarda memoria de muchos pecados a los que va lavando la lluvia
poco a poco, también los ventila el viento, a los pecados
de la carne sólo los borra el fuego, los borra pero no los
escarmienta, el purgatorio no está para escarmentar a
nadie sino para enderezar la historia de los muertos, la
historia es siempre de los muertos que sólo resucitarán
milagrosamente el día del Juicio cuando suenen las
trompetas del fin de mundo, declaro que ya tengo algún
dinero ahorrado y que me voy a hacer una casa con
las vigas de madera de boj, no sé dónde, con los pisos y las

escaleras de madera de boj, a la beira da mar, eso sí, no
quiero ni pensar en un incendio, al final arden hasta las
piedras y las planchas de hierro y de acero del casco de
los buques, el eco no repite el ronquido de las ánimas y
los espejos no devuelven su figura, conviene llevar
siempre una caja de mixtos en el bolsillo para espantar
al lobo del monte, ten presente que la mar no perdona
pero la tierra tampoco, son dos animales carniceros, dos
bestias sanguinarias, el agua quema como el fuego y el
aire huye despavorido de los demás elementos, Florinda Carreira parecía la hermana mayor de Juana de
Arco o la hermana pobre de Agustina de Aragón, es
todo lo contrario pero la historia se escribe con vaivenes
y con confusos ringorrangos aunque se sigue enten-
diendo, yo podría estar toda la vida comiendo empanada de xoubas porque es un alimento completo, tiene
de todo, vitaminas, proteínas, féculas, hidratos de car-
bono, esto es sabiduría, el arte de escabechar perdices y
codornices, sardinas y atún añade mérito a las mujeres
aunque puede abocarlas al parricidio y al espionaje,
esto no queda muy claro, desde punta Remedios hasta
monte Louro se enseñan los bajos de Os Meixidos, el
bajo Ximiela, el bajo Mean, los bajos Carballosas y las
piedras de Os Bruios, más cerca de la costa está el Cabezo de Figueiroa y el Sinal de la Insua, entre éstos y
aquéllos cruza el canal dos Meixidos en el que se baña
la moza Rosalía a Tranqueira que baila mejor que nadie
y nada como nadie, una moza fuerte y sana es una bendición de Dios y un regalo del cielo, si yo fuera Rey de
España me rodearía de mozas fuertes como carballos y

sanas como hortensias para que me contagiasen alegría
y me hiciesen justo y benéfico, a mí me parece que ése
debiera ser el estado natural del hombre aunque salta a
la vista que no lo es, Rosalía a Tranqueira lleva el pulso
a todos los escribientes y tenderos y a casi todos los pescadores y marineros, ella se ríe mucho y se deja invitar a
chocolate y mantecadas para mojar pero de ahí no pasa
nadie si ella no quiere, en todo lo mío mando yo y quienes yo quiera, si quiero, los recuerdos que no me da la
gana tener los borro y en paz, al peón caminero Liduvino lo castigó Dios por faltarle al respeto al padrenuestro y ahora va por las romerías cantando romances de
bergantines piratas y de criminales muertos en garrote,
todos son forasteros, castellanos, leoneses, portugueses,
a los ciegos se les pone la voz justa para cantar con mucho sentimiento, Liduvino estuvo a punto de morir ahogado en la laguna de Braña Rubia, entre Rodeiro y Sal-
gueiras, pisó mal y se le fueron un pie y el equilibrio, lo
salvó el Espíritu Santo y su monaguillo San Bieito da
Cova do Lobo, Santiago manda o pan, San Bieito manda
o viño, San Eneón manda a landra e San Bieito o touciño, los ciegos tienen poca defensa, cuando Fofiño
Manteiga llegó al limbo de los querubines Dios Nuestro
Señor se dio cuenta de que el lobo y el oso se habían
quedado desamparados y lo mandó otra vez a la playa
de Gures, como con Dios Nuestro Señor no cuenta el
tiempo nadie se percató de su ir y venir, el lobo y el oso
se pusieron muy contentos pero nunca supieron por
qué, las adivinaciones no se rigen por la misma ley que
la voluntad ni el entendimiento, los viajes que obra la

divinidad son mágicos y no se pueden medir con el reloj ni con el calendario, por esta mar no nadan los tabeirones, meu santiño San Crimente onde te foron levar, á
capeliña do Pindo viradiña para o mar, por esta mar nadan los rorcuales pero no los tabeirones, Liduvino a nadie ofende porque pide limosna por amor de Dios y con
voz de ciego respetuoso, los ciegos son más comedidos
que los sordos, son más mirados y blasfeman menos,
aquí ni se roba ni se engaña y se acata humildemente la
voluntad de Dios Nuestro Señor, en Bosenxo, en el camino de Arzúa, vivía una vieja que tocaba a Wagner al
acordeón, *El ocaso de los dioses, Tannhäuser, Parsifal*, a la
vieja se le presentaba el demonio todos los martes, no se
le metía en el cuerpo ni en el alma, sólo se le aparecía
y le daba conversación venenosa, era un demonio joven y
bien parecido que olía mal, claro, pero que se lavaba los
sobacos y la entrepierna en todas las fuentes y se perfu-
maba con esencia de espliego, la mujer se llamaba Polipia, nadie sabe quién era Santa Polipia, a lo mejor fue
una mártir de Antioquía que después de sufrir muchas
injurias en nombre del Redentor consiguió el triunfo de
la antigua serpiente, los vecinos decían que la Polipia
del acordeón era medio bruja y quisieron quemarla,
tuvo que intervenir la guardia civil que la llevaba a dormir todas las noches al calabozo de la casa cuartel para
apartarla del peligro, el cura don Xerardiño probó a
ahuyentar al demonio pero sólo lo consiguió a medias,
invocando a Santa Eufemia de Arteixo avogosa dos cho-
ríns se arreglaron algo las cosas pero no del todo, a la
señora Polipia la pudieron librar de la presencia del de-

monio con las habilidades recomendadas por Madame
Kurachi, la peluquera de la condesa de Festro, o sea ba-
ñándola en leche de cabra maltesa y secándola con un
mantón de Manila, su casa hubo que ventilarla durante
siete días con sus noches y rociarla después con agua de
rosas, las más eficaces son las de Jericó, la guardia civil
y don Xerardiño convencieron a los paisanos de que el
demonio se había ido en el Castromil de Santiago, no
era difícil de reconocer porque vestía delantal de via-
jante de comercio y llevaba gorra de visera y corbata de
lacito, la señora Polipia no llegó a estar poseída por el
demonio, esto ya se dijo, y no fue preciso purgarla con
jalapa ni ahumarla con oro, incienso y mirra, pero estuvo a punto, hay personas que se resisten más que
otras a la invasión del demonio y a sus tolerancias y
granujerías, los tísicos son más proclives, al entierro de
Belarmino Bugallo fue mucho personal, gente venida
de muy lejos, se comieron todo el lacón y se bebieron todo
el vino que había en la casa, el difunto era hermano de
don Xiao, el cura da Escravitú, que tenía fama de ser
muy respetuoso con la Divina Providencia, Belarmino
jugaba al parchís y al dominó como un verdadero maestro, era muy difícil ganarle, en el parchís tiraba muy
bien los dados, con mucho efecto, y en el dominó llevaba en la memoria todas las jugadas y adivinaba las fichas que tenía cada cual, las leía en los ojos y no marraba casi nunca, Pepiño, el otro hermano de Belarmino,
confiaba en que en el purgatorio se jugase al parchís y al
dominó, eso no es pecado y además Dios Nuestro Señor
es muy misericordioso, muy caritativo, entre los que

acabarán ardiendo en el purgatorio los hay que tienen buena encarnadura y se les borran pronto las cicatrices y las mataduras pero también los hay que son como sacos de pus y están siempre infectados y granujientos, siempre medio con calentura y temblando, dan asco y son muy repugnantes, Alfonso González Puentes, limpiabotas, tiene frieiras por el invierno, los sabañones los crían los pobres en las orejas y en los dedos de la mano, escuecen mucho y si se rascan es peor, Alfonso González Puentes también se llama Dámaso Alborache Monsagre, vendedor de lotería, padece de almorras y de picor no cu, mejor dicho, no se llama como ahora se dice pero podía haberse llamado Dámaso Avellar Muñoz, repartidor de butano, en la furna dos Defuntos Queimados ardieron los rusos del Vladiwostok, sus ánimas todavía sobrevuelan la mar, no se juntan a la Santa Compaña porque no se entienden, las putas de Santiago son muy sumisas y complacientes, sobre todo las orensanas y portuguesas, algunas hasta pegan los botones de la bragueta sueltos, ahora casi nadie lleva botones en la bragueta, mi tía Adela llama pretina a la bragueta, Dámaso Avellar Muñoz es un sí es no es tartaja y arrastra con mucha paciencia unas purgaciones mal curadas, también podría ser Antonio López Correa, algo bizco y dependiente de coloniales, que se rasca descaradamente las ladillas, no se le van ni con ladillol ni con aceite inglés, o Ceferino Cendejas Domingo, sepulturero, que tiene podagra, o Salustio Beleña Escalantes, sacristán, que sufre del mal do avespeiro, o Camilo Reboleiro Fervenzas, factor de estación, que cría lombrigas intestinales desde que era niño, o Ángel Soutullo Martiñán, redero, al que le brotan toromelos uno detrás de otro, Alfonso era de los limpios y de buen encarnamiento, daba gusto con él porque las cicatrices se le quitaban solas, Alfonso había nacido en Vigo, su madre era sordomuda y su padre vendía caramelos, chicles y cacahuetes por las calles y a la salida de los colegios.

—¿Usted ha oído decir que el Centulo se lamenta como una criatura maltratada?

—Sí, y también silba a veces; el Centulo tiene mucha vida y encierra un cargamento de misterio, de aquí se fue llorando la sirena a la que no perdonó su desamor o su mala conducta casquivana, es lo mismo, Farruquiño, el remero del rapetón Xibardo que era muy celoso, parecía portugués o moro.

Alfonso se crió en la calle, también aprendió en la calle el arte de vivir de milagro como los gorriones y las moscas que se pegan al cristal y no saben huir, y a salto de mata como las ratas de las alcantarillas y los conejos del monte, Dios protege aún más las inocencias que las sabidurías, su padre lo metió en el hospicio, un caserón habitado por fantasmas disfrazados de murciélagos, el dormitorio era una gran nave con dos hileras de camastros y la mitad de los cristales rotos, en el centro había un balde para las aguas menores, para aliviarse de las mayores bajaban todos por la mañana a un solar que quedaba detrás del edificio, hacía mucho frío, si las ganas le daban a uno por la noche obraba las necesidades en un periódico y después tiraba todo por la ventana, el vigilante iba siempre con un palo en la mano repartiendo leña entre los hospicianos, Dámaso, o sea Alfonso era delgadito y tenía trece años y un duro de plata y una moneda de dos pesetas también de plata que no le encontraron nunca, las llevaba sujetas con una cinta al forro de las pelotas, el winger James E. Allen dejó de jugar al rugby porque se sintió viejo, hay siete vejeces o siete etapas de la vejez y cada una se presenta de golpe y sin dar aviso, para cazar el carnero de Marco Polo hay que ser rico, la edad importa menos, al tenis tampoco se debe jugar si el corazón se fatiga, ni al cricket, en el Surrey Cricket Club no quieren bowlers que jueguen con la boca abierta, el croquet es casi un juego de salón, los indios llaman cíbolo al bisonte pero por donde se sitúa la ciudad de Cíbola no hay bisontes, la tierra es demasiado seca para el pasto, un buen día Alfonso se escapó saltando desde el tercer piso y casi se mata, se dio contra el santo suelo y todos los huesos le sonaron, también los vacíos del organismo, los pulmones, el estómago, el vientre, los sesos le cantaron dentro de la cabeza y los dientes dentro de la boca, la barbilla se le clavó en el pecho, los pies se le pintaron de negro y los goznes de la osamenta se le descoyuntaron, cuando pudo respirar Alfonso acertó a llegarse a la estación y auparse hasta el tope de un vagón de carga de un tren que estaba a punto de salir.

—Usted sabe tan bien como yo que la preocupación por el orden es enfermiza; esto va demasiado ordenado pero no he de ser yo quien se lo explique, ¡allá usted!, yo no le llevo la contraria a nadie porque estoy ya muy escarmentado.

El crego Recesinde, don Antucho Recesinde, que fue
cura de Rabuceiras, ahora ya no hay cura en Rabuceiras,
cada vez hay menos curas y se cierran más parroquias,
yo no sé en qué va a parar esta cuesta abajo, el crego Recesinde estuvo siempre muy preocupado con el pecado
de la carne y hablaba sin parar contra la lujuria y de
todo lo humano y todo lo divino cuando iba por la
segunda copa de licor café, a Mariquiña Gandarelo de
Muñoz la operaron de la matriz en Santiago y le dijeron
que ya no podría tener más hijos, iba ya por tres, las tres
niñas, Chucha de siete años, Uxía de cinco y Modesta de
dos, aún no había tenido ningún varón pero le hubiera
gustado parir nueve hijos como su madre, esa es una
buena cifra, el crego Recesinde cuando Mariquiña volvió del hospital le dijo que era pecado que se acostase
con su marido, pecado mortal, porque el fin del matrimonio era el de la perpetuación de la especie y no ningún otro, ya se sabe que hay siete vejeces pero también
siete muertes, no son lo mismo ni tienen por qué coinci-
dir, mi cuñado Estanis Candíns fue jugador de baloncesto pero cuando se murió por primera vez se reencarnó en maestro de escuela, esto queda confuso porque
en realidad no son reencarnaciones propiamente sino
advocaciones o tutelas de Dios Nuestro Señor que nos
permite seguir vivos y con los sentimientos modifica-
dos, al vagón en el que iba Alfonso lo desengancharon
en Redondela, el mozo se apeó del tope con mucho tino
para no ser atropellado y se hizo unas muletas con unos
palos para poder tenerse de pie, el carrumeiro es un
alga muy saludable porque contiene metales y metaloi-

des que también son buenos para la salud, cuando Alfonso iba a salir de la estación le dio el alto un guarda de Renfe que lo entregó a la guardia civil, Alfonso les dijo que se llamaba Antonio López Correa, era un nombre supuesto, pero no logró engañarles y lo llevaron a la casa cuartel de Redondela, era día de feria y la imagen de un niño herido, esposado y entre dos guardias, desató las iras de los feriantes que insultaron a los civiles y socorrieron al niño que llegó al calabozo con dos molletes de pan, un queso y media docena de chorizos y con los bolsillos llenos de dinero, más de seis pesos en monedas de peseta y de real, el comandante del puesto le llamó mentiroso, se había denunciado la fuga y conocía su verdadera identidad, pero también le dijo que en el hospicio no querían ni verlo y que se fuera donde le diese la real gana, para que pudiera salir de allí y soportar el dolor le ataron el cuerpo con una cuerda, las cajas de lata de las pastillas pectorales La Cubana, Vda. e Hijos de Serafín Miró, Reus (Tarragona), Spain, sirven para guardar estampitas de la Virgen, flores disecadas, monedas de plata de otros países, condones, sellos de Bosnia-Herzegovina, fotografías de la primera comunión de una primita muerta y cédulas personales con la fecha caducada, Alfonso tenía una caja de lata de pastillas La Cubana pero tuvo que dejarla en el hospicio, como no quería volver con sus padres se fue a La Coruña a casa de una abuela, llegó como pudo pero llegó, en la aldea de Panches, por encima de la Costa de Cabra y de la punta de Pedra Rubia, donde naufragó el carbonero Salvador, tres marineros muertos y otros tres desa-

parecidos, vivió hasta hace poco la santa Micaela Cer-
dido, la mató un rayo que le entró por la chimenea,
Micaela acertaba con los remedios del amor y el desamor,
a medida que se baja hacia el sur hay menos naufragios,
todavía los hay, por desgracia, pero son ya menos, para
atar al hombre con los lazos del amor, se deben tomar
tres varas de cinta blanca, se le hacen siete nudos y se
ata con ella un muñeco de trapo con el nombre del
amado, si se quiere dar marcha atrás se cortan los nudos
y se dice, yo desligo a Roquiño (o a quien sea) del hechizo que los nudos obraron sobre él y destruyo el sorti-
legio que por su virtud tenía formado, Carlomagno
pasó a cuchillo a los viciosos habitantes de la ciudad de
Valverde, le ayudó a rendirlos el Apóstol Santiago que
derribó con los cascos de su caballo los muros detrás de
los que se guarecía el pecado nefando, Valentín Noriega
era indigno del amor de Magdalena Cara de Limón y
entonces ella, para librarse de él, aprovechó un lunes
con la luna en cuarto menguante y después de que el
gallo con su canto ahuyentara a los demonios de la media noche, se llegó al río Eume, más allá de Filgueiro, y
con permiso de las ánimas metió tres veces los pies des-
calzos en el agua cogiendo de cada vez una flor de madreselva, rezando tres avemarías y diciendo una frase
que no se debe escribir sino aprender de memoria, el sacristán Celso Tembura la sabe y se la dice a todo el que
quiera aprenderla, Magdalena Cara de Limón se volvió
a casa antes de que el gallo cantara de nuevo y metió las
tres flores en una redoma con agua y media cucharada
de vinagre, la puso durante trece noches en la ventana

al relente y a la influencia de los astros y durante todo ese tiempo guardó un ayuno riguroso y se abstuvo de contactos carnales, de pensamientos libidinosos, de tomar licores y de vestir de verde y colorado, al día trece metió en la redoma tres cucharadas de miel cogida en el otoño, de madrugada y con los ojos cerrados, le añadió un vaso grande con el agua en la que estuvieron metidas las flores y justo al mediodía y estando en ayunas se bebió todo el vaso respirando lo menos posible, rezó otras tres avemarías, dijo la frase que no se debe escribir y ya está, entonces buscó a Valentín Noriega y sin mirarlo ni tocarlo lo mandó a la mierda y escupió en el suelo y él se apartó sumisamente de su camino, quizá un poco avergonzado, a lo mejor tenía remordimientos de conciencia, este remedio también vale contra la obesidad y la apoplejía, no contra el dolor de oídos ni las viruelas locas como dicen algunos, Alfonso se alistó en la legión a los diecisiete años, él dijo que tenía diecinueve, y sirvió en Ceuta, en el 2.º Tercio Duque de Alba, 4.ª Bandera, 1.ª Compañía, en una guardia se le disparó el mosquetón y le quemó la cara, tuvo suerte porque pudo haberse pegado un tiro en la boca, estaba jugando con el arma, un subteniente chusquero, Bienvenido Tomás, ya le había enseñado que de una caña puede salir un tiro, para que lo recordase siempre le pegó una patada en el culo, le acertó tan bien y se la dio con tanto entusiasmo que lo tiró de bruces, a los tres años Alfonso se volvió a Vigo y trabajó de peón de albañil, no es difícil, en el 57 empezó a darle al cepillo y a familiarizarse con el betún pero hasta el 66 no se dedicó de lleno al oficio de limpia-

botas que es más seguro y se pasa menos frío, entonces
se casó, tuvo siete hijos de los que le viven seis y empezó a leer novelas con entusiasmo, Alfonso es un lector
muy aplicado, con buen criterio y buena memoria, hay
libros que se los sabe de corrido, *La colmena* por ejemplo, Alfonso está de limpiabotas en el aeropuerto de La-
bacolla, en Santiago, cuando se siente a gusto sorprende
al cliente recitándole párrafos enteros de alguna novela
famosa, la bocana de la ría de Muros y Noya se abre entre el monte Louro y la punta del Castro o aún mejor
entre ésta y los islotes Leixoes que quedan frente al monte
Louro, por aquí anduvo pescando pulpos un mocito
que andando el tiempo llegaría a nuncio de Su Santidad
en una república centroamericana, no me quisieron decir cuál ni tampoco el nombre del que llegó a alto digna-
tario de la Iglesia y así no se puede escribir la historia, el
patache Eloísa Trabancos con carga general embarrancó
en la Ximiela, se ahogó un marinero y se salvaron todos los demás y los dos perros que iban a bordo, Tim y
Tom, los dos foxterrier de pelo blando, listos y valientes,
son los del anuncio de los discos La Voz de su Amo, al tocar tierra tras el naufragio los perros se pegaron al grumete Paquito que era sobrino del patrón y llegaron con
él hasta su casa de Reboredo, más allá de O Grove, cerca
ya del colegio de sordomudos, la madre de Paquito es
muy hermosa y bien plantada, se llama Ermitas y fue
Miss Pontevedra unos años atrás, Ermitas no quería a
los perros durmiendo dentro de casa porque se subían
al sofá, por el día molestaban menos y se portaban mejor, y Paquito les hizo una caseta para que se guarecie-

sen del viento y de la lluvia, el frío de por aquí se resiste
bien, la ría de Muros se asienta sobre trece montes de
los que Albino Nogueira no se cansa de hablar, a la ría
de Muros vista desde la mar le sirve de telón de fondo
una baraja cumplida de montes, trece montes misteriosos en los que duermen otros tantos sueños medio reve-
rentes y medio solitarios a los que la gente vuelve la espalda, el monte Ézaro en el que se ensañó la ira de Dios
en forma de nido de víboras rabiosas capaces de romper
la piel del planeta, la costra de tierra y piedras del planeta, los robalos que se crían a su sombra son los más
bravos que se conocen, la punta Remedios a cuyo pie
naufraga un barco con marineros ahogados cada once
meses, el monte Galera con sus tojos que sirven para
curar la lepra, el monte Oroso, el de las donosiñas que
cazan verderoles al vuelo, el Tremuzo donde vive un demonio pobre al que tienen que socorrer los peregrinos,
se llama Abafalliño y se alimenta de raíces, el monte
Louro en el que luce un faro, para entrar de noche en la
ría de Muros conviene pegarse al monte Louro esca-
pando de la banda del sur y navegando en el campo
oscuro del faro Reburdiño hasta haber cruzado la línea
Castromonte Louro, después viene la peña Xarpal que
está llena de franceses muertos y mal enterrados, a algunos les quedan los brazos o las piernas fuera, el
monte San Lois donde vive un ermitaño medio ciego
que se llama frei Fame y que vive de la caridad de los
veraneantes, guarda por los veranos y estira durante
todo el año los higos secos, las hojas de bacalo y de cor-
vina y las latas de leche condensada, el monte Iroite

o de la Franqueira que hasta hace poco criaba una especie de lagartos que ha desaparecido, el monte Enxa al que van los excursionistas a merendar y a meterse mano, el pico Curota en el que rebotan los rayos, el Curotiña con sus rulas viajeras y el Castro que señala la mar donde pescaba pulpos el rapaz que llegó a nuncio, Albino Nogueira sabe muchas historias de la mar y la tierra, no las escribe porque no se atreve, Albino dice que Erundiniña, la ballena soltera, lleva ya dos años sin venir, a Albino no le gusta contar historias tristes, tampoco suponerlas, y prefiere pensar que Erundiniña sigue viva y a flote, juguetona y airosa, el cojo Telmo Tembura no saluda a los bebedores de infusiones ni de refresco de fresa ni de gaseosa, cada cual tiene sus principios y sus servidumbres, Ofelita Garellas está siempre pariendo, los hijos los deja en la inclusa porque ella no tiene para darles de comer, encima de la puerta hay un letrero que dice «Abandonado por tus padres la caridad te recoge», Ofelita es parva y se abre de piernas debajo de quien la tumba, Ofelita duerme de caridad en el gallinero de Micaela Piñeiro en Berducido, así le ahuyenta las alimañas, Ofelita vivió una temporada en el cementerio de San Xurxo dos Sete Raposos Mortos, Telmo Tembura la dejaba dormir en la caseta de las autopsias, los fuegos fatuos eran como de la familia y las sombras de la Santa Compaña también, pero de las campanadas malditas hay que huir como del fuego porque avisan de la presencia de Belcebú, Ofelita salió corriendo una noche que oyó las campanas de Valverde la ciudad poblada de bujarrones y sumergida por castigo de Dios y el Apóstol

Santiago, a Telmo Tembura le gusta el oficio de enterrador porque da mucha serenidad al carácter, la sierra de
Barbanza queda al sur de la ría de Muros, además del
puerto de Muros hay otras ensenadas caprichosas y
poco de fiar, O Son, Portosín y O Freixo, Ofelita se lava
y lava su ropa en los regatos y no en la mar, es dura la
entrada a la ría de Muros, sin embargo la anchura de
la bocana y lo alejadas que quedan las piedras y los bajíos
que hay que salvar permiten enfilarla sin más que dar
los debidos resguardos, Petronilo era el favorito de Paxaro Bori II el Frontaleiro, rey de los xusteos, quien de-
seoso de que las perfecciones físicas de la reina Benigna
Coeck pudieran ser admiradas por su valido provocó
que éste pudiera verla en paños menores, la reina Benigna se sintió ultrajada por la decisión de su esposo y
estando desnuda en brazos de Petronilo, que dejó de tocar la flauta para mejor atenderla, le amenazó con una
muerte horrible en los calabozos de su castillo si no ase-
sinaba al rey Paxaro Bori, cuando éste murió asaetado
en una montería Petronilo se casó con la reina y fue coronado rey con el nombre de Gavilán Bori I el Durmi-
ñento, Ofelita Garellas se asusta mucho con estas fábu-
las antiguas y reza el Señor Mío Jesucristo, siempre en
castellano, no lo sabe en gallego, viniendo del norte y de
noche con la mar no demasiado brava se apoya uno en
la luz de las farolas de Fisterra, punta Insua y Corrubedo y dejando atrás Os Meixidos se aboca la ría hasta
meterse en la luz del faro de Monte Louro, esquivados
A Ximiela, As Carballosas y Os Bruios puede entrarse
pasando a una milla del faro, en la taberna de Segundo

el Murciano, Segundo Alporchones Malvariche, natural
de San Ginés de la Jara, provincia de Murcia, que había
sido guardia civil y celador de prisiones, en la taberna
de Segundo el Murciano un marinero irlandés que no
dio tiempo a saber cómo se llamaba, tampoco llevaba
papeles, le apagó un pitillo en la cara al cojo Telmo Tembura y éste lo tomó a mal, lo trincó del cuello, apretó
fuerte y lo mató, todo fue muy rápido y limpio, nadie
salió en defensa del irlandés porque tampoco tenía razón, esto de no tener razón se paga caro y eso de apagar
pitillos en la cara puede acarrear malas consecuencias,
al irlandés esperaron a que fuera de noche y lo tiraron a
la mar, si se viene del sur ha de navegarse dentro del
sector rojo de ocultaciones de punta Insua, O Rocín,
O Guincheiro, A Roncadoira, O Bustaxán y A Baia, cuando
se ve la luz del faro de Reburdiño se maniobra con el
sentido y en consecuencia, Segundo el Murciano llevaba más de veinte años viviendo en el país, su mujer,
Virucha Cotiño, que tenía el pelo rojo y estaba pintada de
pecas, era la dueña de la taberna, la había heredado
de su padre, Segundo y Virucha se habían conocido en
el dentista en Santiago, en la taberna de Segundo solía
guardarse la compostura debida, Virucha preparaba el
pulpo como nadie, también freía como era mandado los
pimientos de Herbón quitándoles el rabo para que no
amargasen, el capador de puercos Delfín Pousa Cuspe-
driños, por mal nombre Bardallas, que era de Cartimil
en el valle de Trasdeza, tenía un pronto violento y alborotador, ya lo tuvo más de lo que lo tiene, eso es verdad,
pero en la taberna de Segundo se lo guarda para no pro-

vocar ni al amo ni a los clientes porque tienen poco
aguante, no pasan una, a Segundo no le gusta que la
clientela alborote, a los borrachos los saca afuera y los
sienta en el suelo, si llueve los deja en la tejavana de la
cuadra para que no se mojen, Celso era hermano de
Telmo, el sacristán Celso Tembura sabe las cuatro oraciones para las cuatro necesidades espirituales y corporales, para pedir a Dios por las ánimas buenas, las embarcaciones costeras acortan mucho su derrota para
entrar en Muros metiéndose por dentro de As Basoñas y
de A Baia según se viene de los bajos de Corrubedo, hay
que aprovechar la buena mar sin viento, la segunda oración que sabe es para ahuyentar a los espíritus malos,
después de pasar entre A Marosa y Corrubedo o entre
A Marosa y O Rinchador se sigue al mismo rumbo y al
darse con el monte Louro por fuera de la Basoña
Grande se continúa adelante hasta rebasar el Teilán de
Fora, se arrumba a llevar por la proa la punta Castro
para pasar entre los rodales Nuevo y Tremalleira dejando al través de babor la Basoña que ya se dijo, se sigue hasta que el monte Larayo se esconde detrás del
Louro y se mete uno a llevar por la amura de babor la
punta Reburdiño, la tercera oración conviene para sanar
de las dolencias ya naturales ya provenientes del diablo
o de artes de hechicería, es lo mismo, el único chino tripulante del Good Lion, se salvó toda la marinería del
naufragio, llegó hasta Muros y se empleó primero en la
lonja del pescado y después en el restorán La Cocina
Económica, me dice Segundo el Murciano que esto no
debió de ser así porque no le encaja, el chino se llamaba

Pablito y la gente lo quería bien y andando el tiempo
pudo arreglar los papeles y poner una lavandería, la
cuarta necesidad que arregla el sacristán Cornecho es
la que vale para evitar que los espíritus malos puedan
volver a entrar en el cuerpo de modo que ese refugio les
quede cerrado para siempre, amén, a la virgen Locaia a
Balagota ya no se le tiene el debido respeto, los tiempos
marchan irreverentes y las costumbres copian las del extranjero, la gente las aprende en la televisión, el dublinés Juanito Jorick le sigue llevando un ramito de flores
campesinas a la virgen Locaia a Balagota, flores de colores muy limpios, amarillo, violeta, blanco, azul, a Juanito Jorick le gastaron una buena broma, la voz no se le
atipló pero las ganas de vivir se le mermaron, mejor dicho, se le desviaron, por fuera de As Basoñas y A Baia se
entra más a placer en Muros, después de los bajos de
Corrubedo se sigue hasta el monte Louro por fuera de la
Basoña Grande, se gobierna sobre punta Remedios,
se evita la Guincheira que es la más a oeste de As Basoñas y no se mira al monte Louro hasta rebasar la enfilación de la Curotiña con la Basoña Grande, se pone proa
al monte Louro y se sigue hasta darse con el cerro Cabeiro, entonces se arrumba sobre punta Reburdiño y ya
está, antes de matar a Feliberto Urdilde de un botellazo
las viudas dormían más tranquilas y tenían sueños menos pecadentos, a mi primo Vitiño le llevaba el pulso, es
cierto, pero éste sigue vivo y con sus aventuras, para sobrevivir no hay como la vocación y la insistencia, Knut
Skien llevó a mi primo Hans E. Allen a cazar el carnero
de Marco Polo, la vida no tiene argumento, cuando cree-

mos que vamos a un sitio a hacer determinadas heroi-
cidades la brújula empieza a girar enloquecidamente y
nos lleva cubiertos de mierda a donde le da la gana, a la
catequesis, al prostíbulo, al cuartel o directamente al
camposanto, también la muerte empieza a bailar su
danza desorientadora y confusa, la gaita que suena
tiene la voz tomada, ¿por qué en mi familia no hemos
sido capaces de levantar una casa con las vigas de madera de boj?, esto no lo sabe nadie, yo tampoco lo sé, las
ignorancias no merman con el reparto, eso de que lleva-
mos ya varias generaciones sin estar enterrados juntos
no es más que una disculpa y una superstición, los
muertos católicos se encuentran y se reúnen en el purgatorio, se saludan con reverencia y sumo afecto, y los
otros también aunque no lo digan, esta es la farsa de
los muertos, con las debidas precauciones para no darse
con los Leixoes y los bajíos de O Son puede arrumbarse
a punta Reburdiño no dando fondo hasta enfilar el reloj
del Ayuntamiento con la capilla de San José, Delfín
Pousa capa puercos con mucha habilidad y alegría, no
les da tiempo ni a enterarse, a Bardallas lo que más le
gusta es el ollomol al horno, algunos domingos se llega
a la taberna del Murciano para que se lo cocine Virucha,
sería muy dramático que ardiese una casa con las vigas
de madera de boj con alguno de nosotros dentro, estaba
fuera pero entró para salvar unas cartas, una fotografía
o un perro viejo con el cuerpo lleno de úlceras, también
para morir quemado, esto es como la purga del corazón
y del sentimiento, don Anselmo Prieto Montero, el autor de *La campana del buzo*, explica a sus contertulios del

café Galicia eso del planteamiento, el nudo y el desenlace, que son las tres normas que se deben tener presentes, el modelo es Emilio Zola o doña Emilia Pardo
Bazán, ahora ya no es como antes, ahora la gente ha
descubierto que la novela es un reflejo de la vida y la
vida no tiene más desenlace que la muerte, esa pirueta
que no es nunca igual, el decorado debe dibujarse primero y pintarse después con mucha precisión, aquí no
valen licencias porque los personajes pueden escaparse
si no se encuentran a gusto, los tres hermanos de mi tío
bisabuelo Dick, o sea Cam, Sem y Jafet, yo vengo de
Cam, cazaban ballenas y nunca se llevaron bien, reñían
por todo y el reparto de las presas los llevaba hasta la
blasfemia, era ya como una costumbre, algunos hombres tienen el hábito de pensar mal y ser desconfiados,
no aciertan con la felicidad pero se consuelan imaginán-
dose que los demás tampoco, a Vincent le gustaba jugar
a la petanca, por cierto, de Vincent no ha vuelto a saberse nada, parece como si se lo hubiera tragado la tierra, los chepas son muy huidizos pero Vincent lo es más
todavía, las lagunas suelen ser traidoras y sus peces son
venenosos y saben a fango, Bardallas dice que las anguilas de aguas estancadas contagian enfermedades,
todo el mundo sabe que tiene razón aunque algunos se
la nieguen, para llegar al Freixo desde Muros se pone
proa a punta Cabeiro y se llega a la enfilación de la peña
Xarpal con la medianía de la isla da Quebra hasta des-
cubrir por fuera del Cabeiro la playa de Aguieiro, se gobierna entonces sobre la punta Cabalo Baixo llevando
algo abierta la isla Quebra por la banda de babor, se li-

bra uno de la restinga que va al sudeste, se pone proa a
la punta de Carreiroa, extremo de naciente de la ensenada de Broña, y se descubre el faro de Louro por el Carreiro, se arrumba a la punta Corbeiro, se toma hasta tener la Atalaya del Son con la punta Larga, se sigue esta
enfilación cuidando de pasar a medio cable al menos de
la punta Corbeiro y pronto podrá gobernarse a cerrar
por la amura de babor en demanda de fondeadero, es
chistoso ver cómo se hunde un pailebot portugués cargado de cómicos vestidos de colores, también es ejemplar, cuando se ven perdidos se emborrachan y rompen
a cantar fados con mucho sentimiento, es muy reconfortante, muy malintencionado y simple, ver cómo salvan
la vida y pueden llegar a tierra nadando como perros
falderos, Tim y Tom, los dos perrillos del patache Eloísa
Trabancos, eran de la misma sangre que los cazadores de
ratas de la factoría de Caneliñas, no es sano redondear
las relaciones carnales con el demonio tomando café, no
sirve para nada y añade confusión y malestar, aumenta
la desorientación, tampoco lo es mantener amores pro-
longados con mujeres gordas y con la voz demasiado
aflautada, tiples ligeras italianas, las del Milanesado son
las más lucidas y llamativas, o cascarilleiras de Betanzos
que gritan como condenadas cuando la tienen dentro,
destrozan los tímpanos de los oídos de los espectadores
con sus gritos, los hermanos Quindimil hacen trampas
al juego, Vincent tenía razón, doña Dosinda le regaló
una radio nueva a mi primo Vitiño Leis, él no lo dice
pero lo sabe todo el mundo, al desaparecido Vincent le
hubiera gustado jugar al tenis, lo que pasa es que no

tiene condiciones, los chepas no pueden jugar al tenis porque la pelota se les dispara en espiral, gira sobre su eje como los trompos, del Freixo se debe salir con la media marea entrante, la última ancla que se ha de levar es la del sur, se gobierna hacia la Misela hasta ver la Atalaya del Son por fuera de la punta Larga y el sur de la isla de Quebra, se toma a estribor a aproar la punta, se gobierna hasta algo antes de la altura de la Coviña, se mete uno sobre babor a buscar Portosín y se sigue hasta ver el monte Louro, aquí ya se puede gobernar llevando a babor la punta Cabeiro y se decide el rumbo según el destino, en el siglo XVII los piratas sarracenos pasaron a cuchillo a los habitantes de Muxía, doblaron la Pedra dos Cadrís y entraron a saco en Muxía, aún se guarda memoria de la crueldad de Solimán Bimbón, el capitán que mandaba las tres goletas moras, hay apodos que duran toda la vida y apodos que caen en el olvido, a lo mejor por aburrimiento, y pierden motivación y frescura, a la difunta Annelie Fonseca Dombate, q.e.p.d., ya casi nadie le llamaba Mosquetín, la ensenada de San Francisco queda entre punta Bouxa y punta Outeiriño, algo dentro está el pueblo de Louro, Carliños de Micaela pudo arreglarle la bocina al dodge y la hace sonar de vez en cuando, los animalitos del monte huyen despavoridos cuando la escuchan, huyen perdiendo el culo y se guarecen bajo los helechos y las piedras, otros se quedan quietos y pegados a la tierra como disimulando, la quietud finge la muerte de los muertos, Carliños de Micaela se ríe mucho asustando a las bestezuelas bravas, cuando la mar se pintó de color naranja a resultas del

hundimiento del barco marroquí Banora, Carliños de
Micaela aún no había arreglado el claxon de su dodge,
don Anselmo Prieto Montero sabía mucha preceptiva li-
teraria, sus contertulios lo escuchaban más atónitos que
embobados aunque, eso sí, con mucho respeto, la vida y
no digamos la conciencia cambia cada siete años y gira
sobre sí misma a su mitad siempre dudosa y fluctuante,
si se acertara a precisar ese momento se podría medir la
duración de la vida y la llegada de la muerte, el vapor
holandés Kafwijk cargado de muebles metálicos de ofi-
cina y de máquinas de escribir marca Remington naufragó en A Ximiela, tres marineros muertos, la policía
sólo descubre un asesinato de cada cinco, el carbonero
asturiano Luz de Ribadesella embarrancó en Os Meixidos,
quizá llevara la carga mal estibada, se le abrió una vía
de agua y se hundió, otros tres marineros muertos, los
maridos sólo descubren una infidelidad de cada cinco,
el patache muradán Sixto de Abelleira que venía navegando de bolina, se conoce que perdió el barlovento, no
pudo voltajear como es debido, y se dio con el bajo de
A Baia, un ahogado, los médicos no descubren a tiempo
ningún cáncer y sólo prueban a consolar a un enfermo
de cada cinco, la sota de espadas representa una mujer
deslenguada y de licenciosas costumbres, la mar devuelve a los muertos panza arriba, algunos vienen solos
a tierra, puede que sea la querencia, ese hábito de los
animales en trance de agonía, y a otros hay que repes-
carlos con maña para que no se destrocen al izarlos a
bordo, Arthur Hicks, desde el paraíso de los marineros
ahogados, desde el rincón de los pescadores de caña

ahogados, cantaba en voz baja la balada de las mil sor-
presas, fue cuando me dijiste que me amabas y a mí me
dio la risa que sólo los locos entienden mirándose en el
espejo de sus conciencias, el rey y el caballo de espadas
señalan un hombre de curia, un juez, un notario, un
abogado, el mejor fondeadero para buques mayores en
la ría de Muros está en el centro de la ensenada, la villa
queda bien dibujada en la falda del monte Costiña, en la
desembocadura del Baldexeira la costa empieza a escar-
par, el monte de San Antón, la punta de San Antón y la
isla de San Antón limitan la ensenada por el norte,
frente a la isla la muralla de la costa se corta a tajo y así
va hasta la punta de Treito do Salto, la parte más a la
mar es la que dicen Pedra Carniceira que cubre y descubre con la marea, las baladas suelen tener dos partes, te
prometí hace muchos años que todo lo que amaste dul-
cemente se tornaría en aullidos de lobo y ahora que te
vas a morir ya casi no te quedan fuerzas para ahuyentar
el fantasma del olvido, Nocencio Estévez el marmitón
del paquebote Saint-Malo se ahogó en Punta Cagada, no
en la piedra del Aforcamento, en el naufragio de su
barco no pudo salir de la cocina, se sigue con igual palo,
el as afirma lo que fuere, es lo mismo blanco que negro,
verdad que mentira, carne que pescado, el dos y el tres
añaden confusión en el corte y en las palabras que se dicen de más, el pez muere por la boca y por guardar silencio nadie acabó en garrote, el cuatro quiere decir
la cama en la que se nace y se muere, el cinco pregona la
enfermedad del cuerpo, el seis es el banderín de engan-
che de los desvíos y el siete canta la pasión o los males

del alma, a un marinero del pesquero Julita lo arrastró
un salabardo y lo dejó atrapado en la red, el arte de
echar las cartas falla muchas veces porque no es antiguo, ni puntual, ni científico, insiste en tus poéticas y es-
tériles agonías, te quisiste reflejar en el objeto amado y
te convertiste en piedra del camino, el dios de la clemencia castiga a quienes quieren transformar el mundo
con arreglo a pautas aprendidas de memoria, desde
Treito do Salto y la isla de Santa Catalina se abre la ense-
nadilla de Bornalle que entra cinco o seis cables, el padre de Antonio Maroñas, el armador del carguero Vicente Maroñas naufragado en la piedra Espiritiño, se
murió de viejo, al entierro fue mucha gente y los que no
fueron se disculparon con razón bastante, el padre del
armador se llamaba como el barco, no sabía leer ni escribir, fumaba en pipa de loza y oía la radio, con la televisión le picaban los ojos, la sota de oros es la mujer que
echa las cartas y el rey y el caballo representan el hombre que busca la verdad o aquel de quien se quiere saber
algo, entre la punta del Salto y la de Ostreira queda un
pequeño entrante en el que puede desembarcarse con la
mar en calma, está ya muy extendido el rumor de que
don Xerardiño, el cura de San Xurxo, lleva ya varios
años muerto, esto no le importa a nadie porque don Xerardiño sigue caminando sobre dos pies y cocinando
pescada a la gallega, mi cuñado Estanis es muy alto y
además dice que don Xerardiño no está muerto, sólo
cheira a muerto, esto no tiene nada que ver, la estatura
de mi cuñado Estanis le da mucho prestigio pero no le
quita el miedo al pecado de la carne y a sus variados pe-

ligros espirituales y corporales, al ciclista Gumesinde lo
mataron en la guerra civil, a los muertos en las guerras
les quedaba aún mucha vida, las fuentes de la salud no
estaban envenenadas ni secas y el alma les sonreía en el
cuerpo como una becerra en la pradera, los pájaros también sonríen cuando van volando por el aire alegre de la
muerte que se ignora, a los pájaros se les mata de una
perdigonada en tiempos de paz, de nada vale querer
ceñir el amor con la cinta blanca del desamor, con una
cinta blanca también se pescan pulpos, a nadie le gustaría que lo encerrasen en una bodega con mil caballitos
del diablo volando, el agua del vaso de la muerte sabe a
cebolla y el suicida que va a tirarse por el balcón está
reconfortado y amargamente sonriente, Outeiro Gordo
es un montecillo de piedra que se levanta al norte de
punta Ostreira, tierra adentro vuelan los grajos que comen en los cubos de la basura de los veraneantes, las
bolsas no están nunca bien cerradas, la vida no tiene ni
principio ni fin porque cuando unos mueren otros nacen y la vida es siempre la misma, oigo las siete sirenas
que anuncian el remoto paso de los rorcuales, Noia
no queda lejos pero los avisos deben ser atendidos, esta
quizá sea la señal de que las zarzas silban el fin de este
viaje del alma, de la mar se puede estar hablando
tiempo y tiempo, me dice Celso Tembura que me calle
antes de llegar a Noia, una de las más hermosas villas
de Occidente, a mí me hubiera gustado arribar a Pa-
drón con la marea alta y amarrar el bote al pedrón del
Apóstol, después de dejar atrás Santa Uxía, o Santa
Euxenia o Santa Oxea, según se mire, ahora anda todo

esto muy revuelto y caprichoso, y Palmeira y La Puebla del Caramiñal y Rianxo, quiero decir la banda coruñesa de la ría de Arosa, pero debo obediencia al sacristán Celso Tembura, al que llaman Arneirón los amigos, otros le dicen Cornecho y tampoco le parece mal, Celso Tembura siempre fue muy generoso conmigo, cuando me ve me invita a pajaritos fritos, lo saben todos pero yo no me cansaré nunca de repetirlo, el vientre de todos estos horizontes es de oro, no encierra oro, raposos de oro, rorcuales de oro, gaviotas de oro, sino que está tupido por el oro que no deja lugar para los raposos, ni los rorcuales ni las gaviotas, por Cornualles, Bretaña y Galicia pasa un camino sembrado de cruces y de pepitas de oro que termina en el cielo de los marineros muertos en la mar.

FIN

Madrid, San Epafrodito de MCMXCIX.

Vocabulario
gallego-castellano

Por Marisa F. Pascual

abalar. Mover acompasadamente una cosa sin que cambie de sitio, mecer.

abanqueiro. Salto de agua, catarata.

aciñeira. Encina.

acougar. Sosegarse, tranquilizarse.

acurrunchar. Arrinconar.

adro. Atrio de una iglesia.

aforcamento. Ahorcamiento.

aguillón. Aguijón.

aínda, inda. Aún.

alcipreste. Ciprés.

allada. Salsa hecha con ajos machacados. // 2. Refrito.

allo do can, allo do raposo. Ajo silvestre.

alpendre. Galpón.

ameixolo. Ciruela, fruto del ciruelo.

amieiro, ameneiro. Abedul.

amoreiral. Campo de fresas.

andoriña, anduriña. Golondrina.

anel. Anillo, sortija.

anguía. Anguila.

ánima. Alma. // 2. En la liturgia cristiana, alma que está en el purgatorio.

apupo. Caracola.

arando. Arándano.

ardentía. Fosforescencia o luminosidad de las aguas del mar, producida por los movimientos de los peces y otros organismos marinos. // 2. Calor intenso, calentura.

arneirón. Bálano (crustáceo).

arola. Marisco, especie de almeja pequeña. // 2. Conchita de figura parecida a la de la almeja, pero más endeble y más pequeña. // 3. En las Rías Bajas, marisco de poca estimación.

arousán, arousá. De Arousa o sus habitantes. // 2. Persona natural o habitante de Arousa.

arrombar. Abultar. // 2. Ordenar, colocar.

asubiar. Silbar.

asubío. Silbido. // 2. Pequeño instrumento que sirve para silbar, pito.

atutar. Mugir.

augardente. Aguardiente. En gallego es femenino (*a augardente*).

avogoso, -a. Intercesor.

baixo. Lugar donde el agua tiene poca profundidad y pueden encallar los barcos // 2. Bajo, de poca altura.

balea. Ballena.

baleiro, -a. Vacío, sin nada en su interior.

barbas de millo. Especie de pelos que echa la espiga de maíz.

barileza. Esfuerzo, decisión. // 2. Hermosura, gentileza.

barrar. Tapar algo con barro u otra masa para que quede herméticamente cerrado.

batea. Vivero que consiste en una plataforma anclada en el mar de la que penden varias cuerdas, donde se crían moluscos, principalmente mejillones.

batedoiro, batente. Lugar de la costa donde rompen o baten las olas.

berrón, -ona. Gritón, que tiene por costumbre hablar a gritos.

besta. Animal cuadrúpedo, normalmente el doméstico de carga. // 2. Persona ruda.

besugueiro. Barco que pesca besugos.

betanceiro, -a. Natural de Betanzos o perteneciente a esta villa.

bico. Beso.

bidueiro. Abedul.

bocana. Paso estrecho de mar que sirve de entrada a una bahía o fondeadero.

bolboreta. Mariposa.

borralla. Polvo o conjunto de residuos que quedan de algo que se quemó por completo, cenizas.

borrallento, -a. Ceniciento, lleno de ceniza.

bosta. Excremento de ganado vacuno.

botelo. Embutido hecho con el estómago o el intestino

grueso del cerdo, relleno de costilla de cerdo picada y adobada con ajo, pimiento y sal, y después curado.

bou. Arte de pesca de arrastre, practicada en alta mar, en que dos barcos que navegan parejos arrastran una red en forma de saco durante unas horas. // 2. Barco que trabaja con este sistema de pesca.

branco. Blanco.

braña. Terreno muy húmedo que puede ser prado o monte bajo.

brasileiro, -a. Relativo a Brasil o a sus habitantes. // 2. Natural o habitante de Brasil.

burato. Abertura, orificio. // 2. Hueco, oquedad.

buxo. Boj, arbusto de hojas perennes, de madera muy dura y compacta y de crecimiento lento.

cabaliño de mar. Hipocampo.

cabaliño do demo. Libélula.

cabalo. Caballo.

cabaza. Calabaza.

cabezo. Además de su significado en castellano, caladero.

cacheira. Cabeza de cerdo.

cachelo. Patata cocida entera o en trozos, con o sin piel.

cachucha. Cabeza de cerdo.

cadoiro. Caída de agua desde determinada altura, originada por un brusco desnivel del terreno.

cadril. Hueso de la cadera. // 2. Parte baja de la espalda de las personas, situada a la altura de los riñones.

café de pota. Café hecho en una olla, el café que no se hace en cafetera.

cala. Pequeña entrada que hace el mar en la costa. // 2. Cabo muy grueso empleado en ciertas artes de pesca.

caldeirada. Guiso hecho a base de pescado fresco de diferentes clases, patatas, pimientos, etc., y que se cuece todo junto.

calleiro. Estómago de los animales. // 2. vulg. Enfermedad del estómago de las personas.

camariñán, camariñá. Natural de Camariñas. // 2. Perteneciente o relativo a esta villa.

camellán, camellá. Natural de Camelle. // 2. Perteneciente o relativo a esta villa.

can de palleiro. Perro del país, cruce de muchas razas.

canilonga. Ave marítima, de mayor tamaño que la gaviota común. También se llama cuervo marino.

cara a. En dirección a.

caralleta. vulg. El longueirón viejo.

carallo. Pene. // 2. Se utiliza en el lenguaje popular como exclamación para manifestar sorpresa, dolor, etc.

caramuxo. Bígaro.

carballo. Roble.

carioca. Además de su significado en castellano, pescadilla pequeña.

carpinteiro, -a. Carpintero.

carrapito. Lampazo, lapa.

carreiro. Camino estrecho que se hace al andar por él, y que sólo sirve para pasar a pie.

carretar. Acarrear algo de un lugar a otro.

carrumeiro. Especie de alga.

cascarilleiro. Seudogentilicio del coruñés.

castaña mamota. Castaña cocida con la piel.

castañeta. Palometa.

castrapo. Jerga mezcla de castellano y gallego.

catalina. Campesina que se da baños de mar terapéuticos; suelen ser nueve y es usual que se los den en un solo día por motivos económicos.

cativo, -a. De mala calidad, que vale poco o tiene malas cualidades. // 2. Niño de corta edad.

centola. Centolla, crustáceo marino muy apreciado como marisco.

ceo. Cielo.

chafalleiro. Chapucero.

chamar. Llamar.

chambón. Que hace las cosas mal y sin gracia.

chamelo. Variedad del dominó que se juega entre cuatro personas, las cuales recogen las fichas al azar.

chamizo. Palo de tojo, etc., medio chamuscado que queda en el monte después de un incendio. // 2. Rama seca de algunos arbustos utilizada para encender el fuego.

chapapote. Alquitrán, brea, asfalto.

cheirar. Aplicar el sentido del olfato a algo para apreciar su olor. // 2. Despedir olor. A veces el significado de cheirar depende del adverbio (bien o mal), aunque en algunas partes de Galicia equivale a oler mal.

cheiro, cheirume. Olor. En algunas partes de Galicia equivale a mal olor.

chocallo. Cencerro.

choco. Jibia.

choqueiro, -a. Seudogentilicio del natural o habitante de Redondela por la abundancia de chocos que allí se pescan. // 2. Persona harapienta.

chorar. Llorar.

chorín. Endemoniado.

chorón, -ona. Que llora mucho.

chosco, -a. Sin un ojo, que no ve por un ojo, o que ve poco por él. // 2. Que no ve.

chourizo ceboleiro. Chorizo que en su composición lleva cebolla.

cincento, -a. Ceniciento.

cirola. Ciruela.

ciscado, -a. Esparcido. // 2. Cagado por sí.

có. Contracción de la conjunción *con* + el artículo *el* = con el.

coa. Contracción de la preposición *con* + el artículo *la* = con la.

cocho. Cerdo.

codia. Corteza (de pan, de la tierra...).

coidar. Tener la idea, opinión o sospecha, creer, considerar, estimar.

coído. Pedregal.

coitado, -a. Que tiene poca resolución o valor. // 2. Desventurado.

cona de monxa. Ciruela, en Muxía.

cona. Coño. // 2. Chalana, en Marín.

conacha. Cona, coño.

concheiro, -a. Peregrino a Compostela.

cornecho. Especie de caracol marino, de concha retorcida y terminada en punta. // 2. Cangrejo ermitaño.

corpo santo. En algunas comarcas gallegas, cadáver que no se descompone aun después de pasar muchos años.

corredoira. Camino de carro, estrecho y profundo.

correntada. Corriente fuerte de agua, crecida.

correola. Alga marina en forma de tiras o correas, que se aprovecha para abonar la tierra. // 2. Planta herbácea que crece en la orilla de los caminos, cuyas hojas y flores tienen propiedades curativas.

corricán. Curricán.

costa. Zona de tierra próxima al mar, y también zona de mar próxima a tierra. // 2. Parte posterior del cuerpo humano que va desde los hombros hasta la cintura, así como la parte correspondiente de los animales cuadrúpedos.

coxo, -a. Falto de una pierna o pie, cojo. // 2. Que cojea.

creba. Grieta. // 2. Hernia. // 3. Quiebra de una empresa. // 4. Bienes que devuelve la mar tras un naufragio.

crego. Cura, sacerdote.

croio. fam. Persona muy fea. // 2. Piedra dura y pequeña, particularmente la redondeada y desgastada por la erosión.

croque. Golpe dado con la cabeza o recibido en ella. // 2. Chichón. // 3. En algunos lugares de Galicia, berberecho.

cruceiro. Gran cruz de piedra que se sitúa principalmente en las encrucijadas, a la orilla de los caminos, en los límites de las parroquias y en los atrios de las iglesias.

cu. Culo.

curmán. Primo carnal.

curruncho. Rincón, sitio apartado, más o menos pequeño y oculto, dentro de otro espacio mayor.

curuxa. Lechuza.

da. Contracción de la preposición *de* + el artículo *la* = de la.

defunto, -a. Difunto.

demo carneiro. Demonio que toma la apariencia de cabrón.

demo nubeiro. vulg. El demonio que trae los nubarrones de la tormenta.

demo troneiro. vulg. El demonio que trae los truenos.

desfeita. Destrucción, daño muy grave. // 2. Operación de partir el cerdo tras la matanza.

do. Contracción de la preposición *de* + el artículo *el* = del.

donicela, doniña, donosiña, cazoleira. Comadreja.

dor. Dolor. En gallego es femenino *(a dor)*.

dorna. Embarcación pequeña destinada a la pesca, a remo o a vela, de proa redonda, popa chata y quilla pronunciada.

dourado, -a. Que tiene color de oro o es semejante a él. // 2. Dorada (pescado).

ediverso. Que hace mal con la vista.

encrucillada. Lugar donde se cruzan dos o más caminos, encrucijada.

endiañado, -a. Poseído por el diablo.

entroido. Carnaval.

escachar. Romper en pedazos, cascar.

escorrentar. Ahuyentar, espantar.

esmagado. Aplastado.

espernexar. Patalear, mover repetidamente las piernas.

espulla. Verruga.

esquío. Ardilla.

estadía. Estancia, permanencia.

estrume. Vegetación propia del monte (tojos, helechos, hierbas, etc.) que se extiende en el suelo de las cuadras, para que duerma el ganado sobre ella y produzca abono.

fachado, -a. Con labio leporino.

facho. Hoguera que se encendía antiguamente en la cima de un monte para guiar a los marineros, a modo de faro. // 2. Antorcha.

faiado. Desván.

faneca. Pez marino, con cierto parecido al abadejo, cuya carne es muy apreciada por su sabor.

farallón. Roca alta, muy próxima a la costa que sobresale mucho, incluso en pleamar.

farfallán, -ana. Fanfarrón.

farrapo. Trozo de tela muy roto y gastado, harapo. // 2. Fleco de la gaita.

fartar. Hartar. // 2. Figuradamente, cansarse de algo o alguien.

fedorento, -a. Que hiede o desprende hedor, fétido.

felpas. Tiras de carne magra, sin grasa.

ferralla. Chatarra.

ferralleiro, -a. Chatarrero.

ferramenta. Herramienta o conjunto de ellas.

ferreiro, -a. Herrero.

fieito, fento. Helecho.

filloa, freixó. Masa muy delgada compuesta básicamente de huevos, leche, harina y, a veces, sangre, y frita en manteca o tocino en una sartén o aparato especial.

fin. Fin. En gallego es femenino *(a fin)*.

fisga. Especie de arpón para la pesca, de forma y número de dientes variables según las zonas y la variedad de pez o molusco que se pretenda capturar. // 2. Parte de determinadas artes de pesca, consistente en un embudo de red que impide la fuga de los peces capturados.

fisterrán, fisterrá. Relativo o perteneciente a Fisterra.

fociño. Morro, parte de la cara de personas y animales mamíferos que comprende la boca y la nariz.

fogueteiro, -a. Persona que hace cohetes. // 2. Persona encargada de echar los cohetes en las fiestas. // 3. Persona precipitada.

folla. Hoja.

fonte. Fuente, lugar del que mana el agua. // 2. Bandeja.

fóra. En el exterior.

fraga. Bosque con mucha vegetación que en gran parte brota de forma espontánea, y generalmente aislado.

freixo. Árbol de hoja caduca y madera fácil de trabajar (fresno).

frieira. Sabañón. Se emplea sobre todo en plural.

fume. Humo, y por extensión, vapor que se desprende de los líquidos al hervir.

furabolos. Dedo índice.

furna. Rada, cala pequeña.

furriqueira. pop. Evacuación de excrementos en estado casi líquido.

gafeira. vulg. La mala suerte, el gafe.

gafeirento. vulg. Persona portadora de mala suerte, que es gafe.

gaioleiro, -a. Encantador, seductor, que atrae con fuerza o hace sentir una intensa admiración, amor, etc.

gaiteiro, -a. Gaitero, persona que toca la gaita.

galo. Gallo.

gamela. Chalana, pequeña embarcación que se usa en la pesca de bajura, generalmente de fondo plano, chato de proa y popa, que puede ir a remo, vela o con un pequeño motor.

gándara. Terreno bajo y arenoso, húmedo e improductivo, lleno de maleza.

garabullo. Palo delgado y pequeño, que se usa sobre todo para encender el fuego.

garrido, -a. Apuesto, lozano, de buena presencia.

grelo. Nabiza vieja, hojas del nabo que ya presentan flor.

haber. Tesoro enterrado por los moros.

haber de + infinitivo. *Tener que*, acción que va a ocurrir en un tiempo futuro.

herba. Hierba.

herba de Nosa Señora. Planta medicinal muy aromática, del mismo género que la absenta.

herba de ouro, herba belida. Flor de San Diego.

herba dos amores. Bardana o amor del hortelano, planta compuesta con flores purpúreas de espinas en anzuelo.

inquía. Anguila en pesco.

-iño, -iña. Sufijo de valor diminutivo o afectivo.

lacón. Pata delantera del cerdo, generalmente curada y salada.

laconada. Comida que tiene como ingrediente principal el lacón cocido, acompañado normalmente con grelos, chorizo y patatas.

lambeteiro, -a. Goloso.

lamprea. Pez comestible, de cuerpo largo y cilíndrico, que vive parte de su vida en el mar y parte en el río, y muy apreciado por su carne.

lañar. Cortar, abrir cortando. // 2. Abrir el pescado para sacarle las tripas y la cabeza.

lareira. Lugar donde se enciende el fuego en las cocinas rústicas. // 2. Toda la cocina de la casa rústica, incluida la campana de la chimenea.

larpadela, larpada. Comilona.

larpeiro, -a. Goloso. // 2. Glotón.

lasca. Piedra pequeña y plana

que se desprende de otra, limadura.

latexar. Latir, palpitar.

laxe. Roca de grandes dimensiones y de superficie lisa, que aflora en un terreno, sin sobresalir de él. // 2. Losa.

leira. Terreno de labranza.

leite callado. Leche coagulada, quedando la materia sólida separada del suero, y de la que se hace el requesón. En gallego es masculino (o leite).

lembranza. Recuerdo de algo pasado.

limoeiro. Limonero.

liña. Arte de pesca, consistente en un hilo o tanza, generalmente de nailon, con una plomada y uno o varios anzuelos en el extremo. // 2. Trazo alargado y fino.

lobishome. Hombre lobo.

lombriga. Lombriz de tierra. // 2. Gusano parásito del intestino humano y de algunos animales.

longo, -a. Largo, extenso.

longueirón. Molusco bivalvo comestible, de concha alargada semejante a la navaja, pero más larga. Vive enterrado en la arena.

loureiro. Laurel.

lubión. Pez de cuerpo alargado con una sola aleta dorsal, de radios blandos, con la quijada superior más corta que la inferior. De él se alimentan rodaballos, lubinas, etc.

lume. Luz y calor producido por las llamas que se desprenden de una materia que arde.

luns. Lunes, primer día de la semana.

macela. Planta silvestre con muchas ramas y flores pequeñas, parecidas a las margaritas, muy usada en infusión por sus propiedades medicinales (manzanilla). // 2. Infusión que se hace con las flores de esa planta.

madrío. vulg. Matriz, útero de la mujer. // 2. Mal de la matriz, propio de la mujer.

mal de ollo. Mal de ojo, pretendida influencia maléfica que se les supone en la mirada a algunas personas.

mal do aire. pop. Estado de *shock* en que entran las personas, principalmente los niños, al ver un difunto.

malleira. Paliza.

malos fados. vulg. Malos presagios.

manda. Manojo, cantidad de algo que se puede coger de una sola vez con las manos. // 2. Banco de peces. // 3. Manada de animales.

manecho, -a. vulg. Zurdo.

mar. Mar. En gallego es siempre masculino (*o mar*).

mar ventoleiro. pop. Mar ventoso.

marea de defuntos. Marea viva.

mareiro, -a. Favorable para la navegación. // 2. Marea viva. // 3. Movimiento muy agitado del mar, con grandes olas y sin borrasca.

marelo, -a. Amarillo.

mariñán, mariñá. Relativo o perteneciente a la costa, al litoral. // 2. De la comarca de las Mariñas o de sus habitantes. // 3. Persona natural o habitante de esta comarca.

marisqueiro, -a. Relativo al marisco.

marmeleiro. Membrillo (árbol).

marmelo. Membrillo (fruto). // 2. Especie de mermelada solidificada que se hace con el fruto del membrillo (dulce de membrillo).

mascato. Ave marina grande, blanca, con la punta de las alas negra y la cabeza amarillenta, que bucea lanzándose desde una altura considerable (alcatraz).

matalota. Matanza del cerdo.

matapiollos. Dedo pulgar.

mazaroca. Porción de lino, lana, etc., que se envuelve en el huso. // 2. Espiga de maíz. // 3. En algunos lugares de Galicia, persona bruta, tosca.

mecela. Manzanilla, camomila (planta). // 2. Manzanilla, camomila (infusión).

meigallo. Hechizo, acción mágica que provoca ciertos efectos en una persona, animal, etc., por lo general negativos.

meigo, -a. Brujo, hechicero, que practica la hechicería. // 2. Bruja, mujer a la que se le atribuyen poderes mágicos por un pretendido pacto con el demonio.

merda. Mierda. // 2. Excremento sólido y, por extensión, suciedad. // 3. Algo que no tiene valor o que no merece la pena conservar.

mexo. Orina.

milagreiro, -a. Milagrero. // 2. Milagroso.

millo. Maíz.

mincha. Bígaro.

miñoca. Lombriz de tierra, gusano que vive en terrenos húmedos. // 2. Pene.

mirto. Arbusto de hojas siempre verdes, que se emplea para adornar los jardines.

misto. Cerilla, fósforo.

moinante, -a. Feriante. // 2. Persona que anda en negocios poco claros, truhán. // 3. Persona desvergonzada y dada al ocio. // 4. Seudogentilicio del natural o habitante de Carballo.

montar a canchapernas. Montar a horcajadas.

morodo, amorodo. Fresa.

morriña. Sentimiento y estado de ánimo melancólico, en particular causado por la nostalgia de la tierra. // 2. Roña, capa de suciedad que se forma sobre algo por falta de higiene.

morriñento, -a. Melancólico, que siente tristeza, melancolía. // 2. Que tiene suciedad, roña.

morto, -a. Difunto.

mourindá. Morisma.

mouro, -a. De color oscuro. // 2. Musulmán. // 3. Nativo del norte de África.

moza talluda. pop. Moza de buen ver.

muiñeira. Danza tradicional gallega. // 2. Composición

musical tradicional, de movimiento alegre.

muiñeiro, -a. Molinero.

muller. Mujer.

muraño. Musaraña. En gallego es masculino *(o muraño).*

murcho, -a. Marchito.

muxián. De Muxía o de sus habitantes. // 2. Persona natural o habitante de esta villa.

nabiza. Hoja del nabo cuando empieza a crecer, primeras hojas tiernas.

naceiro. Afilador y leñador (es barallete).

nécora. Cangrejo de mar, pequeño, de color negro cuando está vivo y rojo cuando cocido, muy apreciado como marisco.

neno, -a. Niño.

noso, -a. Nuestro.

oito. Ocho.

olga. Alga.

oliveira. Olivo. // 2. Madera del olivo. En gallego es femenino *(a oliveira).*

ollomol. Besugo.

orballo. Llovizna, lluvia fina y compacta. // 2. Rocío.

ourensán, ourensá. Relativo o perteneciente a Orense. // 2. Natural o habitante de Orense.

outubro, outono. Mes de octubre.

padroa. Patrona.

paifoco, -a. De modos rústicos, poco refinado. // 2. Pájaro pequeño de color pardo.

palilleira. Encajera que hace encaje de bolillos con unos palillos.

palmeirán, palmeirá. Relativo o perteneciente a Palmeira. // 2. Natural o habitante de Palmeira.

palmeiro, -a. Palmero, peregrino a Tierra Santa.

pan de millo. Pan de maíz.

pano. Ala de la mariquita. // 2. Cualquier tejido de lana, lino, seda o algodón.

pantasma. Fantasma. En gallego es femenino *(a pantasma).*

pao, pau de sanguiño. Madera de arraclán.

pardal. Gorrión.

parrocha. Sardina pequeña. // 2. vulg. Coño.

parrulo, -a. Pato.

parvear. Volverse tonto, quedar sin capacidad de discurrir.

parvo, -a. Tonto, corto de inteligencia.

paspallás. Codorniz. En gallego es masculino *(o paspallás).*

pastequeiro. Curandero que empieza sus prácticas con las palabras *pax tecum*, la paz sea contigo.

patacón, pataco. Antigua moneda de cobre de diez céntimos.

pau de abaneiro. Madera de abedul.

pecadento, -a. Pecador.

pedra de amolar. Piedra de afilar, normalmente utilizada por los afiladores.

pedrón. Piedra grande.

peeiro dos lobos. El que anda con lobos.

pegañento, -a. fam. Pegajoso, pegadizo.

peixe. Pez.

peixe sapo. Rape.

pelouro. Piedra pequeña lisa y redondeada por la erosión, canto. // 2. Piedra de tamaño considerable.

Pencho. Hipocorístico de Prudencio.

percebe. Crustáceo marino, muy apreciado como marisco.

percebeiro, -a. Pescador de percebes.

pesca al xeito. Arte de pesca que consiste en una red larga que se extiende y se deja durante horas para que la sardina quede atrapada en ella.

pesca de pincho. Pesca realizada con un aparejo formado por una cuerda larga de la que cuelgan otras más cortas que llevan anzuelos en sus extremos. Se utiliza sobre todo para pescar merluza.

pescada. Merluza.

pesco. En el gallego de Fisterra y de Muxía, el pescador y el que vive de la pesca. // 2. Jerga de los pescadores de Fisterra y de Muxía.

petaíño. Pájaro marino del que se tienen escasas noticias.

peteiro. Pico de las aves. // 2. Boca. // 3. Parte inferior de la cabeza del cerdo.

petón. Piedra grande y redonda.

pexego. Fruta muy semejante al melocotón, incluso a veces se identifica con él.

piollo. Piojo.

pioxo. Hierba aromática y medicinal.

pirica. Pene. // 2. En Corme, gamela.

pitasol. El insecto llamado mariquita.

pixota. Merluza.

playal. Playa grande (es voz náutica castellana no recogida por el Diccionario de la Real Academia).

podre. Podrido.

polbo. Pulpo, cuando está vivo.

ponla, póla. Rama de un árbol.

porcallán, -ana. Desaseado. // 2. Que suele decir cerdadas.

porco bravo. Jabalí.

porcoteixo. Tejón.

preito. Pleito, disputa judicial.

pulpeira. cast. Muy usado por **polbeira**: persona que cocina y vende pulpo.

putañeiro. fam. Putero.

raeira. Tipo de red que se fija en el fondo del mar.

rapetón. Arte de pesca de arrastre, para la pesca de la sardina.

raposo, -a. Zorro.

raxo. Cada una de las dos tiras de carne que están situadas a lo largo del lomo del cerdo, unidas al espinazo. // 2. Cada uno de los brazos del pulpo, tentáculo.

regato. Curso de agua poco abundante.

rego. Pequeño surco natural por el que corre el agua. // 2. Excavación larga y poco profunda que se hace en un terreno para sembrar, distribuir el agua para regar, etc.

reiseñor. Ruiseñor.

ribeira. Orilla, franja de tierra que está al lado del mar, de un río, etc.

rifar. Además de su significado en castellano, discutir, reñir.

robaliza. Lubina.

robalo. Lubina grande.

rodaballo. También es voz castellana. Pez marino de cuerpo plano romboidal, de carne muy apreciada.

rodal. Parte delantera de la quilla de una embarcación. // 2. Pieza circular de poco grosor que puede girar alrededor de su eje. // 3. Porción de lo que fuere en el fondo de la mar (rodal de algas, de arena, de piedras).

romeiro, -a. Romero, peregrino a Roma.

roubar. Robar.

roxo. Pelirrojo. // 2. De color dorado o algo más oscuro.

rula. Tórtola.

rustrido. Refrito, preparado de aceite, mantequilla u otra grasa y diversos ingredientes, como cebolla, pimiento y sobre todo ajo, y todo esto frito.

sabugueiro. Saúco.

sacho. Utensilio de labranza para remover la tierra, de

formas y tamaños diversos según los lugares.

saído, -a. Participio del verbo salir. // 2. Excitado sexualmente. // 3. En celo.

sal. Sal. En gallego es masculino (*o sal*).

salabardo. Utensilio de pesca que consiste en una red en forma de saco o manga, sujeta a un aro de hierro o madera que va unido, a su vez, a un mango, en particular el que se emplea para coger el pescado cercado por el aparejo y echarlo en la embarcación.

sambesuga o **samesuga.** Sanguijuela.

sanguiño. Arraclán, arbusto de madera flexible, corteza roja empleada para hacer remedios, y frutos también rojos que se vuelven negros cuando están maduros.

Santa Compaña. Procesión de fantasmas o almas en pena que, según las leyendas tradicionales gallegas, recorre de noche bosques y caminos.

santiaguiño. Marisco decápodo. Se llama así por las rugosidades en forma de cruz de Santiago que tiene en el caparazón que le cubre la cabeza.

saramago. Jaramago, hierba silvestre de hasta metro y medio y flores blancas, nociva para el ganado.

sardiñada. Fiesta popular o familiar en que se asan sardinas.

sardiñeiro. Persona que se dedica a la pesca o venta de sardinas. // 2. Aparejo dedicado a la pesca de sardinas.

sepultureiro. Enterrador, sepulturero.

sequeiro. Secadero, lugar donde se pone a secar leña, castañas, cerámica, etc. // 2. Terreno no regado regularmente.

serrón. Sierra de mano empleada por el carpintero.

silveira. Zarza. // 2. Conjunto de zarzas.

soaxe. vulg. El espinazo del cerdo.

tabaqueiro, -a. De tabaco, relativo al tabaco o a su elaboración. // 2. Persona que trabaja en la elaboración del tabaco. // 3. Caja para guardar el tabaco.

tabeirón. En el lenguaje popular, tiburón.

tamancas. Zuecos grandes, mal hechos y desproporcionados.

tambucho. Pequeña abertura cuadrada en la proa de las embarcaciones que da paso a la camareta.

tarangaño. Trasno maléfico.

tarrafeira, tarrafa. Aparejo de pesca al cerco para la sardina. // 2. Barco que emplea este arte, característico de las Rías Altas.

tatelo, -a. Tartamudo.

tendeiro, -a. Tendero

ter abondo. Tener suficiente, tener bastante de algo.

testalán, -ana. Testarudo, tozudo.

tileiro. Tilo (árbol).

tódalas, tódolos. Contracción del indefinido *todas, todos* con las segundas formas del artículo *(los, las)* = todos los, todas las.

tolete. Palo fijado a bordo de la embarcación al que se sujeta el remo, valiéndose de un aro de cuerda.

tolo, -a. Loco.

toro. Tronco de un árbol. // 2. Porción circular de carne, pescado o fruto, rodaja.

toromelo. Persona regordeta. // 2. Persona perezosa.

torto, -a. Que no ve de un ojo, tuerto. // 2. Mal hecho, torcido.

touciño. Tocino, grasa que tiene el cerdo por debajo de la piel.

toupa. Topo. En gallego es femenino *(a toupa).*

toxo. Tojo, arbusto espinoso de flores amarillas, muy común en Galicia.

traíña. Aparejo para la pesca de la sardina.

traiñera. Barco de pesca aparejado con traíñas.

trasgo, trasno. Ser fantástico nocturno que suele hacer travesuras, sin causar daños graves, duende.

trasmallo. Aparejo de pesca formado por paños superpuestos, de forma rectangular, los exteriores de malla ancha y los interiores de malla estrecha, que forman como una pared de red en el mar, en la que quedan atrapados los peces.

tripallada. Conjunto de las tripas de un animal.

troita. Trucha.

trola. Embuste, mentira.

unto. Tocino, grasa que envuelve los intestinos de los animales, en particular del cerdo, que se conserva curada o en sal y se echa a algunas comidas para dar un sabor especial.

vaca marela. Vaca pelirroja, característica de Galicia.

vacaloura. Ciervo volante.

vagalume. Luciérnaga.

veleno. Veneno.

vento de baixo. Viento del sur.

vento mareiro. Viento que viene del mar.

verderolo. Verderol.

verruguento. fam. Lleno de verrugas.

verxebán. Verbena (planta aromática).

volanta. Aparejo de pesca para la merluza, el abadejo y otras clases de peces.

volanteiro. Lancha o lanchón que se emplea en la pesca con volanta.

xa. Ya (adverbio).

xabarín. Jabalí.

xardón. Acebo.

xarrete. Jarrete, parte de la pierna que está detrás de la rodilla. // 2. Por donde doblan las patas los animales, en particular los cuadrúpedos.

xaruto. Cigarro puro o de picadura. // 2. Rollo de hojas de tabaco para fumar.

xastre, -a. Sastre.

xenro. Yerno.

xente. Gente.

xílgaro. Jilguero.

xouba. Sardina pequeña.

Xouxa. Hipocorístico de Asunción.

xunqueira. Terreno muy húmedo donde abundan los juncos.

xuño. Junio, sexto mes del año. También **San Xoán**.

xurelo. Jurel.

zamburiña. Molusco parecido a la vieira, pero más pequeña.

zarralleiro, -a. Cerrajero.

zoco. Zueco, calzado rústico con suela de madera y empeine de cuero.

zorza. Carne picada y adobada para hacer chorizos y otros embutidos.

ÍNDICE

I. EL CARNERO DE MARCO POLO
Cuando dejamos de jugar al rugby 9

II. ANNELIE Y EL JOROBADO
Cuando dejamos de jugar al tenis 95

III. DOÑA ONOFRE LA ZURDA
Cuando dejamos de pescar con artes prohibidas 179

IV. LAS LLAVES DE CÍBOLA
Cuando dejamos de jugar al cricket 257

Vocabulario gallego-castellano, por Marisa F. Pas-
    cual 305

ESPASA Ⓔ NARRATIVA

Director Editorial: Rafael González Cortés
Directora de la colección: Constanza Aguilera
Editora: Loida Díez

Diseño de la colección: Tasmanias
Ilustración de cubierta: Juan Pablo Rada
Fotografía del autor: Ricardo Martín
Realización de cubierta: Ángel Sanz Martín

Reservados todos los derechos. No se permite reproducir, almacenar en sistemas de recuperación de la información ni transmitir ninguna parte de esta publicación, cualquiera que sea el medio empleado —electrónico, mecánico, fotocopia, grabación, etc.—, sin permiso previo de los titulares de los derechos de la propiedad intelectual.

Espasa, en su deseo de mejorar sus publicaciones, agradecerá cualquier sugerencia que los lectores hagan al departamento editorial por correo electrónico: sugerencias@espasa.es

Impreso en España/Printed in Spain
Impresión: Huertas, S. A.